Silber

El segundo libro de los sueños

Kerstin Gier

Silber

El segundo libro de los sueños

Traducción de Nuria Villagrasa Valdivieso

B DE BLOK

Barcelona • Madrid • Bogotá • Buenos Aires • Caracas • México D.F.
Miami • Montevideo • Santiago de Chile

Título original: *Silber. Das zweite Buch der Träume*
Traducción: Nuria Villagrasa Valdivieso
1.ª edición: mayo 2015

© S. Fischer Verlag GmbH, Frankfurt am Main 2014
© Ediciones B, S. A., 2015
    para el sello B de Blok
    Consell de Cent 425-427 - 08009 Barcelona (España)
    www.edicionesb.com

Printed in Spain
ISBN: 978-84-16075-39-3
DL B 9364-2015

Impreso por QP PRINT

Para Leonie. ¡Estoy tan orgullosa de ti!

Si puedes soñarlo, puedes hacerlo.

WALT DISNEY

1

Realmente, Charles no me había puesto difícil encontrar su puerta: tenía una foto de sí mismo a tamaño real, con una amplia sonrisa y una bata blanquísima en cuyo bolsillo superior ponía «Dr. med. odont. Charles Spencer» y debajo: «El mejor que puede conseguir para sus dientes.»

Sin embargo, con lo que no había contado era con que la foto empezara a cantar cuando toqué el timbre.

«¡Trabajando duro para mantener los dientes limpios!», cantó lleno de entusiasmo y con una bonita voz de tenor usando la melodía de *Campanita del lugar*. Asustada, miré a un lado y a otro del pasillo. Madre mía, ¿podría hacerlo un poco más bajito? De todos modos, durante todo el rato había tenido la sensación de ser observada. Aunque, aparte de mí y del Charles de la foto, no se veía a nadie, solo puertas hasta donde alcanzaba la vista. La mía estaba justo a la vuelta de la siguiente esquina y, en el fondo, nada me apetecía más que regresar a ella corriendo e interrumpir la operación. Mi conciencia casi me mata. En cierto modo, esto era como leer el diario secreto de alguien, solo que mucho peor. Además, había tenido que cometer un robo para hacerlo, aunque de todos modos se podía discutir si realmente era tan inmoral como parecía. Desde un punto de vista jurídico, naturalmente era un robo, pero este tipo de gorra de trampero forrada de piel y con orejeras que le había sustraído a Charles solo le quedaba bien a muy poca gente. Con ella puesta, casi todos parecían borregos con menos de dos dedos de frente, y Charles no era una excepción, así que, en el fondo, incluso le había hecho un favor. Solo esperaba que no entrara nadie en mi habitación y me viera tumbada en la cama con la estúpida gorra. Pues eso era lo que estaba haciendo yo en realidad: estar tumbada en la cama y dormir. Con una gorra de trampero robada en la cabeza. Solo que no estaba soñando con algo agradable, sino que estaba espiando a alguien en sueños. A alguien que, probablemente, estaba a punto de romperle el corazón a Lottie (de profesión, la mejor trenzadora de peinados locos, cocinera de galletas, susurradora de perros y tranquilizadora mundial de almas de niñas). Y como nadie en el mundo tenía un corazón más tierno que el de Lottie (por cierto, oficialmente nuestra niñera), eso no podía pasar bajo ningún concepto. Así pues, en este caso, esperaba que el fin justificara los medios. ¿O no?

Suspiré. ¿Por qué tenía que ser siempre todo tan complicado?

—No lo hago por mí, lo hago por Lottie —dije a media voz y solo por si acaso tenía un oyente invisible; después respiré hondo y accioné el picaporte.

—¡Eh, eh, nada de colarse! —El Charles de la foto levantó el dedo índice y empezó a cantar otra vez—. «Trabajando duro para mantener los dientes limpios, por delante y por detrás...» ¿Y...?

—Hum... ¿Por en medio? —susurré insegura.

—¡Correcto! Aunque si se canta es mucho más bonito. —Mientras se abría la puerta, Charles siguió canturreando alegremente—: «Si un buen rato me cepillo, ¡tendré una sonrisa con brillo!»

—De verdad, no entiendo qué ve Lottie en ti —murmuré mientras cruzaba el umbral, no sin antes echar un último vistazo al pasillo. Seguía sin ver nada.

Por suerte, al otro lado de la puerta no me esperaba una consulta de dentista, sino un soleado campo de golf. Y Charles, esta vez en 3D, con unos pantalones de cuadros balanceando el palo de golf. Tremendamente aliviada por no haber irrumpido en un sueño indecente (algunos estudios afirman que más del treinta y cinco por ciento de los sueños humanos tratan de sexo), rápidamente adapté mi atuendo a la situación: polo, pantalones de lino, zapatos de golf y —porque no me pude resistir— una auténtica gorra con visera. Con toda la naturalidad posible, me acerqué. La puerta que daba al pasillo la había cerrado suavemente a mi espalda y ahora me encontraba como una obra de arte que causa una impresión extraña en medio del césped.

Después de aterrizar, la bola de Charles rodó con una curva elegante directa al hoyo, y el acompañante de Charles, un hombre de su edad con unos dientes espectacularmente bonitos, maldijo en voz baja.

—Bueno, ¿qué se puede añadir? —Charles se volvió hacia él con una sonrisa triunfal en los labios. Después, se fijó en mí y sonrió aún más—. Oh, hola, pequeña Liv. ¿Lo has visto? Ha sido un hoyo en uno. Y con él he machacado a este grupito.

—Eh, sí, genial —dije con un gesto de aprobación.

—Sí, ¿verdad? —Charles se echó a reír y me puso un brazo alrededor del hombro—. ¿Me permites presentártelos? El que me mira con tanta rabia es mi viejo amigo de la universidad Antony. Pero no te preocupes, él está bien, es solo que no está acostumbrado a perder contra mí.

—Por supuesto que no. —Antony me dio la mano—. Soy el tipo de amigo que sencillamente es mejor en todo: sacaba las mejores notas, conduzco los coches más elegantes, tengo la consulta más exitosa y siempre me ligaba a la chica más guapa. —Sonrió—. Y al contrario que Charlie, aún conservo todo el pelo.

Vaya, así que se trataba de ese tipo de sueño. Ahora aún me daba más pena tener que molestarle.

Mientras Antony se pasaba los cinco dedos de la mano por el pelo, el triunfo se esfumó de la mirada de Charles.

—Debe de haber mujeres a las que los hombres con calva les parezcan atractivos —murmuró.

—¡Oh, sí! —le di la razón apresuradamente—. Lottie, por ejemplo.

Y mi madre. Al fin y al cabo, se había enamorado de Ernest, el hermano pelón de Charles. Pero probablemente no por la calva, sino simplemente a pesar de ella.

—¿Quién es Lottie? —se interesó Antony, y yo tenía casi la misma curiosidad que él por la respuesta. Ahora se vería si Charles iba en serio con Lottie.

Al menos volvió a sonreír al pronunciar su nombre.

—Lottie será... ¿Qué es eso? —Un sonido fuerte que irrumpió de repente en el campo de golf le había interrumpido.

Precisamente ahora.

—Para el despertador aún es demasiado pronto —murmuré alarmada, y cuando Antony añadió: «Para mí suena más bien como una alarma de incendios», me volví hacia la puerta, asustada. Si Charles despertaba en ese momento, todo el sueño se desmoronaría y yo caería en la nada, una experiencia sumamente desagradable por la que yo no quería volver a pasar tan pronto. Mientras el sonido fuerte seguía subiendo y el cielo se desgarraba, yo esprinté hacia la puerta y agarré el picaporte justo en el momento en el que suelo empezaba a desplomarse a mis pies. Con una gran zancada, me salvé cruzando el umbral hacia el pasillo y cerré la puerta tras de mí.

Salvada. Pero mi misión había fracasado claramente. En cuanto a los sentimientos de Charles por Lottie, sabía exactamente lo mismo que antes. Aunque al mencionar su nombre, él había sonreído.

El Charles de la foto empezó a cantar otra vez su canción de la limpieza dental.

—Oh, cierra el pico —le grité, y el Charles de la foto enmudeció ofendido. Y entonces lo oí, en medio del repentino silencio: un crujido familiar y siniestro, a tan solo un par de metros. Aunque no se veía a nadie y una voz sensata en mi cabeza decía que, de todos modos, esto no era más que un sueño, no pude evitar que me entrara un miedo igual de siniestro que el crujido. Sin saber exactamente qué hacía ni de quién huía, eché a correr otra vez.

2

Mi respiración era tan fuerte que no podía oír nada más, pero estaba segura de que el crujido me pisaba los talones. Y se acercaba más. Con energía, doblé la esquina patinando hacia el siguiente pasillo, en el que se encontraba mi puerta. En realidad, tampoco se trataba de un crujido, pues eso más bien te lleva a pensar en una rata inofensiva... Y este crujido era cualquier cosa menos inofensivo. Era el ruido más siniestro que había oído nunca (y hoy ya lo había oído un par de veces incluyendo esta), como si detrás de una cortina que se abre apareciera un asesino loco provisto de sierra mecánica con los ojos fuera de sus órbitas y las mejillas hundidas cubierto de san...

Frené de golpe. Resultó que, al lado de mi puerta, ya me esperaba alguien. Por suerte para mí, ningún asesino de mejillas hundidas con sierra mecánica, sino alguien mucho más guapo.

Henry. Mi novio desde hacía ocho semanas y media. Y no solo en el sueño, sino también en la vida real. (Aunque me parecía que pasábamos mucho más tiempo juntos en nuestros sueños que despiertos.) Como tantas veces, estaba con la espalda apoyada contra la pared, había cruzado los brazos a la altura del pecho y sonreía. Esa sonrisa Henry tan especial que solo iba dirigida a mí y que siempre me provocaba la sensación de ser la chica más afortunada de todo el planeta. Normalmente, yo le habría devuelto la sonrisa (con una «sonrisa Liv» que esperaba que fuese igual de especial) y me habría lanzado a sus brazos, pero ya no había tiempo para eso.

—¿Entrenamiento nocturno? —preguntó cuando me detuve delante de él y en vez de besarlo golpeé la puerta con el puño—. ¿O escapas de algo?

—¡Te lo cuento dentro! —jadeé sin dejar de dar golpes. La boca del buzón se abrió y alguien sacó (desesperadamente despacio) un trozo de papel y a continuación un lápiz.

—Por favor, escriba la contraseña de hoy, doble la nota correctamente y vuelva a introducirla —dijo la voz amable de Mr. Wu al otro lado de la puerta.

Maldije en voz baja. Mi sistema de seguridad era realmente fantástico contra los intrusos desconocidos, pero no especialmente bueno si te querías poner a salvo rápidamente.

—La verdad es que, en un sueño, hay métodos más efectivos que salir corriendo, Liv. —Henry había mirado detenidamente a un lado y otro del pasillo y ahora se acercaba a mi lado—. Sencillamente, puedes salir volando o transformarte en algo que de tan rápido sea inalcanzable. Por ejemplo, en un guepardo. O en un cohete...

—Pero no a todos les resulta tan fácil metamorfosearse como a ti, ¡y mucho menos en un estúpido cohete! —le increpé. El lápiz que tenía en la mano tembló un poco, pero en presencia de Henry mi miedo claramente había remitido. Ya no se oía ningún crujido. Sin embargo, tenía la certeza de que no estábamos solos. ¿No estaba más oscuro? Y ¿no hacía más frío?

—Hace poco fuiste un dulce gatito —dijo Henry, que parecía no advertir nada.

Sí, lo fui. Pero, en primer lugar, yo no había querido metamorfosearme en un dulce gatito, sino en un jaguar grande y peligroso; y en segundo lugar, tampoco me había perseguido nadie, sino que Henry y yo habíamos probado un poco solo por diversión. Para mí, era un enigma cómo había que concentrarse y transformarse rápidamente en lo que fuera cuando te amenazaba algo aterrador e invisible y las rodillas te temblaban de miedo. Probablemente, Henry era tan bueno en todo este rollo de la metamorfosis, porque él nunca tenía miedo. Incluso ahora sonreía despreocupado.

Apretando los dientes, finalmente había garabateado en la nota «pompón de pantuflas de fieltro», la había doblado formando un triángulo y la había metido por la ranura del buzón.

—Un poco chapucero, pero correcto —dijo Mr. Wu desde dentro, y la puerta se abrió. Agarré a Henry del brazo, lo arrastré al otro lado del umbral y cerré la puerta de golpe detrás de nosotros. Entonces, respiré aliviada. Lo habíamos conseguido.

—¿Podrías ser un poco más rápido la próxima vez? —lo abronqué (algo que nunca me habría atrevido a hacer con el auténtico Mr. Wu).

—Las tortugas pueden contarle más del camino que las liebres, Miss Olive —dijo él (algo que el auténtico Mr. Wu jamás habría hecho), y dedicó a Henry un leve saludo con la cabeza—. Bienvenido al restaurante de los sueños de Miss Olive, joven desconocido con el pelo encrespado.

Efectivamente, habíamos aterrizado en una especie de restaurante, como tuve que constatar, un restaurante bastante feo con mesas negras de formica, caminos de mesa rojo intenso y farolillos naranjas colgando bamboleantes del techo. Pero había un olor cautivador a pollo frito picante. Solo entonces me di cuenta del hambre que tenía. Había sido una tontería irme a la cama sin cenar, pues entonces mis sueños siempre se descontrolaban un poco.

Henry se quedó perplejo mirando a Mr. Wu.

—¿Es nuevo?

—Esta noche soy el guarda de la puerta —explicó Mr. Wu con solemnidad—. Me llaman Wu, Garra de Tigre, protector de los huérfanos y de los necesitados. Dale pescado a un hambriento y estará saciado. Enséñale a pescar y nunca más pasará hambre.

Henry rio entre dientes y noté que me ponía colorada. De vez en cuando, mis sueños eran un poco embarazosos. Para colmo, el fanfarrón Mr. Wu de los sueños llevaba un pijama de seda brillante negro con una cabeza de tigre encima, y en el cogote se le balanceaba una trenza de un metro. Su modelo real, mi primer profesor de kung-fu en California, no habría ido así ni siquiera en Halloween.

—Bueno —dijo Henry sin dejar de reír—. Me gustaría tomar pato agridulce.

—Muchas gracias, Mr. Wu —dije precipitadamente mientras hacía desaparecer a Mr. Wu y todo el restaurante con un ademán de la mano. En su lugar, ahora nos encontrábamos en el pequeño parque de Berkeley Hills en California al que ya había llevado un par de veces a Henry en sueños, el primer escenario que se me había ocurrido. Desde aquí, había una vista espectacular sobre la bahía, por donde se estaba poniendo el sol bañando el cielo de colores espectaculares.

Sin embargo, Henry puso mala cara, disgustado.

—En el restaurante olía tan bien —dijo—. Y ahora mi estómago protesta.

—El mío también, pero da igual cuánto hubiéramos comido, no nos habríamos hartado. —Me dejé caer en un banco—. Al fin y al cabo, esto solo es un sueño. Mierda, debería haberle dicho a Mr. Wu una nueva contraseña. Quién sabe quién me ha visto por encima del hombro escribiendo.

—Bueno, yo. «Perdón por las trufas en los pies» es una contraseña muy creativa. —¿Acaso Henry se estaba volviendo a burlar?—. Quiero decir que a nadie se le ocurre enseguida.

—Era «pompón de pantuflas de fieltro» —dije, y no pude evitar reírme.

—¿En serio? Menuda letra más espantosa tienes. —Henry se sentó a mi lado—. Y ahora me gustaría saber de qué huías. Y por qué ni siquiera me has saludado con un beso.

Al instante volví a ponerme seria.

—Otra vez ese... crujido. ¿Acaso no lo has oído?

Henry negó con la cabeza.

—Pues estaba ahí. Una presencia maligna e invisible. —Yo misma me di cuenta de que sonaba como si estuviera leyendo una pésima novela de terror. Fuera como fuese—. Un crujido y un susurro que se acercaban cada vez más. —Me estremecí—. Justo como aquella vez en la que nos persiguió y nos salvaste por la puerta de Amy.

—¿Y dónde lo oíste exactamente? —Por desgracia, la mirada de Henry no desvelaba lo que pensaba.

—En el segundo cruce a la izquierda. —Hice un gesto vago en dirección al mar—. ¿Crees que era Anabel? Seguro que consigue volverse invisible y hacer ruidos malvados a la perfección. Como Arthur. Nada le gustaría más que darme un susto de muerte.

Y podía entenderle. Al fin y al cabo, hacía aproximadamente ocho semanas y media que yo le había roto la mandíbula a Arthur Hamilton. Suena horrible, lo sé, solo añadiré una cosa (si no, será demasiado largo y complicado): se lo había merecido. Aunque, por desgracia, en aquel momento no me había servido de mucho. Porque, en realidad, la mala de la historia era su novia Anabel. O más bien la loca, como se demostró después. Siendo políticamente correcta, se trata de una «disfunción psicótica polimorfa aguda con síntomas de esquizofrenia», por eso ahora vive lejos de Londres encerrada en una institución psiquiátrica y no puede hacerle nada más a nadie... excepto cuando duerme. Anabel estaba del todo convencida de que era un demonio el que nos había dado la capacidad de encontrarnos durante el sueño y de crear nuestros sueños conscientemente, un demonio de la noche bastante malvado de la época precristiana que quería nada más y nada menos que tomar posesión de la hegemonía mundial. Por suerte para mí, la toma de posesión de la hegemonía mundial fracasó a tiempo, cuando Anabel quiso derramar mi sangre con ayuda de Arthur. (Como ya he dicho, ¡es largo y complicado!)* La creencia en el demonio formaba parte de su enfermedad y yo me alegraba de que ese demonio solo existiera en la fantasía enferma de Anabel, porque básicamente yo tenía un problema con los fenómenos trascendentales, y con los demonios en particular. Tampoco tenía una explicación verdaderamente concluyente a este asunto de los sueños. Para simplificar, lo metía en la categoría: «Fenómenos psiconaturales absolutamente explicables lógicamente que, por desgracia, aún no se pueden explicar por completo en el estado actual de la ciencia.» Sin duda, eso era más sensato que creer en demonios. Aunque mi con-

---

* Se puede leer la historia completa en *Silber, el primer libro de los sueños*.

vicción sobre ese crujido de antes me había hecho vacilar por un momento... Pero prefería no mencionárselo a Henry.

Él seguía esperando a que yo volviera a hablar.

—El segundo cruce a la izquierda —repitió. Hablaba muy de mala gana sobre ellos dos, pues hasta que pasó lo de la noche del baile de otoño, hacía ocho semanas y media, estaban entre sus mejores amigos—. Y estabas ahí ¿porque...? —me interrogó con la mirada.

—Porque tenía que resolver algo. —Inconscientemente, me rasqué el brazo y bajé la voz hasta convertirla en un susurro—. Algo totalmente inmoral. Yo quería... No, yo tenía que espiar a alguien en su sueño.

—Eso no es inmoral, sino muy práctico —dijo Henry—. Lo hago continuamente.

—¿De verdad? ¿A quién? Y ¿por qué?

Se encogió de hombros y desvió brevemente la mirada.

—A veces puede ser bastante útil. O divertido, según el caso. ¿Y a quién querías, eh..., debías espiar?

—A Charles Spencer.

—¿El aburrido tío dentista de Grayson? —Henry parecía un poco decepcionado—. ¿Por qué precisamente a él?

Suspiré.

—Mia, es mi hermana pequeña, ha visto a Charles en una cafetería con otra mujer. Y jura que ambos se cruzaron miradas enamoradas y casi se pusieron a hacer manitas. Ya sé que Lottie y Charles no son pareja oficialmente, pero él sigue tonteando mucho con ella y ya han ido dos veces juntos al cine. Hasta un ciego ve lo enamorada que Lottie está de él, aunque ella no lo admita. Le está haciendo pantuflas para Navidad, eso dice mucho... ¡No pongas esa sonrisita tonta! Esto es realmente serio.

Nunca antes había estado Lottie tan eufórica en lo que respecta a un hombre, y sería malo que él solo estuviera jugando con ella.

—¡Perdona! —Henry intentó controlar las comisuras de los labios, en vano—. Por lo menos, ahora ya sé de dónde sale tu contraseña... Bueno, sigue contándome.

—Debía averiguar urgentemente lo que Charles siente en realidad por Lottie. De modo que le he robado su asquerosa gorra de trampero y hoy me he plantado en su sueño.

Volví a caer en la cuenta de que en ese mismo instante yo estaba tumbada en mi cama con esa gorra, con toda seguridad ya tenía el pelo sudado. Y probablemente Henry se estaba imaginando qué aspecto tendría yo con esa gorra en la cabeza. Seguro que enseguida empezaba a reírse y no podría culparle.

Sin embargo, respondió a mi expresión escrutadora con una mirada cándida.

—Muy bien. ¿Y cómo te las has arreglado?

Fruncí el ceño sin comprender.

—Bueno, crucé su puerta.

—Está claro. Pero ¿como qué o quién?

—Como yo misma, naturalmente. Llevaba una gorra, porque el sueño se desarrollaba en un campo de golf y tenía que adecuar mi vestimenta. Por fin tenía a Charles en el punto en el que quería contar algo sobre Lottie, pero justo entonces su maldita alarma de incendios...

—Asustada, me tapé la boca con la mano—. ¡Oh, mierda! ¡Me había olvidado por completo! ¡La alarma de incendios! Se ha activado y solo he pensado en salir rápidamente del sueño antes de que Charles se despertara. ¡Soy una persona horrible! Debería haberme despertado y llamar a los bomberos.

Parecía que a Henry no le había causado la menor

impresión el posible incendio en el piso de Charles. Me sonreía y me acariciaba la mejilla con la yema de los dedos.

—Liv, tienes claro que la gente no tiene por qué ser realmente ella en sus sueños, ¿verdad? Según mi experiencia, a la mayoría le resulta incluso más fácil mentir en los sueños que en la vida real. Si quieres saber la verdad sobre alguien, no sirve de nada meterse en su sueño y hacerle preguntas, pues te responderá exactamente lo mismo que te diría estando despierto.

Por supuesto, sonaba convincente y, para ser sincera, también se me había ocurrido esa idea. En el fondo, había llegado al sueño de Charles absolutamente sin planes, muy poco astuto por mi parte, solo alentada por la idea de proteger a Lottie.

—Pero ¿cómo debería habérmelas arreglado si no? Y ahora no me digas que tenía que haberme transformado en un cohete.

—Bueno, siempre es mejor que no se den cuenta de que estás allí. Como observador y oyente invisible, se aprende bastante más de una persona en el sueño. Con algo de paciencia, incluso todo.

—Pero yo no quiero saberlo todo de Charles —dije mientras me estremecía imaginándomelo—.* Solo quiero saber si va en serio con Lottie. Pues si no es así, entonces... —Cerré los puños. Mia y yo en ningún caso permitiríamos que alguien hiciera daño a Lottie, ni siquiera Charles. En todo caso, Mia prefería emparejarla con el atractivo veterinario de Pilgrim's Lane—. Por otra parte, quizás el pobre Charles acaba de morir por inhalación de humo, porque me he olvidado de llamar a los bomberos y el problema ya se ha resuelto.

---

* Recordemos: más del 35 por ciento de todos los sueños tratan de sexo. Puaj.

—Te quiero —dijo Henry de repente y me acercó más a él. Al instante, me olvidé de Charles. Henry no era precisamente generoso con las dos palabras mágicas. En las últimas ocho semanas y media, las había pronunciado tres veces exactamente, y cada vez que lo hacía, me daba algo de vergüenza. La única respuesta correcta y universal a esa frase era «yo también te quiero», pero por algún motivo no podía pronunciarla. Y no porque yo no lo quisiera, todo lo contrario, sino porque, con diferencia, un «yo también te quiero» no tenía el mismo peso que un «te quiero» salido de la nada.

—¿Aunque no pueda convertirme en un cohete o volverme invisible? —pregunté en su lugar.

Henry asintió.

—Ya aprenderás todo eso. Tienes un enorme talento. En todos los aspectos.

Acto seguido se inclinó y empezó a besarme. Y así se convirtió en un sueño verdaderamente bonito.

3

El inconveniente de estos sueños nocturnos con la mente consciente era que, a la mañana siguiente, no se había dormido de verdad. Sin embargo, a lo largo de los últimos meses, había desarrollado métodos para compensar la falta de sueño: una ducha caliente, a continuación litros de agua fría en la cara y, por último, un expreso cuádruple en vena camuflado con una nube de espuma de leche para que Lottie no me diera ninguna charla sobre la sensibilidad de las paredes estomacales de los jóvenes. La cafetera automática italiana que molía los granos de café con solo presionar un botón y espumaba la leche era una de las razones por las que no era tan desagradable vivir en casa de los Spencer. Lottie era de la opinión de que no se podía tomar café como pronto hasta los dieciocho años, pero para mamá no había barreras de edad ni siquiera para el alcohol, el sexo y las drogas, por eso yo tenía acceso ilimitado a la cafeína.

A medio camino hacia la cocina, me encontré con mi hermana pequeña. Había estado fuera con nuestra perra *Buttercup* y me puso la mano helada en la mejilla.

—¡Toca! —dijo entusiasmada—. En las noticias han dicho que este año podría llegar a haber una Navidad

blanca y el mes de enero más frío desde hace once años...
A lo tonto, he perdido un guante. Uno de los grises a
topos. ¿Por casualidad no lo habrás visto en alguna parte? Son mis guantes preferidos.

—No, lo siento. ¿Has buscado en el escondite de *Buttercup*?

Buttercup se había lanzado al suelo delante de mí y
parecía tan inocente y mona. Como si nunca se le hubiera ocurrido apropiarse de guantes, calcetines y zapatos y
devolverlos solo cuando ya estaban completamente mordidos. Le acaricié la tripa un buen rato y le hablé como a
un bebé (¡eso le encantaba!) antes de volver a levantarme
y trotar detrás de Mia en dirección a la cocina, mejor
dicho, en dirección a la cafetera. *Buttercup* me siguió.
Pero no por el café, sino por el rosbif que Ernest ya le
había puesto en el plato del desayuno.

Ya llevábamos casi cuatro meses viviendo en Londres, en esta amplia y acogedora casa de ladrillo vista en
el barrio de Hampstead, pero aunque la ciudad me gustaba mucho y por primera vez desde hacía años tenía una
habitación grande y bonita solo para mí, seguía sintiéndome un poco como una invitada.

Quizá, sencillamente, porque nunca había aprendido
a sentirme en casa en ningún lugar. Antes de que mamá
conociera a Ernest Spencer y decidiera pasar el resto de
su vida con él, había estado mudándose con Mia, Lottie,
Buttercup y conmigo casi cada año. Habíamos vivido en
Alemania, en Escocia, en la India, en los Países Bajos,
en Sudáfrica y, cómo no, en Estados Unidos, de donde
era mamá. Nuestros padres se habían separado cuando
yo tenía ocho años, pero al igual que mamá, papá tampoco tendía a la constancia. Él siempre se alegraba cuando su empresa le ofrecía un nuevo puesto en un país que
no conocía aún. Papá era alemán y, por ahora, él y sus

dos maletas (ninguna persona debería poseer más de lo que cabe en dos maletas, solía decir) vivían en Zúrich, donde Mia y yo le visitaríamos en las vacaciones de Navidad.

¿Acaso era de extrañar que, durante todos estos años, lo que habíamos deseado con más fuerza fuera tener un domicilio fijo? Siempre habíamos soñado con una casa en la que nos quedáramos y pudiéramos instalarnos permanentemente. Una casa con mucho espacio, una habitación para cada una, un jardín en el que *Buttercup* pudiera retozar y un manzano para trepar. Ahora vivíamos en una casa bastante similar (incluso había un árbol para trepar, aunque era un cerezo), pero, sin embargo, seguía siendo lo mismo: en realidad no era nuestra casa, sino la de Ernest y sus dos hijos, los gemelos de diecisiete años Florence y Grayson. Aparte de ellos, había un simpático gato rojo llamado *Spot*, y todos ellos habían pasado aquí toda su vida. Daba igual las veces que Ernest repitiese que su casa ahora también era nuestra casa, porque no daba esa sensación. En ninguno de los marcos de las puertas había muescas con nuestros nombres, y no podíamos relacionar la mancha oscura en la alfombra persa o la grieta en las baldosas de la cocina con historia alguna, pues no habíamos estado allí cuando siete años atrás se había incendiado de repente una servilleta, ni cuando Florence, a los cinco años, se había puesto tan furiosa con Grayson que le había lanzado una botella de agua con gas.

Quizá solo hiciera falta un poco de tiempo. Pero estaba claro que, en esta breve temporada, aún no habíamos dejado rastros e historias.

No obstante, mamá ya estaba en ello. Desde siempre, se empeñaba en que los domingos a primera hora (y era primera hora en sentido literal) todos juntos nos zampáramos un copioso desayuno, una costumbre que ya había introducido en casa de los Spencer, para disgusto de Florence y Grayson, sobre todo. Por lo que se podía deducir de la mirada de Florence, estaba de humor como para volver a tirar una botella de agua con gas. Resulta que habían estado en una fiesta hasta las tres y media y ahora bostezaba sin parar, Florence poniendo la mano delante, Grayson sin complejo alguno acompañado de sonoros «¡uuuaaah!». Después de todo, yo no era la única que debía combatir el cansancio, aunque nuestros métodos para lidiar con este eran diferentes. Mientras yo sorbía el café y esperaba a que la cafeína me llegara a la sangre, Florence pinchaba trocitos de naranja con un tenedor y se los llevaba a la boca con afectación. Por lo visto, en caso de cansancio excesivo, le daba por la vitamina C. Seguro que las ojeras bajo sus ojos color caramelo desaparecerían enseguida, y tendría el aspecto impecable de siempre. Grayson, por el contrario, atacaba una montaña de huevos revueltos y tostadas y no tenía ni pizca de ojeras. Si no hubiera sido por los bostezos, no se le notaría el cansancio. Pero necesitaba afeitarse urgentemente.

Mamá, Ernest y Lottie sonreían, descansados y de buen humor, y como mamá por una vez estaba sentada a la mesa completamente vestida y peinada y no con un salto de cama abierto (ojo, sin nada debajo) como solía hacer los domingos por la mañana, le devolví la sonrisa.

Tal vez también porque la felicidad de mamá era algo contagiosa y todo resultaba tan acogedor y navideño. El sol de invierno entraba por la ventana del voladizo decorada con guirnaldas y hacía brillar las estrellas rojas de papel, en el aire había un aroma de mantequilla, naranja, vainilla y canela al horno (Lottie había hecho una montaña de gofres que me sonreían desde el centro de la mesa) y Mia, a mi lado, parecía un angelito de Navidad de mejillas sonrosadas y con gafas.

Sin embargo, no se comportaba como tal.

—¿Estamos en el zoo o qué? —preguntó cuando a Grayson casi se le desencajó la mandíbula al bostezar por, aproximadamente, octava vez.

—Sí —dijo Grayson, impasible—. Comida para hipopótamos. Por favor, pásame la mantequilla.

Esbozó una sonrisa. Grayson era otro motivo por el que me gustaba vivir en esta casa, incluso superaba a la cafetera. En primer lugar, podía ayudarme con las matemáticas cuando yo no sabía qué hacer (al fin y al cabo, él iba dos cursos por delante de mí); en segundo lugar, tenía un aspecto realmente agradable incluso cuando había trasnochado y bostezaba como un hipopótamo; y en tercer lugar, era... sencillamente simpático.

Su hermana, no precisamente.

—Una lástima que ayer Henry no tuviera tiempo... otra vez —dijo, mirándome, y aunque su voz estaba llena de compasión en la superficie, yo oía perfectamente la alegría por el mal ajeno por debajo. Ya solo la forma en que había introducido esa pequeña pausa dramática antes de «otra vez»...—. Os habéis perdido una buena de verdad. Nos lo hemos pasado tan bien. ¿No es cierto, Grayson?

Grayson solo soltó otro sonoro bostezo, pero mi madre enseguida se inclinó hacia delante y me examinó preocupada.

—Liv, cariño, ayer desapareciste en tu habitación sin cenar. ¿Debo preocuparme?

Abrí la boca para responder, pero mamá sencillamente continuó hablando.

—En todo caso, no es normal a tu edad quedarse en casa un sábado por la noche y acostarse temprano. Solo porque tu novio no tenga tiempo, no hay razón para que vivas como una monja y evites las fiestas.

A través de las gafas, le lancé una mirada sombría. Era tan típico de mi madre. Estábamos hablando de la fiesta de cumpleaños de un tío del último curso al que apenas conocía y a mí solo me habían invitado como acompañante de Henry; me habría parecido algo más que una estupidez haber ido sin él. Aparte de que —sin importar lo que Florence dijera— probablemente tampoco me había perdido nada. Las fiestas eran todas iguales: demasiadas personas en una habitación pequeña, música muy fuerte y demasiado poco de comer. Solo se podía hablar a gritos, siempre había alguien que bebía más de la cuenta y se comportaba en consonancia y, al bailar, se recibían codazos en las costillas continuamente; mi idea de la diversión era muy diferente.

—Además... —Mamá se inclinó un poquito más—. Además, si Henry tiene que cuidar de sus hermanos pequeños, lo que desde luego me parece muy loable, ¿qué problema hay en que tú le ayudes?

Por desgracia, de esa forma dio justo en el clavo, en el mismo centro de la llaga. En las ocho semanas y media de relación, Henry me había visitado aquí a menudo, habíamos pasado ratos en mi habitación, en el parque, en el cine, en fiestas, en la biblioteca del colegio, en la cafetería de la esquina* y, naturalmente, en nuestros sueños. Pero aún no había estado ni una sola vez en su casa.

De la familia de Henry solo conocía a su hermana pequeña de cuatro años Amy y, aun así, solo en sueños.

---

* Y una vez habíamos llegado a estar en el cementerio, concretamente en el cementerio de Highgate, para comprobar si quizá me había quedado un trauma con los cementerios por culpa de Arthur y Anabel. No era el caso. Me sentí genial en el cementerio.

Sabía que tenía un hermano más, Milo, de doce años, pero Henry hablaba pocas veces de él y, de sus padres, más bien nada. Últimamente, me había preguntado más de una vez si era posible que Henry me estuviera manteniendo lejos de su casa a propósito. La mayor parte de los datos sobre su familia no los había sabido por él, sino por el blog de Secrecy. Por ella sabía que sus padres estaban separados y que su padre ya se había casado tres veces, y ahora, por lo visto, planeaba convertir a una antigua modelo búlgara de ropa interior en la esposa número cuatro. Además de Milo y Amy, según Secrecy, Henry tenía un montón de hermanastros mayores.

Mi madre me guiñó un ojo y yo aparté mis pensamientos precipitadamente. Si mamá guiñaba el ojo, lo más probable es que fuera algo indecente. Y, por lo tanto, vergonzoso.

—Antes siempre me lo pasaba muy bien cuidando niños. Sobre todo cuando dormían. —Volvió a guiñarme un ojo, y ahora Mia también dejó caer el cuchillo, alarmada—. En especial, tengo muy buen recuerdo del sofá de los Miller...

Demasiado para el acogedor ambiente de domingo-por-la-mañana-pronto-es-Navidad.

—¡Ma... má! —dijo Mia con energía.

—¡Ahora no! —exclamé, casi al unísono.

Ya conocíamos el sofá de los Miller y por nada del mundo queríamos que mamá contara en la mesa del desayuno lo que había vivido ahí. Por su propio interés.

Antes de que volviera a tomar aire (lo malo era que nunca tenía solo una historia embarazosa en la recámara, sino una provisión inagotable), añadí rápidamente:

—Ayer me quedé en casa porque me encontraba un poco resfriada. Además, aún tenía mucho que hacer para el colegio.

Difícilmente podía contar que había querido irme pronto a la cama en una misión secreta y concretamente ataviada con la feísima gorra de trampero que le había robado a Charles. Lo que hacíamos por las noches en nuestros sueños por supuesto que no se lo habíamos desvelado a nadie; de todos modos, seguro que no nos habrían creído. Y nos habrían encerrado en el psiquiátrico igual que a Anabel. De los presentes, solo Grayson conocía el asunto de los sueños, pero estaba bastante segura de que, desde lo sucedido hacía ocho semanas y media, no había vuelto a dar un paso al otro lado de su puerta de los sueños, es más, él creía que nosotros también nos mantendríamos alejados de los pasillos. Grayson nunca se había sentido bien paseándose por los sueños de los demás, todo eso le resultaba inquietante y peligroso, y se habría horrorizado si hubiera sabido que nosotros no lo habíamos dejado. Y a diferencia de Henry, seguramente habría juzgado que mi acción de anoche era inmoral.

Por cierto, me había tenido que lavar el pelo dos veces para librarme del olor a lana de oveja de la gorra, pero algo seguía sin estar bien. Cuando Lottie, que había sacado una segunda tanda de huevos revueltos, volvió a sentarse en su sitio a mi lado, el pelo me crujió claramente y se me levantó de golpe para arrimarse al jersey rosa de angora de Lottie. Todos empezaron a reírse uno detrás de otro, incluso yo después de haber echado un vistazo en el espejo encima del aparador.

—Como un puercoespín —dijo Mia mientras yo intentaba volver a alisarme el pelo—. En realidad, el zoo más auténtico esta mañana está aquí. A propósito, ¿para quién está pensado el cubierto que sobra? —Señaló el plato vacío junto a Lottie—. ¿También viene el tío Charles a desayunar?

Lottie y yo nos estremecimos por igual ante la mención de ese nombre, ella probablemente de alegría, yo más bien de culpa. Como si de una señal se tratara, vimos que se abría la puerta de la casa e intenté prepararme para lo peor. No obstante, el olor a chamuscado que de repente me llegó a la nariz procedía, para alivio mío, del pan tostado.

Y los pasos enérgicos que recorrían el pasillo tampoco pertenecían a Charles, sino a otra persona. Inconfundible. Mia se lamentó en voz baja y me dirigió una mirada significativa. Yo también puse los ojos en blanco. En realidad, habría preferido un Charles chamuscado. Por supuesto, solo un Charles un poco chamuscado.

Los últimos restos de cálida sensación navideña parecían evaporarse de la habitación, ahí estaba ya en el umbral de la puerta: la Bestia de Ocre. También conocida como «el demonio con el pañuelo de Hermès», de nombre civil Philippa Adelaide Spencer o, como Grayson y Florence solían llamarla, Granny. Sus amigas del club de bridge por lo visto la llamaban Peachy Pippa, pero eso solo lo creería cuando lo oyera con mis propios oídos.

—Oh, ya habéis empezado sin mí, por lo que veo —dijo en lugar de dar los buenos días—. ¿Se trata de costumbres norteamericanas?

Mia y yo intercambiamos otra mirada. Si la puerta no estaba abierta, entonces la Bestia de Ocre tenía una llave del portal. Aterrador.

—Tú has llegado más de media hora tarde, madre —dijo Ernest mientras se levantaba para darle dos besos.

—¿De verdad? ¿Qué hora me habías mencionado entonces?

—Ninguna —repuso Ernest—. Tú misma te invitaste ayer, ¿ya no te acuerdas? Dejaste un mensaje en el contestador en el que decías que estarías aquí a las nueve y media para desayunar.

—Tonterías, del desayuno no dije nada. Naturalmente, ya he comido en casa. Gracias, querido.

Grayson le había quitado el abrigo (ocre) para cuyo cuello había tenido que dar la vida un zorro, y Florence la miró radiante y dijo: «¡Oh, te has puesto el *twinset* (ocre) que tan bien te queda, abuela!»

Lottie, a mi lado, también había intentado levantarse, pero la sujeté resueltamente por la manga del jersey. La última vez le había hecho una reverencia a la Bestia, y eso no debía volver a suceder bajo ningún concepto.

Mrs. Spencer sénior era una mujer alta y delgada que parecía notablemente más joven que los setenta y cinco años que tenía. Con su serenidad encantadora e íntegra, el cuello largo, el corte de pelo elegante y los fríos ojos azules con los que ahora nos observaba a todo el grupo, habría sido la encarnación ideal de la madrastra mala de Blancanieves en un especial *Treinta años después*.

Para dejarlo claro: no siempre habíamos sido tan hostiles. Al principio, habíamos intentado en serio que nos gustara la madre de Ernest, al menos, procurar comprenderla. A finales de agosto, había emprendido una vuelta al mundo de tres meses en el *Queen Elizabeth* y, cuando a finales de noviembre regresó descansada, morena y cargada de *souvenirs*, tuvo que enterarse de que su hijo preferido había acogido en casa a una norteamericana, junto con sus hijas, niñera y perro. Lógicamente, de entrada quedó perpleja y muda de pura sorpresa. Pero, por desgracia, no por mucho tiempo, pues entonces se soltó para no parar más. Básicamente, se trataba sobre todo de acusar a mamá con sorprendente franqueza de ser una heredípeta y haber engañado a Ernest con trucos sucios. A esto solía añadir una crítica general a los norteamericanos, a quienes consideraba incivilizados, tontos y vanidosos. Que mamá tuviera dos títulos académicos tampoco le impresionó, al fin y al cabo los había obtenido en Estados Unidos y no en un país civilizado. (El hecho de que mamá trabajara como catedrática en Oxford lo obvió a propósito.) Mrs. Spencer sénior solo encontraba peores que los norteamericanos a los alemanes, porque habían iniciado la Segunda Guerra Mundial. Entre otras cosas. Por eso, a Mia y a mí no solo nos consideraba incivilizadas, vanidosas y tontas (por parte de madre), sino también pérfidas y traidoras por naturaleza (por parte de padre). Lottie, por el contrario, dado su origen completamente alemán, solo era pérfida y traidora. Y en cuanto a nuestro perro... bueno, en principio a Mrs. Spencer no le gustaba ningún animal, excepto asado y con salsa en el plato. O en forma de piel alrededor del cuello.

Por mucho que nos esforzábamos en refutar sus resentimientos y despertar su simpatía, sencillamente no lo conseguíamos. (Vale, quizás esforzarnos mucho sea un poco exagerado.) Y entretanto ya no lo intentábamos. ¿Cómo decía Lottie siempre? Igual que uno grita hacia el bosque, también resuena hacia fuera. O algo parecido. En todo caso, estábamos en un bosque bastante cabreado. Al menos, Mia y yo. Mamá seguía esperando un giro milagroso, y Lottie... ay, Lottie era un caso perdido. Creía firmemente en la bondad de las personas. Incluso creía en la bondad de la Bestia.

Ahora, esta miraba a Lottie mientras decía, amarga como la hiel:

—Para mí, un té. Earl Grey. Solo, con una chispa de limón.

—¡Enseguida!

Ahora Lottie estaba desamparada, se levantó de un salto y, por un pelo no se le desgarró el jersey, porque yo seguía sujetándolo de la manga. Grayson de hecho dijo: «Eso también puedo hacerlo yo», pero Lottie le apartó. Ya le habíamos explicado a Mrs. Spencer varias veces que Lottie no era nuestra criada (además, libraba los domingos), pero en absoluto había querido que nuestras explicaciones le convencieran. Era de la opinión de que alguien a quien se le paga un sueldo no puede ser al mismo tiempo una amiga.

—En una auténtica taza de té, por favor, no en uno de esos cuencos toscos y de paredes gruesas en los que todos vosotros tomáis vuestro espantoso café.

Mrs. Spencer se sentó. Como siempre en su presencia, de repente tuve la sensación de no estar lo bastante abrigada. Eché de menos una chaqueta de punto gruesa. Y otro café en taza de paredes gruesas.

—La Bocre —me susurró Mia.

—¿Qué? —le susurré.

—La Bestia de Ocre es, sencillamente, demasiado largo. Llamémosla la Bocre.

—De acuerdo. —Esbocé una sonrisa—. Llamémosla la Bocre.

La Bocre nos lanzó una mirada de reproche (mamá y Florence también; susurrar y reírse en la mesa realmente no parecía de buena educación), pero me pareció bien que no valiera la pena dirigirnos la palabra.

—Grayson, cariño, ¿dónde está la pequeña y encantadora Emily? —preguntó en su lugar.

—Con algo de suerte, sigue en la cama, durmiendo.

Grayson volvió a los huevos revueltos y lo que debía de ser la decimoséptima tostada. Era increíble lo que podía meterse sin aumentar ni un gramo de grasa. «La pequeña y encantadora Emily.»

¿Sonaba un pelín irónica? Miré a Grayson con curiosidad. Emily era su novia, también del último curso, redactora jefe de la revista del colegio, jinete premiada de hípica de adiestramiento y ni pequeña ni encantadora. La Bestia de... eh, la Bocre por lo visto se había encariñado con Emily, jamás desaprovechaba la ocasión de mencionarla elogiosamente y alabar el exquisito gusto de Grayson por las mujeres, que por lo visto no había heredado de su padre.

Ahora suspiró, desazonada.*

—Oh, había esperado encontrarla aquí. Pero por lo visto hoy solo habéis invitado al personal.

Me volví al momento hacia Lottie, pero no había oído nada, golpeteaba el servicio de té demasiado fuerte en su necesidad de preparar el té perfecto.

—Lottie vive aquí —dijo Mia sin esforzarse lo más mínimo en sonar amable—. ¿Dónde debería desayunar si no?

Mrs. Spencer volvió a enarcar las cejas.

—Bueno, por lo que yo sé, mi nieta ha tenido que cederle a vuestra niñera el espacio de la buhardilla, sabe Dios que ahí hay sitio más que suficiente.

Ah, eso otra vez.

—¡Madre! Eso ya lo hemos discutido muchísimas veces. ¿Podríamos, por favor, hablar de otra cosa? —Ernest ya no parecía feliz en absoluto. Mamá se agarraba con fuerza al mantel, como si tuviera miedo de levantarse de un salto y salir corriendo.

—Bueno, cambio de tema: Ernest, tienes que pasarte y cambiar las pilas de mi alarma de incendios —dijo Mrs. Spencer sénior—. En casa de Charles ha saltado la alarma hoy en medio de la noche porque la pila estaba agotada.

---

* Por fuerza se aprendían un montón de palabras cuando se estaba con ella. Desazonada. Inquina. Zaherida. Soliviantarse. Mulberry. National Trust. Epatante. Hipogamia.

—Oh, bien, ¡entonces seguía vivo!—. Sufriría un infarto de miocardio si me pasara eso en casa.

Para demostrarlo, se agarró al *twinset* color ocre cerca del lugar en el que habría estado convenientemente su marcapasos si hubiera tenido un corazón delicado. Lo cual no era el caso. Estaba sana como un toro.

—Aquí tiene. —Lottie puso la taza de té delante de ella—. Earl Grey con una chispa de limón.

—Gracias, Miss... eh...

—Wastlhuber.

—Whastle-whistle —repitió Mrs. Spencer.

—Bah, puede llamarme Lottie sin más —dijo Lottie.

Mrs. Spencer se la quedó mirando estupefacta.

—Por supuesto que no —dijo con énfasis y empezó a rebuscar en su bolso. Probablemente las sales.

—Bah, relájate, Bocre —soltó Mia en voz baja y en alemán.

Ninguno de los Spencer entendía el alemán, por eso lo usábamos de vez en cuando con una especie de idioma secreto. Solo en caso de emergencias, claro.

La Bocre dejó caer en el té una pastillita de edulcorante de su pastillero personal y la removió en la taza.

—En realidad, el motivo por el que estoy aquí... Como ya sabéis, cada año organizo en enero mi pequeña *tea party* de los Reyes Magos.

—Pequeña, sí —murmuró Grayson, pero quedó sepultado bajo el entusiasta «¡Me encanta, me encanta, pero que me encanta tu té de los Reyes Magos, abuela!» de Florence. Como si se tratara del acontecimiento más estupendo de todos los tiempos.

Mrs. Spencer sonrió débilmente.

—Bueno esperaba no tener que hacerlo, pero como mis amigas siempre preguntan al respecto y está claro que aquí nadie quiere entrar en razón. —En este punto, carraspeó y miró a Ernest con tristeza—. No me queda otra opción que extender mi invitación a tu nuevo séquito, hijo mío.

Como nadie reaccionó —Mia y yo porque no sabíamos qué significaba la palabra séquito y nos planteábamos si se trataría de algo despectivo—, prosiguió con un suspiro.

—Eso significa que yo... —Carraspeó de nuevo y, esta vez, con mamá en el punto de mira—. Me alegraría mucho de que tú, querida Ann, y tus dos hijas pudierais acudir a mi casa.

Era curioso, pero consiguió que esas palabras sonaran como una orden. Y con toda seguridad nunca antes una persona se había alegrado menos que ella con las palabras «me alegraría mucho».

A Ernest también se lo pareció.

—Si tú... —empezó con el ceño fruncido, pero mamá le quitó la palabra.

—Es tan amable por tu parte, Philippa —dijo mamá con calidez—. Estaremos encantadas de ir, ¿verdad, niñas mías?

Transcurrieron un par de segundos, pero como mamá ponía una cara tan esperanzada, finalmente forzamos una sonrisa y asentimos.

Bueno, entonces el día de Reyes iríamos a una *tea party* inglesa y dejaríamos que nos observaran con curiosidad unas viejas damas. Habíamos vivido cosas peores.

Mrs. Spencer, satisfecha, dio un sorbo a su té. Con toda seguridad, se habría atragantado si hubiera sabido que el día de Reyes sería la fecha de defunción de Mr. Snuggles y que ella misma había invitado a sus asesinos a su casa, que por otra parte no tenían ni la más remota idea de quién era Mr. Snuggles. En esa total ignorancia, atacamos los gofres de canela.

Dimes y Diretes

* BLOG *

 El blog *Dimes y Diretes* de la Academia Frognal con los últimos cotilleos, los mejores rumores y los escándalos más candentes de nuestro colegio.

SOBRE MÍ:
Mi nombre es Secrecy; estoy entre vosotros y conozco todos vuestros secretos.

ACTUALIZAR   ACTIVIDAD

25 de diciembre

¡Feliz Navidad a todos! ¿Estáis disfrutando de las vacaciones? Y esta mañana, debajo del árbol de Navidad, ¿estaban precisamente los regalos que habíais deseado? Por desgracia, no en casa de los Porter-Peregrin: Persephone ha llorado porque ha desenvuelto un pequeño reloj de Cartier en vez de su deseo del alma. Pero ¿qué podían hacer sus pobres padres? Jasper Grant difícilmente se habría dejado envolver para regalo, ¿no? Ay, puedo entenderla. También yo echo de menos a Jasper ahora. ¡Sencillamente no será lo mismo sin él! Todo un trimestre en Francia solo para salvar sus notas finales de francés; ¿acaso no ha pensado también en nosotros? ¿Quién se ocupará ahora en su lugar de montar los escándalos buenos en las fiestas? ¿Y cómo ganarán los Frognal Fire los partidos de vuelta sin su segundo mejor hombre? En todo caso, ya están tocados desde que Arthur Hamilton fue destituido como capitán. Y no, sigo sin tener ni idea de qué pasó exactamente después del Baile de Otoño y por qué Arthur está peleado con Jasper, Grayson Spencer y Henry Harper, así que dejad de escribirme mensajes al respecto. Ya lo averiguaré, y cuando lo sepa, os lo contaré inmediatamente, ¡prometido!

Por el momento, se está bastante tranquilo en Londres, porque Hazel *Estoy Harta de Ser el Blanco de tus Burlas* Pritchard se encuentra en Jersey visitando a su abuela y no corriendo por Hampstead y resoplando como una locomotora de vapor. La directora Cook está en Cornualles, como casi un tercio de todo el alumnado (eh, ¿hay alguien aquí que NO tenga un *cottage* en St. Ives?) y Mrs. Lawrence ha volado a Lanzarote. Igual que Mr. Vanhagen, por cierto, curiosa casualidad, ¿no?

¿Y vosotros? ¿Cómo pasaréis las vacaciones? ¿Os quedaréis tranquilamente en casa como los gemelos Spencer? Me encantaría contaros lo que haré, pero entonces intentaríais volver a averiguar quién soy, y eso acaba siendo aburrido. Id haciéndoos a la idea de que nunca lo sabréis.

¡Hasta pronto!
Secrecy en sintonía total navideña

P. S. A propósito de la Navidad: Liv y Mia Silber están visitando a su padre en Zúrich durante diez días, pero dudo de que Henry eche mucho de menos a su novia. Más bien se trata de una relación platónica entre los dos: llevan meses juntos y aún no se han acostado. Solo besuqueos y manitas; hum, ¿qué se puede esperar de eso? Ya sabemos que Henry Harper no es conocido precisamente por contenerse, tiene que deberse a Liv. ¿Simplemente es pudorosa? ¿Frígida? ¿O es miembro de una de esas comunidades religiosas en las que está prohibido el sexo antes del matrimonio? Quizá solo es un poco anticuada para su edad, pobrecitos.

Dimesydiretesblog.wordpress.com

4

En el vuelo de aproximación, me cogí de la mano de Mia, pues mientras nos hundíamos a través de la capa de nubes, el aparato realizó un par de fuertes saltitos-ahora-nos-estrellamos. Pero después planeamos a través de las nubes y vimos por debajo el Támesis y Londres nevado, y la sensación desagradable de mi estómago se transformó en pura ilusión.

Mia me apretó la mano.

—No te preocupes, no nos pasará nada. Pero la próxima vez podrías hacer antes un testamento y dejar todo lo que tienes a tu hermana pequeña si eso te hace sentir mejor.

—Vamos a ver, en primer lugar, en caso de estrellarnos, tú estarías tan muerta como yo, y en segundo lugar, por desgracia no tengo nada que dejar en herencia.

—Te olvidas de tu guitarra y del regalo de Navidad de la tía abuela Gertrud. —Mia rio con malicia.

—No, lo siento, me gustaría que eso lo metieran en el ataúd conmigo.

Nuestra tía abuela americana había vuelto a superarse este año con su elección de regalos: Mia había recibido un carruaje de Barbie (¿a juego con Ken Barba Mágica?)

tirado por un pegaso rosa, y yo un juego para criar cangrejos prehistóricos. Como siempre, ambos regalos podían tener una utilidad muy buena.

De todas formas, hacía tiempo que habíamos dejado de invertir grandes esperanzas en los regalos de Navidad; por algún motivo, parecía que a Papá Noel no le gustábamos especialmente. Tampoco este año nos había traído el *smartphone* tan urgentemente necesario para poder sustituir a nuestros móviles jurásicos. A cambio, ahora teníamos unas fundas para móvil jurásico muy estilosas tejidas por Lottie.

—Me pregunto por qué tengo que escribir cada año esa ridícula carta de deseos si nunca recibimos lo que deseamos —dijo Mia—. No recuerdo haber puesto nunca «caballo de plástico con alas» en mi carta. O «experiencias cercanas a la muerte en un telesilla».

—O «moratones por todo el cuerpo» —añadí yo.

—¿Qué hay tan difícil de entender en «dispositivo de visión nocturna», «micrófono oculto» y «peluca con flequillo roja»? —Mia resopló melancólicamente—. En vez de eso, recibimos jerséis, cojines, películas ¡y unas vacaciones esquiando! ¡Y encima hay que actuar como si te alegraras! Solo piensa en cuántos *smartphones* podría haber conseguido papá con ese dinero.

—Uno me bastaría —dije. Con mi móvil no se podía llamar en el extranjero. Lo que significaba que no había oído la voz de Henry en diez días. Al menos no por teléfono.

La última vez que Mia y yo nos habíamos puesto unos esquís había sido hacía ocho años. Igual de excitante fue que papá nos llevara arriba del todo directamente el primer día. Según él, con los esquís pasaba como con la bicicleta, no se olvidaba. Ahora podíamos refutar esa tesis con rotundidad. Creo que he sido la primera persona que ha recorrido el eslalon gigante de la copa del mundo de Adelboden todo entero de culo. Papá se había partido de risa y le había puesto de apodo a mi trasero el nombre de la montaña: Chuenisbärgli. Eso me había despertado el orgullo de nuevo y, si el segundo día solo había pasado la mitad del tiempo con el Chuenisbärgli en la nieve, el último le había sacado ventaja a papá. Pero el precio había sido elevado.

Al menos ya no cojeaba ahora que cruzábamos la barrera con las maletas, entretanto las agujetas se me habían pasado un poco.

Oímos el grito de mamá «¡Yuju! ¡Estamos aquí!» antes incluso de verla y, curiosamente, no me importó ver a Ernest a su lado. Estaba claro que, en ese tiempo, no solo me había conformado con que ahora formara parte de nuestra vida, sino que en algún momento en los últimos cuatro meses debía de haber empezado a apreciarle. Solo estaba un pelín decepcionada de que Henry no estuviera allí. Había dicho que quería recogerme en el aeropuerto.

—Parecéis recuperadas —dijo mamá después de habernos abrazado—. Tan sonrosadas y frescas como dos muchachas alpinas.

—Eso son congelaciones —repuso Mia—. Si tenemos suerte, nunca más tendremos que ponernos colorete.

Mamá rio.

—¡Oh, cuánto os he echado de menos! —exclamó.

Tenía un aspecto fantástico, aunque había vuelto a ir a ese peluquero que le había plantado un corte de pelo «Camila, duquesa de Cornualles». Ojalá, a su edad, yo tuviera el mismo buen aspecto. Aparte del peinado, claro.

Daba igual lo mucho que buscara con la vista, ni rastro de las greñas rubio oscuro de Henry en kilómetros a la redonda. Ahora estaba algo más que un pelín decepcionada. Pero ¿era posible que estuviese esperando en el aeropuerto equivocado?

Ernest, todo un caballero inglés, nos cogió las maletas.

—¿No habéis traído queso esta vez? —preguntó con un guiño.

—Teníamos Toblerone para vosotros, pero Mia se lo ha comido todo antes de despegar.

—¡Chivata!

—¡Mejor chivata que tragona!

—Te voy a dar una patada en el Chuenisbärgli —masculló Mia.

Mamá suspiró.

—Ahora que lo pienso mejor, en realidad estábamos bastante tranquilos sin vosotras. ¡Vamos! Lottie ha metido en el horno unos bollos de mermelada, *Buchteln*, una receta de su abuela, y dice que hay que comerlos calientes.

Aunque no teníamos ni idea de lo que eran los *Buchteln*, nos apresuramos a llegar al coche. Habíamos echado de menos la comida de Lottie. *Raclette* todas las noches podía resultar aburrido a la larga. Mientras estábamos en Suiza, Lottie había visitado a su familia y amigos en Baviera y, cuando regresaba de allí, siempre traía en el equipaje maravillosas recetas nuevas con nombres raros y se lanzaba a probarlas. No había nada mejor que estar disponibles para ser las probadoras de los platos y postres de Lottie.

De camino a casa, mamá y Ernest nos contaron las novedades (en realidad, nada, pero aun así hablaron bastante), y Mia contó nuestras aventuras esquiando. Exageró un poco, no nos habíamos pasado medio día colgadas en el telesilla, sino solo un cuarto de hora, y no había oscurecido cuando los de salvamento de montaña nos rescataron por fin con cables, sino que el telesilla había seguido funcionando con normalidad, ah, y en realidad no había habido un perro para avalanchas. Pero, bah, sin duda eso era más interesante que lo que mamá y Ernest nos contaron. Así pues, la dejé mentir alegremente, encendí mi móvil y busqué un SMS de Henry. Encontré un mensaje de la operadora de red que me comunicaba que volvía a estar en el Reino Unido, así como once mensajes de Persephone diciendo que echaba de menos a su aún-no-pero-quizás-alguna-vez-novio Jasper y que maldecía a todas las estudiantes francesas. Henry no había escrito.

Hum. ¿Significaba eso que tenía que preocuparme?

En los últimos diez días, no nos habíamos visto en sueños tan a menudo como habíamos acordado. Y eso había sido culpa mía o de esa mezcla desacostumbrada de actividad, aire fresco de la montaña y *raclette*, todo en forma de sobredosis. La mayor parte de las veces había dormido tan profundamente y del tirón que, a la mañana siguiente, ni siquiera podía recordar haber visto mi puerta de los sueños. Bien podía ser que, por ese motivo, Henry estuviera enfadado. Por otra parte, también había esperado a menudo delante de su puerta y no había venido. Y tampoco se podía quedar en los sueños con exactitud, ¿quién soñaba solo según lo previsto?

Por Navidad, me había regalado uno de esos gatos de la suerte japoneses que mueven la pata. Lo que habría estado perfectamente bien —esas cosas me parecían muy graciosas— si yo, a lo largo de unas mil horas de extenuante trabajo, no le hubiera hecho a mano una caja de música que tocaba la canción *Dream a Little Dream* y en cuya tapa había pegado una foto mía. En forma de estrella. Quizá no debería haberlo hecho. La caja gritaba oficialmente a los cuatro vientos «¡te quiero!», mientras que yo no tenía muy claro qué declaraba un recuerdo a pilas de seis libras noventa de los chinos.

Miré por la ventanilla y consideré enviarle a Henry un SMS: «Estoy aquí, ¿dónde estás tú?», pero entonces lo dejé pasar. Desde el avión, Londres me había parecido una bola de nieve cursi, tejados, árboles y calles espolvoreadas con azúcar glas centelleante, pero aquí abajo no se veía nada de ese centelleo espolvoreado. No es nada romántica, es más, ni siquiera sigue siendo blanca. Y de haber tenido que describir mi estado de ánimo, «nieve derretida» habría sido un equivalente perfecto. Con lo contenta y llena de ilusión que había llegado en el avión, y lo malhumorada que me bajé del coche cuando Ernest por fin aparcó en la entrada de su, perdón, nuestra casa. Por desgracia, no mejoró cuando abrió el portal precisamente Emily, la novia de Grayson. Más o menos, era la última persona a la que quería encontrarme ahora.

—Ah, ya estáis ahí —dijo Emily en apariencia casi igual de contenta que yo. Siendo objetiva, era una chica guapa de brillante pelo liso castaño, tez bonita, alta y deportista, pero no podía evitarlo, para mí siempre se parecería a la institutriz de una película de época, por ejemplo, a la señorita Rottenmeier de *Heidi*. Y como un caballo. O sea, una especie de caballo institutriz. Parecía mayor que otras chicas de dieciocho y no se debía solo a su ropa seria y cerrada hasta el cuello, sino también a esa mirada omnisciente y superior con la que solía examinarte. Por un nanosegundo, estuve tentada de darme media vuelta sin más y volver a desaparecer. Pero entonces apareció *Buttercup* disparada por el pasillo con las orejas al viento y, tras ella, se unieron Grayson, Florence y Lottie.

Y alguien con brillantes ojos grises y pelo rubio oscuro que salía disparado de la cabeza en todas las direcciones. Del alivio, casi podría haber empezado a llorar.

Henry.

Sin más, apartó a Emily y me cogió en brazos.

—Eh, ya has vuelto, mi chica del queso —murmuró en mi pelo—. Te he echado mucho de menos.

Le abracé con mucha más fuerza de la que habría sido necesaria.

—Hueles bien —murmuré. No era precisamente eso lo que quería decir, pero fue lo primero que me pasó por la cabeza.

—No soy yo, son las pastas de nombre alemán impronunciable que Lottie ha preparado. —Henry no dio ni la mínima muestra de volver a soltarme. Si fuera por mí, tampoco tendría que hacerlo nunca más. Desgraciadamente, no estábamos a solas.

—¡He invitado a todos! —gritó Lottie. Por cierto, llevaba las pantuflas que en principio había confeccionado por Navidad para Charles. En el último minuto, había decidido no regalárselas. Según había dicho, porque algunas personas simplemente no sabían qué hacer con el valor de los regalos hechos a mano. Había sido una decisión inteligente, pues, el día de Nochebuena Charles le había regalado un muñeco de nieve de chocolate envuelto en papel de plata. Un muñeco de nieve de chocolate pequeño. A su lado, el gato japonés del brazo móvil parecía una piedra preciosa de un quilate.

—¡Esta es una espontánea fiesta-de-bienvenida-a-casa-pequeñas-esquiadoras! —Lottie nos miraba exultante. Si todavía sufría mal de amores por Charles, es que sabía esconderlo bien.

—Nos habríamos aprendido también una canción de bienvenida —el tono de burla en la voz de Florence no se podía pasar por alto—, pero ¿qué demonios rima con esquiadora?

—Patinadora —sugirió Grayson.

—Bobo —dijo Emily y, sin levantar la vista, supe la cara que tenía en ese momento.

—No, «bobo» no rima. Pero sí «podadora». Y «pastora» —dijo Grayson, y yo me reí entre dientes como una tonta en el jersey de Henry. Vaya, sentaba bien volver a estar en casa—. «Adonde lleva las vacas la pastora.»

—«Entre esquiadoras en fases de terquedad y cerditos, dejar los libros con las perdedoras» —añadió Mia—. «Dos monas araña trepadoras.» —Me dio un golpecito en la espalda—. Eh, monos araña, estáis bloqueando el camino hacia los bollos.

Los bollos resultaron ser unas enormes bolas de masa ligeramente esponjosa con corteza crujiente rellenas de compota de ciruela, y, durante los veinte minutos siguientes, la vida fue simplemente perfecta. Sentada en la cocina con mis personas preferidas de todo el mundo, bebiendo chocolate caliente y comiendo pastas deliciosas; no podía imaginarme nada mejor para ese momento. Todos hablaban a la vez, Mia contaba (con la boca llena) más mentiras sobre las vacaciones de esquí, Florence hablaba sobre la fiesta que ella y Grayson planeaban para su dieciocho cumpleaños en febrero, y Lottie hablaba sobre la crema bávara que quería preparar para nosotras mañana. Yo no podía soltar a Henry, hacíamos manitas debajo de la mesa, escuchábamos, reíamos y, de vez en cuando, intercambiábamos miradas elocuentes; y tras el segundo bollo, estuve segura de que tendría que explotar de felicidad a los pocos segundos. Quizá no solo de felicidad: esos bollos podían ser ligeramente esponjosos, pero en el estómago parecían hincharse al doble de tamaño de golpe. Noté cómo, sin que yo interviniera, se me dibujaba en la cara una sonrisa de gozo y felicidad.

Y ahí se acabaron ya los veinte minutos perfectos.

—Estoy muy impresionada de que te lo tomes con

tanta deportividad, Liv —dijo Emily, que estaba sentada enfrente de mí. Solo se había comido medio bollo, con cuchillo y tenedor, lo que significaba que Grayson y ella no habían hecho manitas debajo de la mesa—. Realmente, no me lo habría imaginado. *Chapeau.*

¿Qué quería decir?

—Bueno, las Silber tenemos bastante aguante —repliqué con cuidado—. Pero creo que tampoco podría con un tercer bollo. Más bien debería impresionarte Grayson. Se está comiendo, si he hecho bien las cuentas, el cuarto.

—Quinto —me corrigió Grayson con la boca llena—. Antes ya me había...

—No me asombra la cantidad de calorías que te metes en el cuerpo, Liv —intervino Emily, interrumpiéndole—, sino tu desenvoltura.

Desenvoltura, esa palabra la había usado recientemente la Bocre (se lamentaba de que se le había perdido ante el hecho de que Ernest y mamá fueran una pareja), por eso sabía lo que significaba: desenfado, despreocupación, impasibilidad. Bueno.

—¿En relación con qué? —pregunté desconfiada.

Henry me apretó la mano un poco más fuerte y se preparó para levantarse.

—¿No deberíamos subir a tu habitación... eh... a deshacer la maleta?

Emily me devolvió la mirada sin pestañear y en absoluto impresionada por el hecho de que Grayson la mirara como si quisiera pincharla con el tenedor.

—Em... —masculló en tono amenazador.

—¿Qué pasa? Solo digo que me impresiona. —Emily seguía mirándome directamente a los ojos—. No creo que otros estuvieran tan despreocupados si se comentara su vida sexual públicamente. —Con una delicada sonrisa, añadió—: O más bien su inexistente vida sexual.

Henry se quejó en voz baja y dejó de apretarme la mano, y Grayson dejó caer el tenedor en el plato con un golpe tan fuerte que mamá, Lottie, Florence y Ernest, que estaban inmersos en una conversación en el otro extremo de la mesa, enmudecieron. Durante un segundo, no se oyó ni una mosca.

—¿Qué? —preguntó Mia en mi lugar. Estaba muy agradecida de que alguien me quitara la palabra de la boca—. ¿Quién comenta dónde la vida sexual de Liv?

—¿Vida sexual? —repitió mamá. Con esa palabra clave, siempre despertaba del todo.

—Bueno, casi todos en Frognal. —Emily se echó hacia atrás y se cruzó de brazos—. No tienen nada mejor que hacer. Si te consuela, la mayoría no cree que seas frígida.

—¿Qué? —preguntó Mia otra vez.

Mamá volvió a repetirlo.

—¿Frígida? —Tragué saliva con dificultad.

Florence suspiró.

—¡Em! Seguro que Liv aún no lo ha leído. —Me miró compasiva—. ¿O acaso mientras esquiabas navegabas por internet?

Negué despacio con la cabeza. También podría decirse que lo hice desenvueltamente.

—Ah, vale. —Emily volvió a permitirse esa sonrisa delicada—. Pensaba que Henry te lo había contado hace tiempo.

No. No lo había hecho. Pero de qué se trataba.

—Aún no he tenido ocasión —dijo Henry—. Además, Liv pasa de eso. Solo son unos estúpidos chismes que no interesan a nadie.

—Bueno, claro, Secrecy solo tiene doscientos cuarenta y tres comentarios en esa entrada...

Mia se levantó de un salto y cogió el iPad de Lottie

del aparador. Tenía razón. También para mí había llegado el momento de abandonar esa impresionante desenvoltura. Le solté la mano a Henry y me levanté.

—Como he dicho, solo son chismes sin interés —repitió Henry.

—Totalmente aburridos —dijo Grayson, dándole la razón—. ¿Puedo tomarme otro bicho de estos, Lottie?

—¡Oh! —exclamó Mia con la mirada fija en el iPad—. Ay. Mierda.

Le quité el trasto de las manos y leí por encima la entrada de Secrecy. Una indirecta hostil tras otra, como siempre en realidad. Pobre Hazel Pritchard, Secrecy siempre la tenía en el punto de mira.* Ah, en el post scríptum por fin se hablaba de Henry y de mí: «... llevan meses juntos y aún no se han acostado».

Sí, en efecto, eso era cierto. ¿De dónde lo había sacado? ¿O solo lo había adivinado?

«Solo besuqueos y manitas... Hum... ¿qué se puede esperar de eso? Ya sabemos que Henry Harper no es conocido precisamente por contenerse, tiene que deberse a Liv.»

¿Qué se suponía que significaba eso de que Henry no era conocido por contenerse? En realidad, a mí no me parecía que se contuviera tanto. Y yo tampoco. Pero no había que precipitarse todavía.

«¿Sencillamente es pudorosa? ¿Frígida? ¿O es miembro de una de esas comunidades religiosas en las que está prohibido el sexo antes del matrimonio? Quizá solo es un poco anticuada para su edad, pobrecitos.»

* Por eso Hazel también estaba en la lista de sospechosos de Mia. Resulta que, según la teoría de mi hermana, Secrecy tenía tan pocos escrúpulos que no dudaba en exponerse a sí misma para ocultar su identidad.

Bueno. Bah. Si eso era todo. Probablemente sí fuera un poco anticuada en realidad. ¡Y qué más daba!

Aliviada hasta cierto punto, levanté la cabeza y miré a Henry con una sonrisa.

—Tenéis razón. En realidad, no es más que un rumor aburrido y sin interés.

Henry me devolvió la sonrisa y Grayson cogió otro bollo con un gruñido de satisfacción. La delicada sonrisa de Emily parecía que se le había agriado un poco, pero quizá me equivocaba, al fin y al cabo casi siempre ya tenía un aspecto avinagrado. Y Florence, mamá, Ernest y Lottie retomaron su conversación como si no hubiera pasado nada. Yo estaba tan aliviada que recuperé el apetito. Un bollo así de pequeño seguro que...

—Mejor no te alegres tan pronto —dijo Mia, apoyando el dedo índice en la pantalla. Entre todos los comentarios, Secrecy había vuelto a tomar la palabra—. «No seáis tan duros con la pobre Liv, el papel de chica amada aún es muy nuevo para ella. No hace tanto tiempo, era el tipo de alumna a la que metían la cabeza en el retrete. La pobre podría describir todavía hoy el interior de los retretes de su colegio de Berkeley con mucha precisión...»

—¿Cómo sabe eso? —preguntó Mia en voz baja.

—Ni idea.

La sonrisa me había desaparecido. Por mí, Secrecy y todo el colegio podían opinar sobre mi vida sexual lo que quisiesen, pero esa historia de Berkeley era un secreto que ni siquiera mi madre conocía. Aparte de las cuatro chicas que me habían mojado en el retrete, solo lo sabían Mia y Lottie.

Y... Henry.

Mientras volvía muy despacio la cabeza para mirarle, su móvil empezó a sonar.

5

En el sueño caminaba por la Academia Frognal y todos me miraban y se reían entre dientes y cuchicheaban. Emily pasó a mi lado encantadora trotando sobre un caballo castaño de pura raza por las escaleras y gritó: «No seáis tan duros con la pobre Liv. No puede evitar que Henry no quiera acostarse con ella.»

Por suerte, en ese momento vi una puerta verde en la pared del pasillo y supe que estaba soñando.

—Solo está un poco atrasada física y mentalmente —dijo Emily, e hizo que me enfadase el que tuviera el descaro de ofenderme en mi propio sueño. En realidad, ¿no significaba eso que mi propio subconsciente me estaba diciendo esas cosas odiosas sobre mí? No podía permitirlo de ninguna manera. Con un ademán hice desaparecer el caballo y Emily cayó al suelo de piedra.

—¡Au! —exclamó indignada.

—¡Liv! ¿Estás loca? —Florence ayudó a su amiga a ponerse de pie—. Podría haberse hecho daño.

—¡Mi sueño, mis reglas! —exclamé, y agarré el picaporte de la puerta—. Y lo que piense de mí la gente me lo paso por el Chuenisbärgli.

Un chasquido de dedos y Emily, Florence y todos

los demás se transformaron en pompas de jabón. Flotaron por el hueco de la escalera, donde uno tras otro estallaron con un suave «pop». Satisfecha, salí al pasillo por la puerta verde.

—Activar protocolo de seguridad Mr. Wu tres —dije en voz baja. Si nadie me oía, prefería hablar con la puerta, como en la nave espacial *Enterprise*. A lo tonto y sin mi intervención, en las últimas semanas había cambiado bastante. Mientras que al principio había parecido la puerta de un acogedor *cottage* en los Cotswolds, pintada de un verde intenso, en este tiempo le habían crecido dos capiteles a izquierda y derecha y había sumado una claraboya adicional. Seguía siendo verde, pero ya no tan oscuro, más bien un tono menta fresco, y tal y como estaba ahora pegaba mucho mejor en una misteriosa villa victoriana que en un *cottage* en el campo.

Relacioné los cambios de la puerta con los cambios que yo misma había experimentado. Lo mismo había observado también en otras puertas de este laberinto. Algunas solo cambiaban de color, en otras la pintura se descascarillaba, otras cambiaban por completo su forma y tamaño. Suponía que algo tenía que ver con el estado de ánimo de los dueños. Era confuso mantener la visión de conjunto, porque además las puertas intercambiaban sus posiciones continuamente.

No obstante, el pomo en forma de lagarto se había quedado en la mía y me guiñó el ojo cuando cerré la puerta con suavidad, tras de mí. Justo a tiempo para ver el pelo rubio desgreñado de Henry doblando la siguiente esquina. Quise gritar su nombre, pero al final no lo hice; ¿quién sabía lo fuerte que podía resonar un eco en estos pasillos y a quién o a qué podía atraer? Además, ¿adónde demonios quería ir Henry en realidad? Hoy su puerta estaba justo enfrente de la mía y habíamos quedado. Precisamente aquí. Y en lo que a mí respectaba, precisamente ahora.

Decidí empezar a seguirle, al fin y al cabo no tenía nada mejor que hacer que quedarme aquí como una tonta y esperarle. Por ejemplo, hablar con él por fin. Y hablar de verdad, no solo besuquearnos.

Con pasos silenciosos —iba descalza—, le seguí. Por la tarde, no habíamos llegado a discutir de dónde había sacado Secrecy la historia del retrete en el colegio de Berkeley. El móvil de Henry había sonado y él se había marchado corriendo para recoger a su hermano pequeño. En casa de un amigo, dijo él.

—¿No puede hacerlo tu madre? —había preguntado Emily y me alegré mucho de no haber hecho yo esa pregunta, pues seguro que no habría sobrevivido a la fría mirada despectiva que Henry le dedicó a Emily.

No obstante, Emily se mantuvo totalmente imperturbable. Cuando Henry se hubo ido, se volvió hacia Grayson.

—Pensaba que Mrs. Harper tendría el problema bajo control.

—¡Em! —dijo Grayson, mirándome de reojo de un modo extraño.

—¿Qué pasa? —Emily había hecho un gesto de incomprensión con la cabeza mientras Grayson la agarraba del codo y la arrastraba a un lado.

¿El problema? ¿Qué problema?

Y justo entonces me había quedado claro que era el momento de hablar con Henry. Lo poco que sabía sobre mi novio era una cosa. O más bien lo poco que él confiaba en mí. Pero el hecho de que incluso Emily estuviera mejor informada que yo me molestaba más de lo que quería admitir. Ya me había planteado un par de veces si debía seguir insistiendo y plantearle a Henry todas las preguntas que con el tiempo me habían rondado la cabeza, pero había preferido dejarlo pasar. En las novelas y en las películas, la novia que siempre quería saberlo todo al detalle resultaba ser la mayoría de las veces una bruja controladora y, luego, una exnovia. En función del género, también solía acabar en medio de un acto criminal como víctima y todos se alegraban en secreto. Pero bruja o no, tenía que acabar sabiendo qué pasaba.

El pasillo por el que había doblado Henry parecía vacío, pero como oí pasos procedentes del pasillo que salía de detrás de una imponente puerta roja, corrí más rápido. Pronto le habría alcanzado.

Hablar y nada de besuquearnos, me repetí una vez más mentalmente por seguridad. Un poco de repetición mántrica no podía hacer daño.

—¡Aaahhh! —Me había chocado contra algo duro, contra alguien que, como yo, había querido doblar la esquina, solo que en sentido contrario. En un primer momento, pensé que era Henry.

—¡Dios mío, Liv! —soltó ese alguien en apariencia tan asustado como yo.

No era Henry, era Arthur Hamilton. El Arthur Hamilton al que había roto la mandíbula y cuya novia chiflada me había querido cortar la carótida el otoño pasado. El Arthur al que, después de aquel desastre en el cementerio, solo había visto en el colegio y preferiblemente de lejos. Si, por casualidad, nos habíamos cruzado, nos habíamos mirado a los ojos como dos generales enemigos que se encuentran fuera del campo de batalla, demostrando fuerza y una postura irreconciliable.

También ahora guardé enseguida una distancia de seguridad de un brazo entre nosotros. Para la mirada intimidatoria de general, sin embargo, era demasiado tarde, por desgracia ya estaba mirando como el asustado Bambi.

Arthur había hecho desaparecer su susto con mayor rapidez, pues ahora sonreía.

Seguramente, seguía siendo el chico más guapo del universo con sus facciones regulares, sus grandes ojos azules, su tez de porcelana y sus rizos dorados de querubín, pero algo había cambiado. No en lo externo: de las heridas no le había quedado ni una cicatriz, aunque había tenido la mandíbula inmovilizada durante semanas. No, era más bien un daño invisible, como si los sucesos hubieran afectado al brillo secreto que había rodeado su perfecta aura de ganador. Y la sonrisa había perdido parte de su efecto hipnótico.

—Bonito conjunto, Liv Silber.

Sin mirarme, sabía lo que llevaba, es decir, lo mismo que tenía puesto en la realidad en este momento: un pantalón de pijama deformado con topos azules y una vieja camiseta de Grayson que había rescatado de la bolsa de ropa vieja porque los osos panda con tutú rosa de delante me parecían graciosos. Debajo ponía: «Demasiado gordos para el ballet.»

¡Mierda! ¿Por qué aquí también iba en pijama por los pasillos? Debería haberme metamorfoseado en un jaguar. Entonces, Arthur quizás habría mostrado un poco más de respeto.

—Gracias —dije con toda la dignidad posible—. ¿Has visto a Henry? No debe de estar lejos.

—¿Por qué no me sorprende nada que sigas rondando por aquí? —Arthur rio entre dientes—. Estaba claro que no lo dejarías. ¿Y en qué andas? ¿En colarte en los sueños de tus profesores para sacar mejores notas?

No era una mala idea.

—¿Sabes?, no me va espiar a otras personas. —Yo

también sabía mirar despectiva cuando tocaba. Incluso en pijama—. ¿Y tú? ¿Qué haces aquí? ¿Rindiendo visita al viejo demonio? ¿Cómo se llamaba? Algo con ele. Sonaba como «más agua en el horno de la sauna» en finés. ¿Lelula? ¿Lilalu? ¿Luleli?

Aunque esto resultaba muy gracioso ahora —*löylyä* efectivamente significaba «verter agua en el horno de la sauna»—,* Arthur ya no se rio.

—Ah, cierto —dije, alargando las palabras—. Que el demonio no existe, que Anabel se lo inventó.

—Anabel —repitió Arthur, y sonó como si le hiciera daño físicamente pronunciar ese nombre—. Anabel está enferma.

—No me digas —repliqué lo más impasible que pude.

¿Acaso debía compadecerme de Anabel? ¿Aunque me hubiera encerrado en una trampa y me hubiera golpeado con un candelabro de hierro colado? Sin olvidar que me había atado para cortarme la carótida con toda tranquilidad. Por desgracia, me compadecía de ella. Por lo que habíamos sabido después, Anabel había pasado sus primeros años de vida en una oscura secta que practicaba el culto a los demonios junto con su madre, que más tarde se había quitado la vida en un psiquiátrico. No era de extrañar que estuviera completamente zumbada.

Arthur me examinó con atención como si pudiera leerme los pensamientos. Tragué saliva y me esforcé en mirarle aún más huraña. Solo faltaba que, al final, Arthur pensara que comprendía a su exnovia. O incluso a él.

---

* Esto lo sabía porque Lottie, cuando estábamos en Utrecht, entabló amistad con un finlandés simpático que nos había enseñado frases en finés meramente superfluas. Matti. ¿Qué habrá sido de él? Era mucho más guapo que Charles, el dentista rarito de las gorras…

Aunque... él había amado a Anabel y ya se sabe que, por amor, se cometen las mayores locuras. Y ahora su novia estaba en una institución psiquiátrica, sus amigos no le hablaban y tampoco era ya capitán del equipo de baloncesto. Pobre Ar... ¡frena! ¡Cómo que pobre Arthur! Solo faltaba que tuviera remordimientos por la mandíbula rota.

—Ha hecho algunas cosas malas, pero... —Arthur se detuvo un momento y volvió a levantar una ola de compasión en mí—. Pero ese libro no lo escribió ella.

Se refería a la mugrienta libreta en la que Anabel tenía sus rituales para conjurar a los demonios. Se había quemado la misma noche en la que Arthur y Anabel me habían encerrado en la cripta de los Hamilton para liberar del inframundo al demonio imaginario de Anabel con ayuda de mi nada imaginaria sangre.

Traumatizada o no, si Henry y Grayson no hubieran llegado a tiempo, el cuchillo de Anabel me habría matado. Y por eso ya se habían acabado la compasión y la comprensión.

—Cierto, alguien que estaba igual de enfermo escribió el libro —dije con firmeza.

—Es posible —admitió Arthur, y se quedó callado unos segundos. Después, hizo un gesto con las manos que abarcó todo el pasillo y, al mismo tiempo, pareció torpe y arrogante—. ¿Y cómo explicas tú todo esto?

Me había planteado muy a menudo esa pregunta. Con marcada impasibilidad, me encogí de hombros.

—Bueno. ¿Cómo puedo estar en Londres y, al mismo tiempo, hablar con mi abuela en Boston? ¿Cómo se abre la puerta del garaje si presiono un botón a un kilómetro de distancia? ¿Por qué en los sueños la gente se puede visitar mutuamente? Para ser sincera, estos son fenómenos inexplicables para mí. Pero solo porque yo no los entienda no tienen por qué ser obra de demonios. Para todo hay una explicación científica.

Arthur volvió a sonreír con arrogancia.

—¿Así que esas tenemos? Engáñate tranquilamente si así te sientes mejor, Liv Silber. ¡Saluda a Henry de mi parte!

—Gracias. Y tú saluda al demonio Lilalaune de mi parte si lo ves —repliqué, poniendo mi cara de general enemigo mientras me disponía a marcharme—. Tengo que seguir. Nos vemos... desgraciadamente.

Arthur asintió lo justo.

—Sí, es invevitable. —En voz baja, añadió—: Pero ten cuidado, Liv. No estamos solos en estos pasillos.

Resistí la tentación de volverme hacia él una vez más y decirle que podía meterse donde quisiera su preocupación postiza o sus amenazas ocultas y me marché sabiendo que me estaba siguiendo con la mirada, con seguridad con los ojos puestos directamente en el trasero de mi pijama de topos. Por un breve momento, estuve tentada de metamorfosearme en un jaguar al menos ahora para tener una salida elegante, pero el riesgo de no conseguirlo otra vez y acabar como un gatito estúpido resultaba demasiado elevado.

Y, por cierto, ¿dónde diablos se había escondido Henry? Nunca estaba cuando se le necesitaba.

6

Para no bajar la guardia ante Arthur y caminar en la misma dirección de la que había llegado, seguí por el pasillo lo más decidida posible y giré de nuevo para escapar de su campo de visión en el improbable caso de que Arthur volviera la vista. Por seguridad, lo repetí otra vez. Cuando por fin me detuve y miré alrededor disimuladamente, ninguna de las otras puertas me resultó ni un poco familiar. ¿Adónde diablos había llegado? Nunca antes me había alejado tanto de mi propio pasillo. Quizá debería haber pintado dibujos en la paredes con tiza para asegurarme de encontrar también el camino de regreso. Se me puso un poco la piel de gallina en los brazos, pero me obligué a esperar un ratito. Después, giré sobre los talones y, tres minutos más tarde, me asomé con cuidado en la esquina al pasillo en el que me había encontrado a Arthur. Ya no se veía ni rastro de él. Como tampoco de Henry.

Me acordé de la advertencia de Arthur. Cómo que no estaba sola aquí. Estaba sola como la una.

Rápidamente, tomé el camino de regreso. Casi esperaba que los dichosos pasillos de este laberinto cambiaran de dirección, al fin y al cabo aquí no se sabía nunca, pero por fortuna se quedaron donde estaban. No mucho más tarde, doblé por fin en el pasillo donde se encontraba mi puerta.

Seguía sin verse a Henry. ¿Y ahora? ¿Debía esperarle o anular la cita para, por lo menos, dormir un poco? Pero no, me había propuesto hablar con él y no esperaría ni una noche más.

Con mi puerta a menos de cuarenta metros de distancia, me sentía lo suficientemente segura para volver a intentar metamorfosearme en un jaguar. No se sabía nunca para qué podía servir un poco de práctica. Por desgracia, no logré concentrarme correctamente y, por eso, volvió a salir mal. Solo los pantalones del pijama habían adquirido un aspecto de jaguar. Y una cola. Ups. La moví un poco con el trasero y reí entre dientes. No estaba tan mal esa cola de jaguar. Sin embargo, fuera con ella enseguida. Pero antes de poder hacer desaparecer mi apéndice, alguien me puso el brazo alrededor del hombro por detrás.

—¿Te has puesto así de guapa para mí?

Henry. Precisamente ahora.

Odiaba que se acercara con sigilo por detrás. Y yo me odiaba porque no le había oído. Quién sabe desde cuándo estaba observándome mientras yo meneaba tontamente mi cola de jaguar.

Me atrajo hacia sí... Y casi me fallan las rodillas de lo agradable que era. Tan íntimo y auténtico, como si no existiera problema alguno.

—¿Dónde estabas? —Intenté poner un poco de distancia entre nosotros, pero fracasé estrepitosamente—. Me he encontrado a Arthur antes. Solo. —Esperaba que la última palabra hubiera sonado con el suficiente tono de lamento.

Henry me cubrió de besos la raya del pelo. También eso era agradable. Por desgracia. En medio, murmuró:

—Menos mal que mi guapa e inteligente novia sabe kung-fu para casos de emergencia. Y con esa cola de leopardo, seguro que les metes un miedo atroz a todos. ¿Qué ha dicho Arthur?

—Jaguar —le corregí—. Debería ser un jaguar. Y Arthur no ha dicho mucho, solo un par de observaciones crípticas. Y, por supuesto, no se ha reído de mis bromas. ¿Sabes lo que significa *loÿlyä* en finés?

Henry se rio y me tomó la cara con ambas manos.

—¿Bésame? —sugirió, y sus ojos grises resplandecieron.

—¡No! —Le aparté de mi lado. «Hablar, no besuquear», ese era mi nuevo mantra. Aunque ahora mismo me pareciera un mantra tremendamente tonto.

Pero eso no ayudaba con todas las preguntas que yo tenía.

«¿Adónde ibas tan deprisa?», por ejemplo. O «¿por qué aún no hemos quedado en tu casa? ¿Hablas en serio cuando dices que me quieres y, en ese caso, por qué no me cuentas entonces qué es lo que te preocupa? ¿Por qué Grayson y Emily conocen lo de tu madre y sus problemas? ¿Y qué se supone que es el gato que mueve el brazo?».

Nada de eso salió de mis labios.

—¿Cómo sabía Secrecy lo del retrete de Berkeley? Él se encogió de hombros.

—De verdad, Liv, debe darte absolutamente igual lo que esa bruja malvada escriba sobre ti.

—Así sería. Si no escribiera sobre cosas que en realidad no puede saber. Resulta que... —enmudecí.

—¿Resulta que qué?

—Resulta que alguien se lo ha contado.

—Sí —dijo Henry, indiferente.

—¿Sí? Solo he hablado de eso contigo, Henry. —Sonó mucho más serio de lo que había previsto, quizás una pizca demasiado dramático—. Así que... —Me mordí el labio.

Por un momento, Henry pareció perplejo, después se le abrieron los ojos.

—¿Quieres decir que estoy compinchado con Secrecy?

Me quedé callada, pero mordisqueándome con elocuencia el labio inferior.

Henry abrió un poco más los ojos.

—Oh, oh... ¿Crees que al final resulta que yo mismo soy Secrecy? —Aunque luchaba visiblemente por evitarlo, le dio la risa. Se retorcía, le salía a borbotones y, por desgracia, era contagiosa. Noté cómo los extremos de la boca se me levantaban. Henry se agachó para besarme—. ¡Eres tan dulce! ¡Te quiero, Liv! Te quiero tanto.

Y, entonces, durante un buen rato, ya no dijimos nada más, mientras yo enviaba ese estúpido mantra al nirvana. O adondequiera que se fueran los mantras.

Hasta que... bueno, hasta que oímos la risa. Una risa como salida de una vieja película de terror, profunda y con mucha resonancia y una buena ración de locura. Resonaba por los pasillos en dirección a nosotros, tan tópica que no me dio ningún miedo cuando me aparté de Henry para buscar el origen con la vista. Si se trataba de una treta de Arthur para demostrar que no estábamos solos, era una treta miserable.

Al fondo del pasillo, reconocimos una figura que parecía crecer cuanto más la contemplábamos.

—¿Qué se supone que es? —preguntó Henry.

Yo tampoco lo sabía. Por un instante pensé en el demonio, pero al mismo tiempo me convencí de que un demonio nunca llevaría una capa y un sombrero de ala ancha, siquiera para no parecer ridículo. ¿No? La figura del sombrero de ala ancha —por la silueta y el tono de voz se deducía que era un hombre— volvió a reír, y esta vez su risa retumbó más, y el eco rebotó en las paredes multiplicándola.

Levantó la mano e hizo un gesto, y entonces se acercó a nosotros con la capa ondeando.

Quedé pasmada. Por una parte, tenía curiosidad por saber quién era ese tío y qué quería. Al fin y al cabo, esto seguía siendo un sueño y, además, Henry estaba justo a mi lado. ¿Qué podía pasar? Por otra parte, una voz interior me susurró que debía esfumarme ahora mismo.

Sin embargo, solo cuando el hombre estuvo a unas pocas puertas de distancia y empezó a decir: «¿Quiénes sois que os atrevéis a caminar por los terrenos nocturnos de Lord Muerte Norte?», decidí prestar atención a mi voz interior. «Muerte» no sonaba bien.

—¿Lord Muerte Norte? —repitió Henry mientras yo le cogía del brazo y le arrastraba. No estábamos muy lejos de nuestras puertas.

»¿Ha dicho Norte? —Henry seguía mirando a su espalda—. ¿Existen regiones para la muerte?

—¿No te lo puedes preguntar en otro momento? —grité.

—¡Esperad! ¿Podéis oírlo? —Por desgracia, Lord Muerte decidió seguirnos mientras declamaba disparates sin sentido—. ¿Muere dentro, trol?

Henry, por algún motivo, parecía encontrarlo tremendamente interesante.

—¿Trol? —Se dejaba arrastrar contra su voluntad—. ¿Qué se supone que significa eso?

Eso sí que no, ¡ahora se ponía discutir con ese tipo! ¿Acaso no sabía que lo mejor era no hacer caso a los locos? No me extrañaría que, a continuación, este tío que nos seguía se sacara una guadaña de debajo de la capa.

De nuevo soltó su risa loca. Y esta vez sí me dio miedo.

—No te quedes quieto —le solté a Henry, que volvía a ir cada vez más lento.

¡Ahí! La puerta de Grayson. Parecía la misma de siempre, concretamente como una copia exacta de nuestro portal blanco, incluido el macetero y la rechoncha figura de piedra llamada *Freddy el Terrible*. ¡Un refugio!

—¡Temed terror nulo! —gritó Lord Muerte. O al menos eso es lo que entendí en medio del ajetreo. Pero en ningún caso iba a esperar, eso estaba claro.

Ojalá Grayson hubiera cambiado sus medidas de seguridad igual de poco, pues si no Lord Muerte nos agarraría enseguida por el pescuezo. Me incliné hacia Freddy y le susurré «Ydderf, Ydderf, Ydderf» en el oído (tenía cabeza de águila, no era tan fácil determinar en qué parte estaba la oreja, pero ahora no tenía tiempo para semejantes detalles).

—¡Y rápido! ¡Nos están siguiendo!

—Se os concede la entrada —dijo Freddy con voz aflautada un poco ofendido mientras yo ya estaba abriendo la puerta, empujaba a Henry al interior y la cerraba a nuestra espalda de un portazo antes de que el tipo del sombrero de ala ancha nos alcanzara.

—¡Por los pelos! —dije entre jadeos.

Henry no respondió, mi mano agarraba el vacío.

—¿Henry? ¡Esto no hace gracia! —Horrorizada, miré alrededor. Pero de Henry no se veía ni el más mínimo rastro.

7

—Explique la obtención aeróbica de ADB en las células humanas teniendo en cuenta una ecuación bruta que incluya un equilibrio de ADB.

En un primer momento, pensé que ese chalado Lord Muerte que tanto desvariaba se había colado conmigo en el sueño de Grayson, pero la pregunta la había hecho Mr. Bridgewater, el profesor de Biología de Grayson. Resulta que nos encontrábamos en un aula de la Academia Frognal en la que Grayson estaba sentado en una mesa completamente solo delante de cuatro profesores y parecía bastante pálido. En apariencia, se trataba de un examen.

—¿Se refiere a la obtención aeróbica de ATP? —preguntó Grayson, lanzándome una mirada de reojo irritada.

—ADB —corrigió Mr. Bridgewater, y Grayson se puso un poco más pálido.

En la pared habían puesto un par de sillas para oyentes y me deslicé de puntillas hasta allí y me senté junto a Emily mientras recogía con cuidado mi cola de jaguar.

Estaba en la duda entre preocuparme por Henry o enfadarme con él, aunque la última opción prevalecía.

Quizá simplemente se había metamorfoseado en un vientecillo. Pues también sabía hacerlo. O se había despertado. Fuera lo que fuese, me sentó mal que me hubiera dejado sola. Al menos me parecía que debería haberse tomado más en serio a ese curioso tipo del sombrero de ala ancha.

—¿Cómo le va a Grayson? —le pregunté en voz baja a Emily.

Ella se puso el dedo en la boca.

—Chist. ¡Algunos queremos aprender algo aquí! —Mi cola de jaguar se estremeció nerviosa. Incluso en los sueños de Grayson Emily era una terrible aguafiestas.

—El ATP se... —empezó Grayson, pero Mr. Bridgewater le interrumpió.

—ATP no. ¡ADB! ¡No intente hacer trampas en este tema, Grayson!

—Pero... se llama ATP. Adenosín trifosfato. Me he estudiado todo sobre el ATP. ¿Le hago un esquema...?

—Jovencito, eso es muy loable, pero hoy le estamos examinando sobre el ADB —aclaró el examinador que se encontraba junto a Mr. Bridgewater—. Así que, por favor, nuestro tiempo es limitado.

—ADB... ADB... Aaadeeebeee... —Grayson se pasó la mano por su rubio pelo corto.

Pobre. Siempre tenía horribles sueños de perdedor. De buena gana me habría inmiscuido, pero entonces quizá se habría dado cuenta de que solo soñaba y —mucho peor— de que me había colado en su sueño sin permiso. No, sería mejor comportarme discretamente y volver a salir en cuanto no hubiera moros en la costa.

—Me temo que no me suena el ADB —dijo Grayson al fin.

A mi lado, Emily resopló.

—Típico —dijo sin ni siquiera bajar la voz. Grayson

nos miró de inmediato. Parecía tan triste que se me encogió el corazón de pena. Para darle ánimo, le sonreí. Por desgracia, yo no sabía lo que eran ni el ATP ni el ADB; si no, quizá podría haberle ayudado.

—¿Así que no le suena el ADB? —preguntó Mr. Bridgewater mientras intercambiaba miradas de preocupación con sus colegas—. Vaya, piénselo bien una vez más, con calma... ¿Qué podría significar?

El tonto de Bridgewater. Los monos discriminan los plátanos. Los tontos, estúpidos exámenes...

Grayson suspiró.

—De verdad que no lo sé. —En voz baja, añadió—: ¿Qué significa?

—¡Ay, madre mía! —exclamó la profesora regordeta a la izquierda de Mr. Bridgewater—. ADB: Antiguo Diamante Bruto. ¡Todo el mundo lo sabe!

—¿Antiguo Diamante Bruto? —Grayson le dirigió una mirada de incredulidad—. ¿Cómo pueden obtener las células humanas un Antiguo Diamante Bruto? Y ¿qué tiene que ver esto con la biología?

Estaba en lo cierto. Realmente era el sueño más estúpido de todos los tiempos. Antiguo Diamante Bruto, ¿el subconsciente de Grayson no tenía nada mejor que ofrecer?

—¡Y encima se pone impertinente! —La regordeta chasqueó la lengua y se volvió hacia sus colegas—. En fin, por mi parte no estoy dispuesta a seguir perdiendo el tiempo con este examinando. Mi nota está decidida, en este caso no podemos regalar ningún punto.

—Por desgracia, también lo veo así —dijo Mr. Bridgewater en tono de preocupación—. Lo siento mucho, Grayson. Ha suspendido.

Grayson parecía estar a punto de echarse a llorar.

—Pero... pero... —murmuró, profundamente afligido.

—Ya te he dicho que debes estudiar más —intervino Emily, a mi lado, con dureza y un aire de satisfacción en la voz—. Menos fiestas y baloncesto, y más pensar en el futuro.

Quise replicar cuando, de golpe, todo alrededor de nosotros se volvió oscuro como la boca del lobo. El suelo desapareció bajo mis pies y caí en un abismo de absoluta nada.

Grayson había despertado, y eso hice yo también. Jadeando, y con el corazón desbocado, me incorporé; odiaba cuando pasaba aquello. Era una sensación espeluznante precipitarse en la nada, como si faltara el oxígeno y hubiera que ahogarse angustiosamente mientras uno se precipita en el infinito. Con sinceridad, estaba segura de que la muerte se sentía así.

Las cifras luminosas de mi despertador indicaban que eran las 4.10 horas. Domingo, 6 de enero. El último día de vacaciones. Por desgracia, no estaba pensando del todo en gandulear, pues esa tarde se celebraba el famoso té de los Reyes Magos de Mrs. *Bocre* Spencer y yo aún no tenía nada que ponerme porque, durante las vacaciones, no había tenido tiempo de rebuscar ropa en el armario de mamá o de Lottie. Sin embargo, quedaba tiempo de sobra para seguir durmiendo y, ahora mismo, eso me parecía mucho más importante que la cuestión de la ropa. Antes solo tenía que ir un momento al retrete. Con un suspiro, rodé fuera de la cama y anduve a tientas hasta la puerta de la habitación. Había luna casi llena y el primer piso estaba bastante claro, de todos modos ya me había acostumbrado tanto a esta casa que habría encontrado el camino al baño con los ojos cerrados, incluso sin pisar la tabla del suelo del pasillo que crujía y que Ernest quería arreglar desde hacía siglos. Producía un ruido bastante indecente al pisarla, «como la tía Gertrud cuando ha comido sopa de alubias», decía siempre Mia, por lo que también ella procuraba pisar con cuidado. Ahora esquivé la tabla del suelo con elegancia, al fin y al cabo no quería despertar a nadie. Pero cuando quise alargar la mano hacia el pomo de la puerta del baño, oí correr el agua del retrete. En un acto reflejo, emprendí la huida, pero me detuve porque me di cuenta de que estaba en el mundo real y de que el peligro de un encuentro con Lord Muerte y compañía no se daba aquí. A menos que Lord Muerte se lavara las manos concienzudamente. Algo impaciente, me balanceé de un pie descalzo al otro hasta que, por fin, la puerta del baño se abrió y Grayson salió arrastrando los pies, como era habitual (y sin importar la temperatura que reinara fuera) con el torso desnudo y los pantalones del pijama. Pero ¿quién era yo para quejarme de eso? Además, a estas horas no llevaba ni las lentillas ni las gafas, así que le veía un poco borroso.

—¿También despierto? —pregunté con amabilidad y a Grayson se le escapó un pequeño grito del susto. Por lo visto, seguía medio dormido y no me había visto. Ahora intentaba fijarse en mí con los ojos entrecerrados.

—¡Liv! No me des estos sustos.

—Lo siento.

—Acabo de soñar contigo.

—Qué tierno por tu parte.

Suspiró.

—No. No era un sueño bonito. Más bien una pesadilla espantosa. ¡He echado a perder por completo mi examen oral de Biología! Cuando me han dicho que había suspendido me he despertado de puro susto. El corazón sigue latiéndome a lo loco.

«Porque tú no sabías nada del Antiguo Diamante Bruto, ¡madre mía, qué hipersensible! Hoy ya me he enfrentado a Arthur y a Lord Muerte , pero ¿acaso me has oído quejarme?»

—¿Y tú?

—¿Hum...?

—¿Por qué estás despierta?

—Eh. Luna llena —dije—. Además, tengo que ir al baño.

—Llevas puesta mi vieja camiseta —observó Grayson, cuyos ojos se habían acostumbrado del todo a la luz de la luna—. También la llevabas en mi sueño.

Oh, oh, terreno peligroso. Contuve el aliento por un momento.

—Pero en mi sueño también tenías cola —prosiguió, pensativo.

—¿Una cola? —repetí, intentando sonar tan crítica como Emily. Habría podido jurar que Grayson se ponía colorado. Aunque con esta penumbra, no se podía ver bien de verdad.

—Una cola de leopardo —respondió.

¡No, maldición! ¡De leopardo no, de jaguar!

—¡Qué curioso! —Sacudí la cabeza—. ¿Qué diría de esto el doctor Freud? ¿También había una ardilla?

Grayson no contestó. A continuación, dijo en voz baja:

—Ya no hacéis eso, ¿verdad, Liv?

Tragué saliva.

—¿A qué te refieres?

—Lo de soñar, las puertas... Ya no vais a ese pasillo Henry y tú, ¿verdad? ¿Ese asunto se ha acabado?

Sonaba tan serio y preocupado que fui incapaz de mentir. En realidad, no sabía qué le habría respondido si en ese preciso momento no hubiera sonado por el pasillo un ruido a lo «tía Gertrude ha comido sopa de alubias». Alguien había pisado la tabla suelta del suelo. Era Mia, a diferencia de mí tenía un aspecto acicalado y bonito con el camisón blanco con volantes que la tía Gertrude me había regalado por Navidad hacía tres años. Yo nunca me lo había puesto, pero a Mia le encantaba, porque con él se sentía como una alumna de internado en una novela de aventuras victoriana, y a Lottie también le encantaba porque encontraba que Mia parecía un ángel con él puesto. Abnegadamente, procuraba plancharle cada volante y cada puntilla.

—Pero a mí me toca primero —dije cuando Mia se acercó. No respondió nada, sino que pasó de largo con la vista fija en las escaleras.

»¡Eh! —dije, levantando la voz. Ninguna reacción.

¿Adónde quería ir? ¿Al lavabo de la planta baja? ¿O a coger a escondidas uno de los bollos que habían quedado y que Grayson se había reservado?

—¿Mia? —Algo le pasaba.

—Camina sonámbula —susurró Grayson—. Puede pasar con luna llena.

Naturalmente, tenía razón, iba sonámbula. A mí también me había pasado de niña. Un poco vacilante pero inalterable, Mia bajó por la escalera. Grayson y yo la seguimos.

—¿Deberíamos despertarla? —pregunté.

—Mejor no. De lo contrario, se caería por las escaleras.

Una vez abajo, Mia permaneció un rato mirando al vacío. Después, caminó con paso firme hacia la puerta de la casa.

—Ahora sí que quizá sería mejor despertarla —dijo Grayson. Mia ya estaba accionando el picaporte de la puerta.

Le pasé un brazo por los hombros.

—Mia, cariño, fuera hace ocho grados bajo cero, no es recomendable salir a pasear sin zapatos.

Mia me miró, pero su mirada me atravesó sin verme.

—Inquietante —dije.

Grayson chasqueó los dedos un par de veces justo delante de la nariz de Mia, pero ella ni siquiera pestañeó.

En su mirada extrañamente vacía no se alteró nada, pero al menos se dejó guiar solícitamente de nuevo escaleras arriba. Yo la sujeté por la derecha, Grayson por la izquierda, y juntos condujimos a la pequeña alumna de internado victoriano de regreso a su habitación. Cuando Mia al fin estuvo en la cama y la tapé, los párpados que tan abiertos habían estado hasta entonces se le cerraron de repente, y ella murmuró:

—Le conozco, Mr. Holmes. Resolverá el caso.

—De eso puedes estar seguro, Watson —murmuré, y apoyé mi cabeza junto a la suya. Solo un ratito.

—Será mejor que vuelva a bajar y cierre la puerta de casa por si acaso se marcha otra vez. —Grayson bostezó.

—Gracias. —Siguiendo una inspiración, me acurruqué junto a mi hermana bajo el edredón. Sencillamente, estaba demasiado cansada para volver a mi habitación. Incluso muy cansada para tener que ir al lavabo—. Eres un auténtico encanto, Grayson.

—No empujes así, ser loco —masculló Mia.

—Tú también eres un auténtico encanto —le dijo Grayson.

Pero quizá solo lo soñé.

8

Obviamente, Lottie no había sido invitada al tradicional té de los Reyes Magos en casa de Mrs. Spencer, y ya estaba bien que fuera así. Pues, en primer lugar, la Bocre había escogido el día de hoy para emparejar a Charles (ganador del premio al regalo de Navidad más romántico de la historia) con la nieta recién divorciada de su amiga, por lo que Lottie solo habría molestado. Y en segundo lugar, no habría estado nada orgullosa de nosotras, pues no hicimos ningún honor a la buena educación que ella nos había dado.

Todo empezó bastante bien. Puntuales y vestidas con absoluta corrección para la ocasión, llamamos a la puerta de Mrs. Spencer.

Yo me sentía descansada y, por eso, preparada para una nueva disputa con la Bocre. Mamá no me había despertado hasta mediodía, cuando Henry me llamó por teléfono para decirme que Lord Muerte no le había asesinado en el sueño. Por lo visto, su hermana pequeña Amy le había despertado justo en el momento en el que nos había salvado entrando en el sueño de Grayson. Y no había podido pensar en volver a dormirse, porque Amy había vomitado y justo en la alfombra a los pies de la cama de Henry. Entretanto, Amy estaba en vías de mejoría, pero Henry creía que ahora se encontraba mal por eso.

Sin embargo, nos citamos para la noche siguiente; lo bueno de estos sueños era que podías quedar aunque estuvieras enfermo en la cama y, mucho mejor, que no podías contagiar, aunque te besaras intensamente. Por supuesto, antes tendríamos que hablar algo, esta noche no lo habíamos conseguido.

Pero lo primero de todo era sobrevivir a esta *tea party*.

La casa de la Bocre estaba mucho más cerca de lo que había pensado, al final de una tranquila calle en Golders Hill Park. Era una vieja casa realmente bonita, como la mayoría por aquí de ladrillo rojo y con ventanas y puertas pintadas de blanco. Aunque no era enorme, desprendía un aire muy distinguido y me pareció demasiado grande para una anciana que vivía sola. Pero quizá tenía una asistenta. O dos. Y un mayordomo. En todo caso, tenía que dar trabajo a un jardinero. Ya solo en el jardín delantero había innumerables arbustos y tejos recortados en forma de cubos y columnas, limpios de restos de nieve y podados tan meticulosamente que parecía que esta misma mañana alguien los hubiera repasado con unas tijeras de uñas. En medio sobresalía un pájaro, mejor dicho un pato corredor gigante o una cigüeña adiposa, por detrás más bien un pavo real, y aunque solo estaba hecho de arbusto, me pareció que me miraba burlándose de mí.

—El jardinero sí que tiene trabajo aquí —dijo mamá.

—Sí. —Ernest esbozó una sonrisa algo forzada—. Aquí los jardineros cambian a menudo, es duro satisfacer las altas expectativas de mi madre. —Señaló al pato-cigüeña-pavo—. Por eso, a Mr. Snuggles nadie puede ponerle una mano encima excepto ella misma.

¡Estos ingleses! Hasta le ponen nombre a las plantas.

—Realmente está podado de un modo muy artístico este... buitre —dijo mamá.

Por un instante la sonrisa de Ernest ya no pareció forzada, sino muy sincera.

—Es un pavo real —dijo, y le dio a mamá un beso en la mejilla—. Mira, esta es la cola.

—Oh. Claro. Si forma parte del conjunto, está claro que se trata de un pavo real. —Mamá se estiró el pelo nerviosa. Era obvio que tenía un miedo atroz a Mrs. Spencer y sus amigas, pero no lo habría admitido nunca, al contrario, actuaba como si todo fuera un placer enorme. Mia y yo también teníamos un poco de miedo, pero solo porque Grayson nos había preguntado casualmente al salir de casa si ya dominábamos todas las estrofas del himno nacional. Por lo visto, era una vieja tradición del día de Reyes Magos en casa de la abuela que, durante la celebración, todos hicieran un saludo delante del retrato de la reina, se pusieran la mano en el corazón y cantaran el himno nacional.

—Tranquilas, eso solo pasa al final, cuando ya se han tomado suficiente ponche de naranja —le había añadido Grayson, pero en realidad eso no nos había tranquilizado. De haber sabido eso del himno antes, al menos habría podido buscar la letra en Internet. Ahora, con todo el trajín, solo me venía a la mente el principio del himno nacional de los Países Bajos, «*Wilhelmus van Nassouwe ben ik, van Duitsen bloed*», pero con eso solo ganaba puntos si la Bocre había invitado a un neerlandés.

Yo había perdido una hora buscando un conjunto con el que Lottie estuviera satisfecha, y otra evitando sus ataques a mi cabeza... en vano. Al final, había cedido y había dejado que Lottie me plantara un complicado peinado. Aunque afirmaba que Scarlett Johansson había llevado un peinado similar en la entrega de los Oscar, me parecía que mi cabeza parecía una cesta de frutas, solo que sin fruta. No era de extrañar que este pavo real me mirara tan burlón.

—*Oh, say can you see by the dawn's early light...* —Mia, a mi lado, entonó el himno estadounidense—. Ese no es, ¿verdad?

—Claro que no. ¡Cuidado con cantar eso!

Mia esbozó una sonrisa.

—Ahora mismo me siento como en *Orgullo y prejuicio*. La primera visita a la casa de lady Catherine de Bourgh... de Bocre —susurró. A pesar de su excursión nocturna, parecía fresca y sonrosada, el efecto muchacha alpina aún se mantenía. El pelo rubio claro le caía liso bien cepillado sobre los hombros, Lottie solo le había vuelto a peinar la coleta y, sobre la raya, le había trenzado una coronita. De buena gana me habría cambiado con ella. De hecho, incluso más con Florence. Llevaba los rizos castaños sueltos sobre un vestido verde pastel que a lady Bocre y a sus amigas les pareció «absolutamente encantador», con razón.

Mrs. Spencer suspiró profundamente cuando nos abrió la puerta.

—Oh, han venido todos —dijo con una decepción mal disimulada en la voz—. Pero al menos habéis dejado en casa a ese perro callejero maleducado.

—*Buttercup* no es... —empezó Mia, pero el codo de mamá se hundió en sus costillas y la hizo callar.

—Naturalmente, ninguna de nosotras quería perderse el té de los Reyes Magos —dijo mamá—. Nos alegramos mucho de estar aquí.

Sí, ya. De pura alegría estábamos a punto de soltar la lagrimita.

En el interior, la casa confirmaba lo que prometía desde el exterior, elegante, llena de antigüedades sofisticadas, había una repisa de chimenea decorada con motivos navideños, una espineta (¡realmente era como en *Orgullo y prejuicio*!) y una mesa vestida de forma alucinante, llena de tortitas, *scones* y sándwiches. No pude descubrir por ninguna parte el ponche de naranja que había mencionado Grayson, pero sí preciosos centros de flores, té abundante en teteras abombadas y ancianas damas sonriendo con amabilidad con los labios pintados de color coral. Y —¡oh, no!— Emily, que gorjeó «¡sorpresa!» cuando Grayson la miró perplejo. Yo puse los ojos en blanco. ¿En ninguna parte se libraba uno de Miss Aguafiestas?

Estaba claro que se trataba de la Bestia de Ocre —por cierto, hoy de un beige decente—. Como se puso de manifiesto, había invitado a Emily para darle una alegría a Grayson y «porque también es de la familia».

Ni Emily ni Grayson la contradijeron, por eso volví a poner los ojos en blanco y miré a mi alrededor, en alguna parte tenía que estar ese ponche. Cada vez me apetecía más.

El sentido y el objetivo de esta «fiesta» era claramente quedarse de pie con una taza de té, dedicarse a charlas sin trascendencia con los demás invitados, dar un sorbito de vez en cuando y sonreír. Solo aquellos con un nivel avanzado podían comer a la vez. El resto lo conseguí con tranquilidad.

Solo con Emily me costaba sonreír, sobre todo cuando, de repente, me señaló el peinado con el dedo índice y, con un movimiento de cabeza compasivo, dijo:

—¿Sabes qué, Liv? En cuestiones de estilo, a veces menos es más.

Podría haber tenido al menos cuatro réplicas ingeniosas,* pero no iba a desperdiciar mis bromas con Emily. Así que preferí prestar atención a los demás invitados. En realidad, no había muchos más invitados. Las damas con los labios pintados de color coral eran las amigas del bridge de Mrs. Spencer, a las que conocía desde el colegio y que, si había entendido bien, se llamaban Bitsy Bee, Tipsy y Cherry. (Ojalá no en serio.) Cherry había llevado a su nieta, una joven llamada Rebecca que parecía estar también anhelando el ponche en secreto. No era de extrañar, pues Cherry (¿Sherry? ¿Chérie?) le contaba a todos que Rebecca se acababa de divorciar y necesitaba un nuevo hombre urgentemente, pero esta vez uno que también gustara a la abuela y a sus amigas. Un dentista, por ejemplo.

Las viejas damas estaban todas solteras de nuevo, solo Tipsy aún no era viuda y estaba aquí acompañada de su marido, un señor mayor con gesto huraño que conversaba animado con otro señor mayor que la Bocre nos había presentado como «el almirante». El almirante tenía una densa barba blanca, aterradoras cejas muy pobladas y un porte muy militar, en realidad parecía que en cualquier momento se volvería hacia el retrato de la reina y entonaría el himno nacional. Por cierto... ¿dónde estaba ese retrato? Sobre la repisa de la chimenea solo colgaba un óleo con faisanes muertos pintorescamente dispuestos junto a un cuenco de uvas. Mientras contemplaba el cuadro —los faisanes realmente parecían muy muertos—, Charles salió de la cocina. Intenté verle con buenos ojos, es decir, a través de los ojos de Lottie: ancho

---

* Por ejemplo, podría haber mirado expresivamente su sencilla camisa blanca y la falda negra y decirle: «Bueno, si estilo significa vestirse como si en realidad estuvieras aquí de camarera, entonces prefiero no tener estilo.»

de hombros, mirada luminosa, dientes deslumbrante-
mente blancos, arruguitas de expresión alrededor de la
boca, orejas de soplillo que recordaban a las del príncipe
Carlos, calvo ya a los treinta y tantos, aterrador chaleco
de punto con rombos... Vale, vale, aún tengo que practicar lo de la mirada de Lottie.

Charles se dirigía a la mesa haciendo equilibrios con
una jarra gigante y, al fijarme en sus orejas, me acordé de
que yo seguía teniendo escondida en mi habitación su
fea gorra de trampero. Por un momento, tuve un ataque
de mala conciencia.

—¿Es eso el ponche? —pregunté, cambiando de tema.

Charles asintió.

—El famoso ponche caliente especial de los Reyes
Magos de mi madre. ¿Quieres una taza?

Miré rápidamente a Ernest y a mamá, pero estaban
inmersos en una conversación con Bitsy Bee, así que dejé
que Charles me sirviera. De todos modos, mamá tampoco habría tenido nada en contra. Tenía un sabor exquisito, de naranja, canela y una chispa de clavo. El alcohol no se notaba nada. Lo que sí se notaban eran las
miradas que lanzaban a Charles desde la espineta, donde
estaban Tipsy, la Bocre, Cherry y la nieta recién divorciada. Tampoco a Charles le pasó inadvertida esa atención, hizo un gesto, sonriendo, en esa dirección por el
que todas, incluso la nieta, rieron entre dientes.

Yo tosí y Charles se volvió de nuevo hacia mí.

—¿Qué tal le va a Lottie? —preguntó—. Es una pena
que no os haya acompañado.

¿Una pena? ¿Y qué pasaba con la mujer del café con
la que casi había hecho manitas? ¿Y con la nieta de Cherry, a la que hacía un segundo había repasado?

No, esta vez Charles no se me escaparía por una alarma
de incendios estropeada. Tomé un sorbo más de ponche.

—A Lottie no le podría ir mejor —afirmé entonces y, a continuación, añadí—: Está en el cine con un amigo.

—¡Oh! —Charles se mordió el labio inferior—. Qué... bien.

—Sí, a mí también me lo parece. Jonathan es majo.

—¿Qué Jonathan? —preguntó Mia, que había aparecido a mi lado como un diablillo que sale de una caja de sorpresas.

«El Jonathan que me acabo de inventar, tontorrona.»

—El Jonathan de Lottie —dije, y observé preocupada que Grayson y Emily también se habían acercado a nosotros. Y justo detrás de ellos, la Bocre y la nieta divorciada.

—¡Ah! Ese Jonathan. Sí, sí que es majo. —Mia pilló a la vez dos de esos sándwiches finísimos—. Y tan romántico —prosiguió con la boca llena—. Por Navidad, le ha regalado a Lottie uno de esos graciosos gatos japoneses que mueven el brazo.

Me quedé mirándola con mi gesto más sombrío.

—¿Uno de esos gatos de plástico? —preguntó Emily con desprecio—. ¿Qué se supone que tiene eso de romántico?

—Es... Puede ser muy romántico —murmuré. Dios mío, todavía necesitaba más ponche. Sin vacilar y a pesar de que la Bocre ahora también se nos había pegado, le quité a Charles el cucharón de la mano y me serví.

—Un gato de plástico no es romántico, sencillamente es barato —dijo Emily.

¡No, no lo era! Era un símbolo. No directamente de amor, sino de suerte, un símbolo lleno de tradiciones que se remontaba al conocido culto del Maneki-neko. Eso lo había leído en la Wikipedia y me preguntaba si debería soltárselo a Emily. Con lo sabelotodo que era, quizás incluso había leído también lo mismo y sabía que precisamente este culto había inspirado la creación de Hello Kitty.

—¿Qué te ha regalado Grayson, Emily? —preguntó Mia. Muy buena pregunta.

Emily se señaló el cuello.

—Este maravilloso colgante.

—Un ocho en horizontal, el símbolo del infinito. —La Bocre sonrió conmovida—. Precioso.

¿El símbolo del infinito? ¿Grayson había perdido la cabeza? Vacié mi taza de ponche en una maceta e intenté taladrarle con una mirada burlona.

—Sí, mi nieto simplemente tiene estilo. —Mrs. Spencer acarició a Grayson en la mejilla y él se sonrojó ligeramente—. También en lo que respecta a la elección de novia. Me gustaría poder decir lo mismo de mis hijos. —Con un suspiro hondo, dejó a Grayson y apoyó una mano en el hombro de Charles—. Por favor, ¿podrías enseñarle a Rebecca el jardín mientras todavía se ve con claridad, Charles, querido? A Rebecca le interesan mucho las plantas, está doctorada en Biología. Y juega al golf, ¿no es cierto, querida Rebecca? Charles también juega al golf. Quizá podríais jugar juntos alguna vez. ¡Pero ahora, primero al jardín! Y sonríe un poco, Rebecca, para que Charles vea esos dientes tan bonitos.

Rebecca forzó una sonrisa valiente. Realmente me compadecía de ella. Sobre todo porque Charles no parecía fijarse en sus bonitos dientes.

—Madre, hoy no se ha visto con claridad en todo el día —dijo—. Y un jardín no es precisamente una atracción en invierno. ¿Qué película han ido a ver? —Me miró con curiosidad—. No le gustan las películas de acción, espero que ese Jonathan lo sepa.

Ponche. ¿Dónde estaba el cazo? Delicioso, tal y como olía. Cuando ya estaba en ello, Rebecca me alcanzó una taza. Me regaló una sonrisa de agradecimiento.

—¿A quién no le gustan las películas de acción? —preguntó Mrs. Spencer sénior y añadió mosqueada—: Mi jardín merece la pena verse todo el año.

—Habla de Lottie —explicó Mia de buena gana—. Pero yo no diría eso. A Lottie le gustan las películas de acción si tiene a alguien que le coja de la mano en las escenas de suspense.

Charles tragó saliva con dificultad. Ahora me daba auténtica pena. Pero era culpa suya. Había tenido su oportunidad. Ahora le tocaba a Jonathan. Solo que era una pena que este no existiera.

—Oh, podemos ver el jardín en otra ocasión —dijo Rebecca.

—¿Lottie? ¿No es ese el nombre de esa niñera alemana? —La Bocre había abierto los ojos como platos y no se dio cuenta de que Rebecca ponía pies en polvorosa discretamente con su ponche—. ¿Qué se te ha perdido con la niñera de la concubina de tu hermano?

—En primer lugar... —dijo Charles, buscando con la mirada a Rebecca. Pero esta ya estaba fuera del alcance del oído y empezaba a charlar con Florence y el almirante—. Y en segundo lugar... —respiró hondo—. Y tercero, no voy a permitir que me ordenes quién debe gustarme y quién no.

Parecía que la Bocre estaba a punto de desmayarse en cualquier momento.

—¿Me estás queriendo decir que esa tontita inculta alemana... te gusta?

Mia tomó aire indignada. También Emily y Grayson parecían impresionados. Solo yo mantuve bastante la calma, y eso se debía a este ponche. Algo magnífico. Definitivamente, tenía que conseguir la receta.

Charles asintió.

—Sí, me gusta Lottie. Aunque en realidad no haya nada entre nosotros...

En ese momento, volvió a caerme bien, por eso le disculpé que no hubiera corregido el término tontita.

—Entonces, preocúpate de que se quede así. —La Bocre apretó los labios un momento—. Ya es suficientemente malo que tu hermano me rompa el corazón con este numerito a lo Wallis Simpson, por eso ahora mi pequeño no puede venirme con una predilección perversa por una niñera. —Respiró con dificultad—. Ya no me llega el aire.

—Porque te ahogas en tu propia maldad —dijo Mia más fuerte de lo que quizá se pensaba.

—Bueno, ahora podría soportar un poco de aire fresco —intervino Emily—. Y me gustaría mucho dar un paseo por el jardín, incluso en el crepúsculo. —Intercambió una mirada de complicidad con Grayson y tomó del brazo a la Bocre—. Además, debo preguntarle de parte de mi madre cómo abona sus hortensias.

Su intervención diplomática tuvo efecto. Solícitamente, la Bocre se dejó llevar.

—Eres un ángel, Emily —le oímos decir y, aunque no habría estado necesariamente de acuerdo, sí debía decir que Emily, por una vez, había hecho algo sensato.

—¿Me dejas tu iPhone? —Mia ya se lo había sacado a Grayson del bolsillo del pantalón—. Tengo que buscar concubina en Google. Y Wallis de los Simpson. Y después tengo que leer todo lo que encuentre sobre asesinatos pasionales.

Había empalidecido completamente de pura rabia, incluso en los puntos más difíciles. A mí me habría pasado lo mismo con seguridad si el ponche no me hubiera adormecido de modo tan agradable.

—Tengo treinta y cinco años y no puedo permitir que mi madre me dé órdenes —soltó Charles. Aunque un poco tarde.

—Lottie no es tonta ni se ha fijado en el dinero —le espetó Mia mientras sus dedos volaban por la pantalla.

—Ya lo sé —dijo Charles.

—Es inteligente y maravillosa, ¿por qué debería querer precisamente a un dentista? ¡Podría tener a cualquiera!

—Ya lo sé —repitió Charles.

—¿Te gustaría tomar un poco de ponche caliente, Mia? —preguntó Grayson—. Creo que ahora te sentaría bien.

—¿Estás loco? Solo tiene trece años. —Le arranqué el cazo de la mano—. ¿Quieres que se ponga a bailar aquí mismo encima de la mesa? Es suficiente con que una de nosotras esté bebida. Ya veo borroso, no puedo garantizar nada más.

—¿Ah, sí? —Grayson sonrió burlón—. Eso sí que es interesante.

—Por lo general nunca bebo alcohol —me defendí—. Pero tu abuela es realmente... Y si luego aún tengo que cantar el himno nacional... Oh vaya, ¿acaso ya estoy farfullando?

—¡No! —Ahora Grayson se reía a pleno pulmón—. Liv aquí no hay nada de alcohol, solo es zumo de naranja caliente con especias.

—¿Qué? —¿No estaba bebida en absoluto? ¿Ni siquiera un poco achispada? Pero ¿por qué habían montado todo ese teatro en torno a esta bebida? ¡Ni hablar de famosa! Pero bueno, eso explicaba por qué no sabía a alcohol.

—Y en lo que respecta al himno nacional, solo era una broma mía —prosiguió Grayson divertido—. Nadie tendría la idea de cantar aquí, créeme. Ni sobrios ni borrachos. ¿Y has visto por alguna parte un retrato de la reina?

Le miré fijamente.

—¿Te has inventado eso? ¿Nos has tomado el pelo? ¿Así de simple? —A regañadientes, tuve que admitir que lo había hecho bastante bien—. Vaya, no te habría creído capaz de tanta fantasía y alevosía —dije con una sonrisa de reconocimiento.

—Bueno. Me subestimas. —Grayson me volvió a quitar el cazo de la mano—. Ahora que sabes que no te va a emborrachar y que tampoco tienes que cantar, ¿quieres otro trago?

—No, ahora ya no me divierte. —Miré a Grayson pensativa. Viéndole ahora, te podías imaginar bien cómo había sido de niño, despreocupado y feliz, y absolutamente satisfecho de sí mismo—. ¿De verdad le has regalado a Emily un símbolo del infinito?

La sonrisa de Grayson se enfrió de manera notable.

—Es decir, ¿sabes cuánto dura el infinito? —pregunté—. Más que toda una vida.

Se quedó callado.

—¡Malas noticias! —Mia le devolvió a Grayson el iPhone—. Si se quiere cometer un asesinato pasional, hay que ser rápidos.

—¿A quién le dices eso? —murmuró Charles.

—Esta vez, la Bocre no se escapará sin castigo —dijo Mia—. Esta vez tenemos que defender el honor de mamá y de Lottie. Y el nuestro. Simplemente ya no podemos dejarlo.

Grayson enarcó las dos cejas.

—¿Qué es una Bocre?

9

Con posterioridad, nos peleamos sobre quién había tenido esa idea primero. Mia insistía en que había sido ella. Lo cierto es que, ya en el camino de vuelta de la fiesta a casa, estuvimos dándole vueltas como locas a cómo podíamos darle una lección a la Bocre. Teníamos que dársela. El vaso estaba lleno, no, estaba mucho más que lleno, esta tarde se había desbordado definitivamente y queríamos darle justo donde le hiciera daño de verdad. Y entonces nos acordamos —o, por mí, solo Mia se acordó, si se empeña— del pájaro de arbusto que se encontraba en el jardín delantero, *Mr. Snuggles*. Al que nadie podía poner la mano encima excepto Mrs. Spencer en persona. Estaba claro que ese arbusto era lo que ella más apreciaba en el mundo.

Sí, *Mr. Snuggles* era su punto débil. Y, por motivos pedagógicos, teníamos que atacar precisamente ese punto débil. O más bien, podarlo. Las horas de *Mr. Snuggles* como pavo real estaban contadas.

Pasamos el resto de la tarde preparando nuestro golpe, buscando discretamente todos los utensilios y esperando a que el resto de la casa por fin se durmiera. En torno a la medianoche, nos escabullimos fuera de la casa.

Habría preferido ir en bicicleta, pero la puerta del garaje rechinaba tan fuerte que habríamos despertado a todos. Además, a pie solo se tardaban diez minutos hasta llegar a la casa de la Bocre, y necesitábamos ese tiempo para discutir en qué animal queríamos transformar a *Mr. Snuggles*. Cuando llegamos, aún no nos habíamos puesto de acuerdo. Mia prefería un pingüino, yo una mofeta, pues para esta última no teníamos que sacrificar toda la cola del pavo real, sino que podíamos reutilizar una parte.

Era un hecho que habíamos sobreestimado nuestra capacidad de podar un arbusto. Incluso en condiciones menos duras —estaba oscuro, hacía frío, teníamos que apresurarnos y, con las prisas, no habíamos podido requisar una herramienta adecuada—, habría sido difícil darle a *Mr. Snuggles* una forma completamente nueva. A eso había que añadir que abordamos la cuestión con objetivos diferentes —«¡Pingüino!» «¡No! ¡Mofeta!»— y que Mia trabajó en *Mr. Snuggles* por delante con el serrucho de Ernest y yo por detrás con las tijeras grandes.

Al menos no nos molestaron. Por el camino no nos habíamos encontrado a nadie (¡y a esto llaman una gran ciudad!) y en Elms Walk también parecía que todos estaban durmiendo tranquilamente. Aunque había luna llena. El clic-clac de mis tijeras y el ris-ras del serrucho de Mia eran los únicos ruidos que se podían oír. Y nuestras maldiciones siseadas.

—Estas tijeras solo pueden con las ramas finas —protesté—. Si sigo a este ritmo, la mofeta estará lista para las Navidades del año que viene.

—Pues el serrucho solo sierra lo que no debe. Ahora sí que nos sería útil un dispositivo de visión nocturna. ¡Ups! —Mia contuvo la respiración un momento. El pico ya no estaba.

—No es tan malo, de todos modos una mofeta no

tiene pico... Ven, intercambiemos los sitios. Por detrás hace falta fuerza bruta.

En realidad, en este momento ya sabíamos que no lograríamos darle a *Mr. Snuggles* una nueva identidad, ya fuera de pingüino o de mofeta. Sin embargo, seguimos serrando y cortando valientemente. Cuando por fin dimos un paso atrás y contemplamos nuestra obra a la luz de la luna, tuvimos que reconocer que lo que había quedado de *Mr. Snuggles* no se parecía a ninguna forma de vida conocida. En realidad, a ninguna forma para ser precisa. Tan solo era un montón de hojas y ramas.

Mia fue la primera en engañarse.

—Bueno, si hubiéramos improvisado un pingüino merecedor de un premio, es posible que la Bocre nos hubiera dado las gracias y todo.

—Exacto, y ese no era el sentido de esto —reconocí—. Aunque podríamos intentar hacer una rana con lo que ha quedado de la barriga...

—Viene un coche. —Mia me empujó contra el arriate y, mientras el coche pasaba de largo y se metía en una entrada un par de casas más allá, dijo—: Olvídate de la rana, de todos modos no lo conseguiríamos. Larguémonos.

Tenía razón, como jardineras habíamos fracasado sin remedio, pero, sin embargo, habíamos logrado nuestra misión. Así que mejor largarnos de ahí antes de que alguien nos viera.

La preocupación no estaba justificada en absoluto. Las calles seguían pareciendo muertas en el camino de vuelta. Solo un gato se cruzó en nuestro trayecto y este no podía testificar contra nosotras. Embriagadas por el triunfo, nos colamos de vuelta a casa, donde yo devolví el serrucho —limpio de restos de hojas de arbusto— al taller de Ernest mientras Mia colgaba las tijeras en su sitio de la cocina. Solo *Buttercup* nos vio y, buena como era, no ladró, sino que nos siguió escaleras arriba moviendo la cola.

—Ha sido divertido —susurró Mia delante de la puerta de su habitación, y yo solo pude darle la razón. Me sentía un poco como el Zorro, vengador de los débiles y los desheredados, y con ese entusiasmo me dormí.

¿Por qué entonces no soñé con algo bueno, sino con un hombre con un sombrero de ala ancha y un estremecedor cuchillo gigante que me perseguía por las calles desiertas de Hampstead? Tampoco lo sabía. Parecía que algo no funcionaba bien con mis pies, apenas podía levantarlos del suelo de lo pesados que eran. Y el hombre del cuchillo se acercaba cada vez más. Quería gritar pidiendo ayuda, pero no me salía la voz. En su lugar, con mis pies de plomo, di con la primera casa en la que quizá pudieran ayudarme. Cuando vi la puerta verde menta, supe que solo estaba soñando. Naturalmente. Ojalá que Henry me esperara al otro lado de la puerta.

Aliviada, me volví hacia mi perseguidor.

—Te grabaré una Z en la frente —gritó. Era Charles y ya no llevaba un sombrero de ala ancha, sino su gorra de trampero. Le miré desconcertada. ¿Qué quería contarme mi subconsciente?

—Cuando regrese, espero que te hayas ido —dije. Entonces abrí la puerta con cuidado.

—Ya era hora. —Henry metió la cabeza por la rendija—. ¿Puedo entrar?

—Claro —dije e intenté ahuyentar a Charles con un gesto de la mano—. Solo dame un momento para... eh... poner orden.

—No hace falta. —Con una sonrisa silenciosa, Henry cerró la puerta a su espalda—. ¿Por qué has llegado tan tarde? Pensaba que ya no vendrías nunca.

—Mia y yo teníamos algo pendiente. Un pequeño cambio cosmético en el jardín delantero de Mrs. Spencer sénior. Hoy ha vuelto a decir cosas horribles sobre Lottie y mamá. Y por eso hemos serrado ese estúpido pavo real.

—¿*Mr. Snuggles*?

—¿Qué? ¿Tú también lo conoces?

Henry se rio.

—Todos conocen a *Mr. Snuggles*. ¿De verdad que lo habéis...?

—... hecho virutas —dije llena de orgullo—. Claro. Ojalá estuviera yo allí cuando lo vea por la ventana.

Henry miró alrededor y tiritando se frotó los brazos desnudos. Como de costumbre, solo llevaba pantalones vaqueros y una camiseta. Y en mi sueño ahora era invierno.

—¿Vamos a otra parte? ¿Qué te parece, por ejemplo, el London Eye? —preguntó y, antes de que pudiera replicar, ya nos encontrábamos en una góndola de cristal en la noria a orillas del Támesis con Londres de noche a nuestros pies.

—Ahora has sido tú —dije. Con tanta precisión no me lo habría podido imaginar, pues Ernest nos había llevado allí en su visita turística del pasado septiembre, pero la cola era tan larga que habíamos renunciado a montarnos.

—Sí, he sido yo. —Henry me rodeó la cintura con el brazo y me atrajo hacia sí—. Romántico, ¿no?

Por supuesto. La góndola estaba vacía y no se movía. Acristalada por todas partes, ofrecía una vista fantástica. Solo la puerta verde no terminaba de pegar en este ambiente futurista. Eché la cabeza hacia atrás y miré al cielo a través del cristal. Las estrellas brillaban tan maravillosamente que era probable que Henry hubiera tenido algo que ver, pero eso no importaba.

—Esto es maravilloso —susurré.

—Tú eres maravillosa —susurró Henry muy serio, y entonces me olvidé de las estrellas e incluso de todo por un momento. ¿Qué podía ser más importante en todo el mundo que besar a Henry bajo una cúpula de cristal sobre el mar de luces de Londres? Una sensación cálida se extendió por mi estómago y Henry soltó un leve gemido cuando me arrimé más a él. Me besó intensamente mientras me acariciaba el pelo con la mano.

Algo golpeó con fuerza el cristal de encima y me estremecí. Ahí estaba de nuevo. Y otra vez. Chocaba contra nuestra góndola y, a continuación, caía al vacío.

—¿Qué es eso? —Cada vez más. Clonc. Clonc.

—Yo sí que no soy —dijo Henry.

Unos grandes terrones claros daban contra el techo de cristal.

—Yo tampoco —aseguré.

Henry miró hacia arriba.

—Para ser granizo, es demasiado grande. Más bien parece... ¿Gatos de la suerte?

Ahora yo también lo vi. Lo que llovía del cielo y chocaba contra el techo de cristal eran gatos de la suerte japoneses de plástico. Uno blanco y rojo acababa de aterrizar directamente sobre nosotros y, mientras se deslizaba por la cúpula despacio, parecía mirarnos directamente a los ojos.

Henry me soltó.

—Pues si no lo haces a propósito, Liv, entonces me temo que tu subconsciente quiere decirnos algo.

Sabía que tenía razón: esto seguía siendo mi sueño. Yo había hecho llover los gatos del brazo. Por ejemplo, mi preocupado subconsciente quería advertirme de que no tenía que besuquearme con Henry, sino hablar con él.

—Lo siento —dije, y me dejé caer en el banco. El granizo de advertencia se había detenido.

—¿No te gustó el gato? —Henry tomó asiento en el otro extremo de la zona para sentarse y estuve agradecida de la distancia física. Por primera vez desde que había entrado por la puerta, le vi bien. Estaba aún más pálido de lo normal y bajo sus ojos grises había sombras oscuras.

—¿Amy te ha contagiado?

Henry enarcó una ceja.

—¿Quieres hablar de infecciones estomacales? —¿Me equivocaba o había algo de disgusto en su voz?

—No, solo quería saber si estás bien.

—Gracias. Me he tomado una manzanilla y una pastilla y estoy cómodamente acostado en la cama. Por seguridad, tengo un cubo al lado. Para que la alfombra no vuelva a recibir su parte. —Sonrió con malicia—. ¿Qué pasa, Liv?

—¿Por qué nunca he estado en tu casa? Ni siquiera sé qué aspecto tiene tu habitación. —Por alguna parte tenía que empezar.

—Oh, eso podríamos cambiarlo fácilmente —dijo Henry y, en vez de estar en el banco de la góndola de la noria, ahora estaba sentada en el borde de una cama. Enfrente, en una silla de escritorio, estaba sentado Henry y me sonreía—. *Voilà*: mi habitación. Solo he quitado el cubo y he recogido un poco.

—No me refería a esto —dije, aunque miré a mi alrededor con curiosidad. No había muchos muebles. Solo la amplia cama, el escritorio y una silla. La ropa supuestamente estaba guardada en el armario empotrado que había detrás de dos puertas de láminas blancas. Mi puerta verde justo al lado no pegaba nada en la concepción cromática rojo-blanco-azul oscuro.

Un montón de libros se apilaban sin más en la pared, por lo visto, Henry pasaba de estanterías. En uno de los montones, se apoyaba una guitarra. Sobre la cama, colgaba una canasta de baloncesto, la pelota correspondiente estaba en la alfombra, una versión mullida de la bandera británica. Sobre el escritorio, se amontonaban libros de texto y papeles escritos, y ahí estaba también la caja de música que le había regalado por Navidad. No había ni un cuadro, solo un corcho enorme encima del escritorio del que colgaban notas, postales y fotos. También una mía y de Henry del último Baile de Otoño. Me puse de pie para mirar las fotos más de cerca.

—La cama está recién hecha —dijo Henry, cogiéndome de la mano para llevarme a su regazo.

Al instante, mis rodillas se convirtieron en flanes. ¿Era este precisamente el momento y el lugar para demostrar a Secrecy, mamá y todos los interesados (incluida yo) que se equivocaban en cuanto al retraso sexual? Se admite, la tentación era grande, además la sonrisa de Henry nunca antes había sido tan seductora, pero entonces me acordé de los gatos de la suerte que mi subconsciente había hecho llover. ¿Y si el bombardeo solo había sido el principio? ¿Quién sabía qué sería lo siguiente que haría mi subconsciente para obligarme a hablar con Henry y por fin aclarar un par de cosas cruciales? Le aparté e intenté desviarme del brillo de sus ojos.

—Henry, no quiero saber qué aspecto tiene tu habitación y que tu cama está recién hecha —empecé—. Aunque, en realidad... Pero entonces tendría que ser tu cama de verdad... La verdad es que tendría que ser auténtico cuando nosotros... —No, así no llegaría a ninguna parte. Di un paso atrás y respiré hondo—. ¿Por qué aún no he estado nunca en tu habitación? ¿Por qué Grayson y Emily saben más de esos problemas tuyos de los que no me cuentas nada? ¿Por qué no conozco a toda esta gente de las fotos en el mundo real?

Henry suspiró.

—Pero ahora estás aquí.

—¡No es lo mismo!

—Sí lo es —dijo Henry. De la nada cayeron pesadamente un par de zapatillas de baloncesto sobre la alfombra y llovieron calcetines, seis pares, que se distribuyeron por la habitación de manera pintoresca. En el alféizar de la ventana, apareció una maceta con una planta de interior completamente seca—. Ahora es exactamente igual.

—No lo es —aseguré—. Pues esto sigue siendo un sueño. Mi sueño, para ser precisa. Nunca quedamos en tu casa, ¿por qué no?

—Si de eso se trata, también podemos ir a mi casa. —Henry señaló la puerta verde—. Allí te enseño todas las fotos y me puedes explicar qué problema tienes con el gato de la suerte.

—Te estoy hablando de la reali...

Un grito me interrumpió. Alguien chillaba el nombre de Henry. Y, en el mismo instante, también él desapareció. Llevándose la habitación con él. Me quedé sola con mi puerta sobre una alfombra gigante de la Union Jack y miré al vacío con frustración.

Dimes y Diretes

El blog *Dimes y Diretes* de la Academia Frognal con los últimos cotilleos, los mejores rumores y los escándalos más candentes de nuestro colegio.

Sobre mí:
Mi nombre es Secrecy; estoy entre vosotros y conozco todos vuestros secretos.

ACTUALIZAR   ACTIVIDAD

7 de enero

Bienvenidos de nuevo a la rutina diaria. Esto es lo que tenemos hasta ahora: ha empezado el primer día lectivo sin Jasper Grant en la Academia Frognal. En cambio, los alumnos del Liceo Baudelaire de la pequeña ciudad de Beauvais pueden registrar hoy un nuevo ingreso. Según mis investigaciones, en Beauvais no hay absolutamente nada interesante (si pasamos por alto el vino que se produce en la zona. Y el autobús a París). El colegio ni siquiera tiene equipo de baloncesto. Así pues, a Jasper no le quedará más remedio que aprender.

No, es broma. Estamos hablando de Jasper. Y de colegialas francesas. Vosotros los afortunados de Beauvais, alegraos: a partir de hoy vuestro pueblucho sí que será divertido.

Pero no es que aquí no pase nada de nada, incluso sin Jasper tengo una, dos pequeñas noticias para vosotros. En primer lugar, desde que Mrs. Lawrence ha vuelto de

Lanzarote, vomita cada mañana. Además, se le ha visto en la farmacia comprando ácido fólico, así que la felicitamos ya por su embarazo y damos por sentado que Mrs. Lawrence pronto se convertirá en Mrs. Vanhagen.

En segundo lugar —y esto me parece de lejos el mayor escándalo—, unos vándalos han serrado esta noche el gran arbusto con forma de pavo real de Elms Walk que seguro que muchos de vosotros conocéis como *Mr. Snuggles*. El viejo *Mr. Snuggles* se encuentra, perdón, se encontraba en el jardín delantero de la abuela de Grayson y Florence Spencer y ha ganado algunos premios. Os pongo los enlaces a un par de artículos de las correspondientes revistas de jardinería. ¿No era magnífico? Ahora solo es un triste montón de desperdicios. Descansa en paz, *Mr. Snuggles*. Todos te echaremos mucho de menos. Y quienquiera que te haya hecho eso, arderá lentamente en el infierno.

Bueno, ahora tengo que salir corriendo, de lo contrario llegaré tarde a clase. Y no, ¡no os desvelaré a cuál! :-)

¡Hasta pronto!
Secrecy

Dimesydiretesblog.wordpress.com

10

Cuando a la mañana siguiente Mia y yo aparecimos dormidas en la cocina a las siete, todos los demás ya estaban allí. Y parecían estar muy excitados. Ernest llamaba por teléfono con voz nerviosa al lado del comedor y Florence estaba sentada a la mesa llorando. Mamá le daba palmaditas en los hombros.

—¿Qué ha pasado? —pregunté asustada. ¿Acaso había muerto un familiar apreciado? ¿O había saltado por los aires una central nuclear? Grayson también parecía algo aturdido.

Lottie exprimía pomelos como cada mañana, pero también tenía las mejillas coloradas de pura excitación.

—Imaginaos, esta noche alguien ha aserrado un árbol en el jardín de Mrs. Spencer.

Me quedé mirándola incrédula un momento. Ningún familiar querido, ninguna central nuclear. Mi mirada volvió a posarse en las mejillas humedecidas por las lágrimas de Florence. ¿Estaba sollozando por *Mr. Snuggles*?

Discretamente, me deslicé hacia la cafetera dejando a Lottie a un lado, metí debajo la taza más grande que pude encontrar y pulsé el botón del capuchino. Dos veces.

—¿Un árbol? ¿Pero por qué? —preguntó Mia con una mezcla de curiosidad y leve asombro perfectamente dosificados.

—Nadie lo sabe —dijo Lottie—. Pero Mrs. Spencer ya ha avisado a Scotland Yard. Era un árbol muy valioso.

Casi me echo a reír bien fuerte. Sí, claro. Seguro que tienen un departamento de investigaciones de jardinería para estos casos. Scotland Frontyard. «Buenos días, soy el inspector Griffin y estoy investigando el asesinato de *Mr. Snuggles*.»

—¿Y por qué llora Florence?

—Llora por lo mucho que quería al árbol —dijo mamá.

Madre mía, no era un árbol, sino un arbusto. Un arbusto que habían podado con una forma dudosa.

—No era un árbol cualquiera. Conozco a *Mr. Snuggles* desde que era una niña pequeña. —Florence se sorbió los mocos. Tenía los ojos rojos de haber llorado—. Prácticamente hemos crecido juntos.

Mia y yo cruzamos una mirada fugaz. Dios mío. Necesitaba café. ¡Pronto! ¿Acaso la máquina no iba hoy más lenta que de costumbre?

—Era un maravilloso... eh... pájaro —dijo mamá, acariciando el pelo a Florence—. Me pregunto qué tipo de persona hay que ser para hacer algo así.

«Bueno. Personas como tú y como yo, en mi opinión.»

—Personas brutas y malas que, en su interior, envidian todo lo bello. —Florence se puso a sollozar.

¿Qué? ¡No! No teníamos envidia. Y habríamos hecho una bella mofeta con *Mr. Snuggles* si no hubiera sido tan terco. Pasé la mirada con rapidez de Mia a las tijeras que colgaban en la pared de su gancho. ¿Acaso no estaban desafiladas por la carnicería? Quizás incluso estaban melladas. Disimuladamente, me busqué ampollas y callos en las manos. Sí, este bulto en el índice era nuevo.

Por fin; mi capuchino doble estaba listo. Le di un sorbo con tanta ansia que me quemé la lengua.

—Probablemente serían algunos jóvenes borrachos a la vuelta de una fiesta —dijo Ernest. Llegó con el teléfono—. Aunque mi madre sospecha de unos vecinos envidiosos.

—¿Y de verdad se ha puesto en contacto con Scotland Yard? —preguntó Mia.

Ernest sonrió.

—Un amigo suyo trabajaba en Scotland Yard, le conocisteis ayer, el hombre de la barba espesa.

—¿El almirante?

Ernest asintió.

—Mi madre está tan alterada que le ha pedido que acuda a sus antiguos colegas. Pero apenas podrán sacar algo.

Bueno, eso esperaba yo. Me tomé otro sorbo de café y me pregunté si habríamos dejado en el parterre huellas de pisadas que les pusieran sobre la pista para descubrirnos. O fibras de nuestras chaquetas... No, ¡tonterías! En primer lugar, la tierra alrededor del arbusto estaba completamente cubierta con un mantillo fino y, en segundo lugar, Scotland Yard no se molestaría en buscar huellas por un arbusto, por mucho almirante que fuera. ¿Y cómo es que se llamaba almirante si había estado en la policía?

Alguien me tocó el hombro y me estremecí. Pero solo era Grayson, que me apartó a un lado para acercarse a la cafetera.

—¿Todo bien, Liv? —preguntó.

—Sí, sí, ¿por qué no? —repliqué y, nerviosa, escondí detrás de la espalda la mano con el bulto sospechoso, de tal forma que casi dejo caer mi taza—. He dormido espléndidamente. Muy profundo.

Mia chasqueó la lengua advirtiéndome y me callé con brusquedad antes de poder parecer aún más sospechosa. Ya no notaba la maravillosa exaltación de Zorro de anoche. En su lugar, me sentía como un criminal. Quizás aquí en Inglaterra había cárcel por lo que habíamos hecho. Sobre todo porque, al parecer, *Mr. Snuggles* no era un arbusto normal, sino una especie de celebridad local.

Solo me quedó claro el alcance total cuando llegamos a la Academia Frognal. También aquí parecía que todos conocían a *Mr. Snuggles*. Y todos se habían enterado ya de su defunción, porque Secrecy lo había publicado a primerísima hora.

En todo caso, eso me contó mi amiga* Persephone Porter-Peregrin nada más entrar. Le quité el *smartphone* de la mano y leí. «Descansa en paz, *Mr. Snuggles*.» Una necrológica por un pavo real hecho con un arbusto. En un blog de chismorreos escolares. No lo pillaba.

Más increíble aún: ¿cómo demonios había conseguido Secrecy tan rápido su información? Ahí había gato encerrado. Busqué a Mia con la mirada, pero ya había desaparecido en la multitud. A diferencia de mí, la mala conciencia no le había atacado al ver las lágrimas de Florence, sí, incluso había tenido la impresión de que había disfrutado un poquito con la agitación. A mí también me habría gustado haber podido, pero la necrológica de Secrecy sobre *Mr. Snuggles* lo había empeorado aún más.

---

* No éramos amigas normales y, con toda seguridad, lo contrario de almas gemelas, solo en algún momento Persephone había decidido ser mi mejor amiga. Sin preguntarme. Y sin advertencia previa. Estúpidamente, con el tiempo me había acostumbrado. Sí, en algún momento incluso había empezado a caerme un poco bien.

Si incluso alguien tan malvado como Secrecy apelaba a la moral...

¡Maldita chismosa! ¿Es que vivía en Elms Walk y por eso había podido echar un vistazo al jardín delantero de la Bocre tan pronto por la mañana? En todo caso, eso lo habría explicado. Teníamos que comprobar cuanto antes las direcciones de las personas de la lista de sospechosos de Mia.

Una chica pelirroja me sonrió al pasar y dijo:

—Que no te hagan vacilar, Liv. ¡Yo también espero a la noche de bodas!

Perpleja, la seguí con la mirada. ¿Quién era?

—Mira, aquí, el enlace que ha puesto Secrecy a un reportaje de una revista de jardinería. ¿No era maravilloso *Mr. Smithers*? —Persephone había vuelto a quitarme el *smartphone* y parpadeaba dramáticamente con sus largas pestañas—. E incluso estaba incluido en la lista de plantas protegidas de Gran Bretaña...

—*Mr. Snuggles* —le corregí. Para eso siempre había tiempo.

—Sí, eso he dicho. —Me cogió del brazo—. Una de verdad se pregunta quién hace algo así, ¿no es cierto? Deben de estar completamente perturbados.

—Hum —dije—. Quizá tenían un motivo convincente. En caso de que, por supuesto, fueran varios, eh, quiero decir.

—¡Eh, Liv! Me parece muy feo cómo se meten contigo. —Una chica completamente desconocida para mí se detuvo delante de nosotras. Persephone la rodeó como si fuera una columna o algo parecido.

—Qué típico, siempre van todos a por la mujer. También podría ser cosa de Henry —dijo la chica desconocida—. Solo quería decirte que estoy completamente de tu lado.

—Eh, gracias, es muy amable por tu parte —dije.

—No hay de qué, las mujeres tenemos que ayudarnos, y Secrecy es una desgraciada y una deshonra para la emancipación.

Vale. Esto sí que era raro.

—¿La conocías? —le susurré a Persephone, pero mi amiga seguía pensando en *Mr. Snuggles*.

—¿Qué motivo convincente podría tener alguien para asesinar a un árbol inocente? —Persephone sacudió la cabeza.

—Asesinar suena tan... exagerado, ¿no te parece? Aunque *Mr. Snuggles* hubiera sido una persona, que no lo es, es una planta, en todo caso se trataría de lesiones físicas, pues aún tiene sus raíces y podría volver a brotar en cualquier momento.

—Una planta también es un ser vivo —dijo Persephone en voz baja.

Oh, Dios mío. Yo era una asesina.

—Estaba tan encariñada con *Mr. Smithers*...

—*¡Snuggles!*

—Antes, cuando íbamos al parque los domingos, siempre pasábamos a su lado, y cada vez tenía un aspecto ligeramente diferente —suspiró con melancolía.

Esto era insoportable. Igual que las numerosas miradas curiosas que se cruzaban con la mía, también en el piso de arriba. Y además los cuchicheos. Persephone no se dio cuenta de nada de eso. Únicamente le preocupaba *Mr. Snuggles*.

—Está claro que nada está a salvo del vandalismo en este mundo brutal —se quejó.

Decidí cambiar de tema.

—¿Qué tal debe de irle a Jasper hoy? Solo entre auténticos franceses. Y eso con un suspenso en francés. Seguro que no puede ni preguntar por el lavabo, pobrecito.

Y mira por dónde, mi táctica funcionó. Con la mención del nombre de Jasper, Persephone se olvidó de *Mr. Snuggles* de inmediato.

—Sí, pero eso también tiene un lado bueno, no puede decirles piropos a las francesas guapas —dijo celosa—. En realidad, le resultará difícil ligar en un idioma que apenas domina.

Sí y no, la comunicación inteligente no era precisamente el fuerte de Jasper, por eso sus intentos de ligar quizá tendrían incluso más éxito si se limitaba a sonreír con amabilidad y, por los problemas con el idioma, se evitaba todas las tonterías que, de lo contrario, siempre soltaba, pero eso no se lo dije a Persephone. Yo estaba más que contenta de que ya no habláramos de ese maldito arbusto.

Sin embargo, la alegría solo duró hasta la pausa de mediodía. Ya de camino a la cafetería, tuve una sensación desagradable, porque todos volvían a mirarme fijamente. Era como si hubiera algo en el aire, algo nefasto (y con eso no me refería al olor a col rehogada que hoy había en el menú). La sensación empeoró aún más cuando recibí un SMS de Mia. Mia casi nunca me escribía SMS. Con nuestros teclados numéricos prehistóricos, escribir un SMS era una auténtica tortura. Hacía falta un minuto para teclear hola. Dos veces el cuatro, tres veces el seis, después tres veces el cinco y, por último, una vez el dos. Y cuidado con equivocarse al teclear, en ese caso ya se podía volver a empezar desde el principio. En este mensaje, solo había una palabra: «Ufte.» Me quedé mirando la pantalla con la frente arrugada. «¿Ufte?» ¿Qué se suponía que significaba eso? ¿Una abreviatura? ¿Un código secreto? ¿O simplemente le había dado a las teclas por error? Pensé en responderle, pero en el rato que necesitaba para teclear «¿qué quieres decir?», me resultaba más fácil correr a la cantina de primer ciclo y preguntárselo en persona. Aunque no tenía muchas ganas de eso, y estaba tan cerca de mi propia cafetería que podía oler la comida y tenía hambre. Y quería ver a Henry. Mejor la llamaba por teléfono.

—¡Hola, Liv! —Una parejita se interpuso en mi camino—. ¿Es eso cierto? —preguntó la chica. La conocía, era una de las amigas de Persephone, Fulanita. Por desgracia, en realidad no se llamaba así (como tampoco se llamaba Menganita su mejor amiga), pero por razones incomprensibles yo no conseguía recordar sus verdaderos nombres. Por eso solo podía decir amablemente:

—¡Hola, tía! ¿Qué se supone que es cierto?

El chico a cuyo brazo estaba agarrada Fulanita era Sam, el hermano de Emily. Desde el Baile de Otoño, Fulanita y él eran una pareja feliz.

—¿Lees el blog de chismorreos de Secrecy?

Peor aún: ¿le interesaba mi vida sexual? Pero quizá Sam estaba en una situación parecida con Fulanita, y ambos estaban inseguros por todo el debate. Probablemente, solo querían un consejo mío. Y eso era, en cierto modo..., bonito. Así que primero miré con firmeza a los ojos a Sam, después a Fulanita y dije:

—Sí, es cierto. Pero me da absolutamente igual. Para eso no hay un margen de tiempo fijo. Cada uno puede decidir por sí mismo cuándo hacerlo. Que no os confundan, seguiréis vuestro propio camino, sin tener en cuenta la opinión de los demás.

Por supuesto. Debería hacerme redactora de discursos. O consejera. ¡Depende de vosotros, gente! Atreveos a ser vosotros mismos.

Pero a Sam no le gustó.

—Deberías avergonzarte —dijo, y Fulanita añadió:

—Nunca me habría imaginado eso de ti. Puaj. ¡Vamos, Sam!

¿Puaj? ¿Qué les pasaba? Volví a dirigir la mirada al móvil y casi me choqué con Arthur. Al igual que yo, estaba mirando la pantalla de su móvil.

Con presencia de ánimo, puse mi mirada de general enemigo y levanté la barbilla.

—Arthur.

Curiosamente, la mirada de Arthur no era tan fría y despectiva como de costumbre, sino casi un poco... ¿compasiva?

—Mierda, Liv —dijo—. Quizá sería mejor que no entraras.

Levanté la barbilla un poco más.

—En primer lugar, me da igual lo que los demás digan de mí y, en segundo lugar, tengo hambre. Y en tercer lugar, puedo prescindir de tu compasión, gracias.

Sacudiendo la cabeza, me aparté de él y entré en la cafetería. Allí estaba sentado Henry en nuestra mesa habitual al fondo, junto a la ventana, al lado de Grayson, Florence, Emily y un amigo de Florence llamado Callum Casper. En el sitio vacío cerca de Henry había un plato del bufé de ensaladas, lo que significaba que, además de la col, hoy había pastel de carne Wellington. Desde que una vez había encontrado una uña dentro, ya no había podido volver a comerlo, Henry lo sabía, así que ya me había cogido un plato de ensalada por precaución. Eso era realmente tierno por su parte. Ya casi había llegado a la mesa cuando me sonó el móvil en la mano. Ahora también me vieron Henry, Grayson, Emily, Callum y Florence, y se quedaron callados.

—Enseguida estoy con vosotros.

Me puse el móvil en la oreja. Mia. Apenas podía entender su voz.

—¿No has recibido mi SMS?

—¿«Ufte»? Sí, lo he recibido. Pero ¿qué se supone que significa?

—¡Vete! —dijo Mia entre dientes—. ¡Significa «vete»! He tecleado a ciegas. Lo saben. Así que, ¡vete!

Pero ahora era demasiado tarde para eso. Florence ya se había levantado y se plantó delante de mí con los brazos cruzados.

—¿Es cierto?

—Eh... —Despacio, bajé el móvil. ¿Adónde se suponía que tenía que irme y por qué?

—Liv. —Henry era el único que me miraba amablemente. Y con compasión.

—Esto ha publicado Secrecy hace siete minutos. —Emily había sacado su *smartphone* y leyó en voz alta—: «Postdata: acabo de enterarme de quién tiene a *Mr. Snuggles* sobre su conciencia. Liv y Mia Silber. Por lo visto, se trata de un acto de venganza infantil contra la abuela de Grayson y Florence, a la que no pueden soportar. Así pues, un monumento cultural de nuestro barrio que ha crecido durante décadas ha caído víctima de su rabieta de niñatas.»

Secrecy. ¡No podía saber eso, era imposible! Las rodillas se me doblaban.

—¿Es cierto? —repitió Florence en voz baja, aunque parecía que todos la podían oír en esa sala.

Y todos, todos me miraban. No me hizo falta responder, mi mirada culpable habló claramente a gritos.

Florence tomó aire temblando.

—De ser así, en ningún caso quiero sentarme contigo en una mesa. Nunca jamás. —Con una última mirada de desprecio infinito hacia mí, salió corriendo de la cafetería.

Emily y Callum la siguieron.

Grayson también se levantó. La expresión de su rostro casi me dolió físicamente. Parecía muy muy decepcionado.

—Grayson... —Empecé sin saber exactamente lo que quería decir en realidad. Lo único que deseaba era que todo esto no estuviera pasando de verdad. ¿Por qué no podía ser nada más que un sueño?

—Tengo que irme, todavía tengo que hacer mi experimento de química —dijo Grayson evitando mi mirada—. Nos vemos luego. Entonces quizá puedas explicarme en qué estabais pensando.

Henry me llevó a la silla que había a su lado y me apretó las manos con fuerza.

—Todo esto solo es la mitad de malo —me aseguró—. ¿Ensalada?

11

Por lo menos, este asunto tan horrible tenía algo bueno: ahora estaba en condiciones de metamorfosearme en un jaguar perfecto por todos lados sin contratiempo alguno. Parecía tan real que incluso Lord Muerte me tuvo respeto cuando de pronto nos encontramos frente a frente.

Con aspecto humano, seguramente habría gritado de miedo cuando dobló la esquina de repente. Y después, con toda probabilidad me habría largado como la última vez. Pero mi yo-jaguar se agazapó instintivamente, erizó los pelos de la nuca y mostró los afilados colmillos.

Eso pareció impresionar a Lord Muerte. Poco a poco, retrocedió dos pasos mientras murmuraba:

—Mucha calma, gatito, mucha calma.

Ajá, estaba claro que podía hablar completamente normal. De cerca, ya no parecía tan amenazador como de lejos, la cara bajo el sombrero de ala ancha parecía muy humana. No era una calavera, ni un rostro de zombi putrefacto como había temido en secreto, sino una cara de hombre de lo más corriente y que, igual o parecida, podía verse en cualquier calle: más bien redondeada, una nariz robusta, el labio inferior un poco más grueso que el superior, y ojos azul pálido en los que, sin embargo, brillaba algo que no pude clasificar bien y que me dio miedo.

De mi garganta se escapó un gruñido ronco. Para nada el de un gatito. Este era mi pasillo. Y hoy estaba realmente hasta las narices. No había tenido lo que se dice una buena semana.

—Bueno, vale —dijo, y retrocedió un paso más—. Ya volveré a venir luego. —Solo cuando hubo distancia suficiente entre nosotros, se dio la vuelta y desapareció por la siguiente curva.

Le solté un gruñido más. Después, volví a deambular por la puerta de Henry, me senté en el umbral y empecé a lamerme las patas con abnegación. Mi propia puerta estaba justo enfrente, pero no sentí la más mínima necesidad de volver ahora mismo, por muy cansada que pudiera estar.

Cada noche me fastidiaban unas pesadillas aterradoras en las que *Mr. Snuggles* estaba vivo y sollozaba amargamente, o en las que yo misma echaba raíces y me transformaba en una planta que después podaban Mrs. Spencer, Florence y Grayson con unas tijeras. Aquí fuera, en el pasillo, estaba mucho más tranquila que en mis propios sueños. Y tenía un montón de tiempo para practicar.

Con un movimiento elegante, enrosqué la cola de jaguar alrededor de mis patas. Era evidente que los sentimientos de culpa, vergüenza y rabia eran muy apropiados para mejorar la concentración, al menos la mía. Ahora el jaguar era una de mis prácticas más fáciles, igual que la lechuza, y hoy incluso había conseguido la corriente de aire. Antes me había pasado un buen rato flotando invisible por los pasillos, absolutamente asombrada de mí misma. Pasé por delante de la puerta de mamá («Librería de viejo Luz de Luna Matthews. Horario: de me-

118

dianoche al amanecer») y de la de Mia, en la que descubrí que *Fuzzy-Wuzzy* la estaba vigilando actualmente. *Fuzzy-Wuzzy* era el antiguo peluche de Mia, un conejo al que había adorado hasta el infinito de pequeña. Este era el aspecto que tenía ahora, con las orejas mordisqueadas, solo un ojo (el otro se había quedado en Hyderabad) y un descolorido peto antes amarillo. Por desgracia, no era ninguna monada a tamaño grande, más bien horrendo. El gigante *Fuzzy-Wuzzy* estaba sentado delante de una puerta de madera pintada de violeta y curiosamente tenía una cola de zorro en la pata, quizá para intimidar. Me quedé mirándolo exhaustivamente mientras, al mismo tiempo, reflexionaba sobre por qué yo podía verlo todo si solo era una corriente de aire y las corrientes de aire, por naturaleza, no tienen ojos. Habría sido mejor que lo hubiera dejado (ese pensamiento, quiero decir), pues ¡zas! la fuerza de la gravedad regresó y yo me caí al suelo con brusquedad. Pero daba igual, ahora sabía que podía hacerlo, y eso me enorgulleció. En cuanto llegara Henry, se lo enseñaría enseguida.

Pero ¿dónde se había metido otra vez? Ojalá alguien no le hubiera vuelto a impedir dormir. En su familia, parecía que todos siempre gritaban su nombre en primer lugar cuando tenían un problema. Y, por desgracia, parecía que siempre tenían un problema cuando Henry y yo queríamos mantener una conversación seria. Me desperecé y me estiré y empecé a afilarme las garras en las jambas de su puerta. Cuando *Spot* hacía eso, alguien saltaba de inmediato para ocuparse de él.

Todos los demás nos trataban a Mia y a mí como apestadas, a mí incluso un poco más que a Mia, pues según mamá y Lottie yo era «la mayor y la más sensata, y jamás debería haberlo permitido». Mia aseguraba que lo habría hecho en cualquier caso, incluso sin mí, y yo estaba dispuesta a creerla. Sin embargo, mamá y Lottie naturalmente tenían razón.

Mientras tanto, en el colegio, el alboroto en torno a *Mr. Snuggles* se había calmado un poco, pero a Mia y a mí nos seguían mirando mal o tratándonos como a extrañas, la mayoría por una historia sentimental de «yo conozco a *Mr. Snuggles* de mucho antes». Por suerte, Secrecy entretanto había vuelto a prestar atención a otros temas, y Henry me aseguró que pronto pasaría la tormenta.

Para todos, pero no para Florence.

Tal como anunció, se negaba a sentarse conmigo a la misma mesa, y ostensiblemente se había buscado un sitio en el otro extremo de la cafetería. Por supuesto, Emily se había trasladado con ella, y no puedo afirmar que eso me molestara de verdad, al contrario, en realidad era fantástico descansar de ella. La única pena era que tampoco Grayson se sentaba ya con nosotros.

Como Persephone, debido al nuevo desarrollo de los hechos, no estaba segura de si el trato conmigo podía tener efectos perjudiciales en su nivel de popularidad, Henry y yo al principio habíamos tenido la mesa para nosotros solos a mediodía, pero ya el miércoles se sentaron con nosotros dos chicos del equipo de baloncesto de Henry.

Y Arthur.

—Quién habría imaginado que nuestra Liv sería una asesina profesional de la mafia de los jardines —dijo, dedicándome una amplia sonrisa—. En mi opinión, la importancia de los arbustos en Inglaterra está sobrevalorada en general. ¿Algún problema con que nos sentemos? —(Se trataba de una pregunta retórica, ya llevaba un rato sentado)—. Estamos teniendo problemas con una magnolia a la que alguien debería dar una lección...

Aunque en ningún momento olvidé que se trataba de un general enemigo, el conspirador sin escrúpulos Arthur, en cierto modo le estuve agradecida por ese gesto. Incluso Henry, que no tenía ningún problema con sentarse a la mesa solo con una apestada como yo, pareció alegrarse de la compañía. Estaba segura de que no le había perdonado las numerosas mentiras a su antiguo mejor amigo, sin mencionar el miserable número de la cripta, pero cuando ahora sonrió a Arthur, supe que compartíamos la misma sensación: que sencillamente se trataba de un gesto amable de Arthur. En esta vida, ya no podríamos volver a ser amigos, pero por lo menos ahora habíamos firmado una especie de tregua.

A los otros dos chicos, Gabriel y Eric, les daba completamente igual lo que hubiera hecho, ni conocían a *Mr. Snuggles* ni les interesaban las plantas, y consideraban el blog de Secrecy chismes tontos de chicas, por lo que tampoco lo leían. Muy simpáticos los dos. Como Persephone básicamente adoraba a todos los chicos que jugaban en el equipo de baloncesto, volvió a sentarse con nosotros. (Y Jasper, en la lejana Francia, cayó totalmente en el olvido durante media hora.) Para ser sincera, ahora las comidas eran más divertidas que antes con Florence y Emily.

Solo añoraba a Grayson. No solo en la comida. Echaba de menos nuestras pequeñas conversaciones por la mañana junto a la cafetera o por las noches cuando nos peleábamos por quién podía ir primero al baño. Me evitaba y solo hablaba conmigo para lo imprescindible. Además, me miraba afligido cada vez que nos encontrábamos, como si no supiera qué decir.

En casa era lo peor; por supuesto, Florence también se negaba a sentarse a la mesa con Mia y conmigo. Fundamentalmente, abandonaba la habitación sin pronunciar palabra en cuanto una de nosotras entraba. Mamá, Ernest y Lottie suspiraban cuando pasaba eso, pero comprendían la repugnancia de Florence, mientras que no mostraban comprensión alguna por nuestros motivos en relación con la carnicería en el jardín de la Bocre.

De todas formas, habíamos intentado justificarnos enumerando con minuciosidad los delitos de la Bocre, todos sus imperdonables comentarios infames, y sí, admitieron que la Bocre no se había comportado bien alguna que otra vez, pero al final siempre surgía la pregunta de por qué había tenido que pagarlo precisamente el pobre e inocente *Mr. Snuggles*. Lo que era de locos es que, entretanto, ni siquiera yo entendía cómo habíamos podido hacerlo.

Mia lo veía de otra forma: le seguía pareciendo que habría sido un número genial si no nos hubieran pillado. ¿Cómo habíamos acabado en el punto de mira de todo esto? ¿De dónde demonios había sacado su información Secrecy? Mia y yo ni siquiera habíamos tenido tiempo de contárselo a alguien y ya estaba en el blog.

Solo Henry lo había sabido. Pero habíamos mantenido esa conversación en mi sueño, donde nadie más podría habernos escuchado. ¿O sí? ¿Quizás alguien se había colado por la puerta con Henry camuflado de corriente de aire? ¿O de ameba?

Naturalmente, la idea de que el propio Henry pudiera ser la filtración también se me había ocurrido, pero enseguida la había descartado: si ni siquiera podía confiar en Henry, ¿en quién podía? No, nunca me haría algo así. A lo sumo, era posible que hubiera revelado el secreto sin sospechar que acabaría en las manos de Secrecy. Cuando se lo comenté, no le había hecho precisamente gracia, sino que le molestó un poco. Y después me había jurado que no había mencionado ni una palabra de eso a nadie, ni siquiera en un descuido. Le creí.

Ensimismada en mis pensamientos, me rasqué la oreja con la pata trasera. Claro que le creía, ¡le quería! Sin Henry, la semana pasada habría sido insoportable. Las miradas de extrema decepción de mamá («Pensaba que habríais comprendido lo importante que es esto para mí»), el horror de Lottie («Pero si no os reconozco, ¡ni siquiera podríais hacerle daño a una mosca!»), el desconcierto de Grayson («¡Sencillamente no entiendo por qué le habéis hecho eso!»), el desprecio de Florence (sin palabras) y los esfuerzos de Ernest por culpar a la pubertad («Son solo unas niñas. Hace poco he leído que en la fase de reconstrucción del cerebro durante la pubertad se programan conclusiones erróneas») me afectaban mucho más de lo que quería. Si hubiera tenido que sacrificar una parte del cuerpo para retroceder en el tiempo, lo habría hecho enseguida.

Cuando se lo dije a Mia, me miró escandalizada.

—¿En serio? ¿Sacrificarías un dedo del pie para poder deshacer todo lo que hicimos?

Asentí.

—También un riñón. O una oreja.

—Estás completamente loca —dijo Mia—. Queríamos enfadar a la Bocre y eso sí que lo conseguimos. Si no hubiera sido por esa maldita Secrecy, ahora nos sentiríamos como héroes, maldito sea el dichoso pajarito. Y acabaré con las actividades de Secrecy. Antes o después, se delatará y entonces la pillaré.

Por desgracia, hasta ahora eso no pintaba bien; en todo caso, Secrecy no vivía en Elms Walk, como había supuesto para entonces. Ni un solo estudiante de Frognal vivía en el vecindario de Mrs. Spencer, habíamos comprobado todas las direcciones.

Como si todo eso no hubiera sido suficiente castigo, mamá se empeñó en que nos disculpáramos con Mrs.

Spencer y le ofreciéramos una compensación económica.

Fue un momento horrible cuando nos plantamos delante de ella y murmuramos: «Lo sentimos mucho», fuertemente vigiladas por mamá. El único alivio fue que Florence y Grayson no estuvieran presentes, de ser así me habría muerto de vergüenza. La Bocre se negó a aceptar la disculpa, pero no rechazó la compensación económica. Obviamente, dijo, el valor de *Mr. Snuggles* era incalculablemente elevado y por desgracia nuestros ahorros no lo resarcirían, pero por razones pedagógicas consideraba imprescindible descontarnos el dinero. Para que aprendiéramos que nuestros actos perversos no quedaban sin consecuencia. La pérdida nos afectó mucho en realidad, pues por primera vez casi habíamos conseguido ahorrar lo suficiente para un auténtico *smartphone*, pero por supuesto ahora ya podíamos olvidarnos de eso.

En lo que respecta al efecto pedagógico, se limitó a una ligera ampliación de vocabulario, con nuevos términos como «insubordinación» y «daños colaterales» (los habíamos sacado del discurso de la Bocre sobre el embrutecimiento de la juventud de hoy en día).

—Si de algo estoy orgullosa es de mi tendencia a la insubordinación —declaró Mia cuando emprendimos el camino de vuelta. Yo, por el contrario, me sentía como un daño colateral personificado.

Pero ¿cómo se dice? ¿Lo que no te mata, te hace más fuerte? O como Mr. Wu solía decir: «Cuando se ha derramado el agua, ya no se puede recoger.» En otras palabras, lo que había pasado pasado estaba y la vida seguía.

Simplemente había que pensar en el lado positivo: aparte de mi vocabulario ampliado, ahora era bastante buena con la metamorfosis. Con el rostro de la Bocre ante mis ojos mentales, podía transformarme sin problemas de un jaguar en una lechuza. Y de la lechuza en *Spot*, el gato gordo de los Spencer. Una breve fase de concentración y me parecía a *Buttercup*. Y ahora era un gato japonés que movía el brazo. Una botella de agua con gas. Una libélula con alas tornasoladas. De nuevo un jaguar. Una corriente de aire. Yo misma disfrazada de Catwoman. ¡Magnífico!

—¡No está mal! —dijo la voz de Henry detrás de mí y me di la vuelta. Durante mi pequeña orgía de metamorfosis, había salido inadvertido por la puerta, al menos eso supuse—. Te has vuelto realmente buena.

—¡Lo sé! —dije exultante y sustituyendo con un chasquido de dedos el disfraz de Catwoman por vaqueros y camiseta—. Antes incluso Lord Muerte ha huido de mí. ¿Qué hacemos ahora? Me apetecería patinar.

Volví a chasquear los dedos y Henry y yo tuvimos patines de ruedas en los pies. Hice una pirueta eufórica.

—Sí que eres buena. —Cuando Henry se reía, se le formaban muchas arruguitas alrededor de los ojos—. ¿Ningún ataque agudo de odio a ti misma y sentimientos de culpa?

—No. Hago lo que siempre dice Mr. Wu: No importa lo difíciles que sean los tiempos, lleva una rama verde en tu corazón y un pájaro cantor se posará en ella.

—Guau, ¿de dónde saca Mr. Wu todas esas sentencias cursis? —Henry me cogió de la mano y juntos patinamos por el pasillo. Eso me gustaba tanto de él, siempre se apuntaba sin hacer grandes preguntas—. Así pues, ¿Lord Muerte ha vuelto por aquí?

—Sí, ahí delante —dije, y le mostré el sitio detrás de la puerta de mamá de donde salía un pasillo a la izquierda.

—¿Ha vuelto a hablar con acertijos? —Henry me hizo un remolino en la curva. Me reí. Esto era divertido de verdad.

—No, en realidad no. Me ha llamado gatito y quería regresar otra vez...

Enmudecí, pues justo en ese momento se oyó un fuerte portazo y un hombre con salacot y ropa de safari dobló la esquina con un fusil bajo cada brazo y tres cuchillos enormes en el cinturón. Tuve que mirar dos veces, pero era Lord Muerte con una nueva indumentaria. Efectivamente, el tío se había procurado un equipo de caza mayor. Nos detuvimos cerca de él, y él echó la cabeza hacia atrás y se rio con su risa loca.

—¿Deberíamos transformarnos? —le susurré a Henry, que miraba fascinado a Lord Muerte—. Que intente disparar a una libélula. O a una mosca de la fruta.

Pero Lord Muerte no dio muestras de utilizar sus fusiles.

—Me había cambiado para cazar leopardos y, sin embargo, solo me encuentro con dos adolescentes en patines delante del cañón —dijo.

¡Un jaguar, maldición! ¿Por qué todos los confundían siempre?

—Yo os conozco —prosiguió Lord Muerte—. Os escapasteis de mí hace poco, y también sé vuestros nombres. Henry Grant y Liv Silber.

Mi exultante estado de ánimo se desvaneció. No era bueno que la muerte te conociera por el nombre, ¿no?

—Casi —dijo Henry arqueando las cejas con mucha arrogancia. Lo tenía fácil, al fin y al cabo a él le había puesto un apellido equivocado. El apellido de Jasper para ser precisos—. ¿Y usted era...?

—Este otra vez —dijo alguien detrás de nosotros. Era Arthur, no me había dado cuenta de que habíamos pasado patinando por delante de su ostentosa puerta metálica en la que había grabado las palabras «Carpe noctem»; en realidad, ya no parecía tan ostentosa. Estaba claro que se había reducido.

—Arthur Hamilton —constató el cazador—. El chico que parece un ángel, pero que tiene un corazón de piedra.

—Oh, ¿ya os conocéis? —volví a sentirme un poco mejor cuando Arthur se puso a nuestro lado, porque la muerte también sabía su nombre.

—Sí, este tipo lleva un tiempo deambulando por aquí y se comporta de un modo peculiar. —Arthur se apartó un rizo rubio de la frente—. Pero aún no se me ha presentado.

—Bueno, entonces ya me encargo yo: es Lord Muerte —dije.

Henry añadió:

—Norte.

—Me quitaría el sombrero si no fuera por las armas —dijo Lord Muerte.

—¿Norte como sur? —preguntó Arthur, igual que Henry.

Lord Muerte asintió.

—¿Y ese es su único nombre? —preguntó Henry, aunque la pregunta lógica naturalmente habría sido: «¿Cómo es que sabe nuestros nombres?» O: «¿Qué quiere usted de nosotros?»

Lord Muerte volvió a reírse.

—¡Oh, no! Tengo muchos nombres, jovencito. Algunos de ellos ya os los mencioné en nuestro primer encuentro.

—Pero ¿usted no es un demonio? —pregunté con la mayor naturalidad posible—. ¿Uno de tiempos ancestrales, Señor de las Sombras y de la Oscuridad y etcétera?

Percibí una mirada de reojo irritada de Henry y de Arthur.

—Me refiero solo a... —masculle—. Tiene una forma de hablar tan ampulosa, tiene muchos nombres... Solo quiero ir sobre seguro.

—Un demonio, no, no soy un demonio —dijo Lord Muerte, y sonó casi convincente—. ¡Sino el redentor trémulo! El trol, el terror, el tumor... Todo eso está en mí. ¡Temed! ¡Tremendo! ¡Trueno!

Ahora empezaba de nuevo la verborrea disparatada.

—¿Y su puerta se encuentra en este pasillo? —Arthur señaló una puerta de madera amarilla—. ¿Es esta?

—Buen intento —dijo Lord Muerte. Lentamente, nos apuntó con los fusiles y se nos quedó mirando con sus ojos azul claro—. ¿Qué pasa de verdad si se dispara a alguien aquí? ¿También se muere en el mundo real?

—Claro que no —dije, rascándome el brazo incómoda.

—¿No? —Lord Muerte sonrió—. Pero no lo tienes claro, ¿no, ricitos de oro? Yo sugeriría probarlo sin más. Bang. —Tensó el dedo alrededor del gatillo—. ¿A quién de vosotros me llevo primero? ¿A la chica?

Vale, entonces ahora era el momento justo de transformarse en una libélula. O mejor en una avispa asesina.

—Pero para eso necesita un fusil —dijo Henry antes de que yo me hubiera decidido. Lord Muerte se quedó desconcertado mirando primero a la izquierda y luego a la derecha. En vez de los fusiles, estaba sosteniendo dos cachorros de leopardo que pataleaban. Y los cuchillos del cinturón se habían transformado en largas salchichas.

—¡Oh! —dijo asombrado—. ¿Has sido tú, Henry?

—Bang —soltó Henry, y Arthur se echó a reír.

—Oh, vaya, qué garras más fuertes tienen, ¿verdad? Pero ¿sabéis qué es lo peor? —Señaló detrás de nosotros—. ¡Por ahí detrás llega mami!

Y, efectivamente, una enorme leopardo se acercaba a

nosotros por el pasillo y gruñía mucho más fuerte de lo que yo lo había hecho antes.

Lord Muerte intentó en vano librarse de los pequeños leopardos.

—¡Largaos! —gritó, entrecerrando los ojos. Pero cuando los abrió, los leopardos seguían ahí. Y ni rastro de los fusiles.

—Vamos, gente, larguémonos —dijo Arthur, nos cogió del brazo y nos empujó por el umbral de su puerta. Lo último que vimos antes de cerrar la puerta que daba al pasillo fue a la leopardo preparándose para saltar.

12

No sé qué me había esperado, quizá que hubiéramos aterrizado en una especie de batcueva o en la ostentosa piscina cubierta o en el cine privado de los padres de Arthur, pero esto me sorprendió. Estábamos en medio de una enorme biblioteca inundada de luz. Por encima de nosotros se arqueaba una imponente cúpula blanca y dorada. La sala era circular y estaba rodeada de tres pisos de estanterías, unas galerías permitían el acceso a los libros. Unas mesas largas con lámparas de lectura de latón y puestos de trabajo en los que habrían cabido decenas de clases del colegio se ramificaban en forma de estrella desde el centro de la sala, que probablemente era la sala de préstamos. Todo parecía moderno y maravillosamente anticuado a la vez, y se me escapó un sigiloso: «¡Guau!»

—La sala de lectura de la British Library —dijo Henry, evidentemente no tan impresionado como yo.

—Así es. Me gusta tenerla para mí solo. —Arthur se puso sobre una de las mesas—. Bueno... ¿qué opináis de nuestro cazador?

—¿Estará siendo devorado ahí fuera ahora mismo? —pregunté y, con una mirada a los pies de Henry, que ya llevaban zapatos normales, reemplacé mis patines por las Converse.

—Eso depende de lo mucho que controle —dijo Arthur encogiéndose de hombros—. Contra mi poder de imaginación y el de Henry no puede; y ahora o bien ha aceptado los leopardos tal cual y se ha cagado de miedo en los pantalones, o bien da un golpe de timón y toma el control.

—O se despierta. —Henry bostezó y se apoyó en la mesa—. Sea como sea, no me parece especialmente temible.

—Pues deberías temerle —dijo Arthur—. El hecho de que sepa nuestros nombres y deambule por nuestros pasillos demuestra que está más cerca de nosotros de lo que nos gustaría.

Me quedé mirando a Arthur.

—¿Quieres decir que es alguien a quien conocemos en la vida real? —Una idea inquietante.

Arthur volvió a encogerse de hombros.

—En cualquier caso, sabe quiénes somos y eso no me gusta.

—A mí tampoco —admitió Henry—. Estoy bastante seguro de que nunca antes había coincidido con ese tío.

—Pero ¿no podría ser solo una casualidad? ¿Quizá nos ha espiado y ha conseguido así nuestros nombres? Quiero decir que ¿por qué tendríamos que ser los únicos que deambulan por aquí? —Según mi teoría, aquí podía venir cualquiera que encontrara su puerta en sueños y se atreviera a abrirla y cruzarla. Solo que la mayoría ni siquiera percibía esa puerta. O simplemente no la atravesaba. De lo contrario, estos pasillos estarían llenos de gente.

Arthur dejó escapar un bufido divertido.

—¿Lord Muerte, alguien a quien ninguno de nosotros ha visto jamás en su vida, deambula casualmente por delante de nuestras puertas de los sueños, casualmente nos llama por nuestro nombre correcto y nos lanza casualmente amenazas con acertijos?

Eh, no, no era probable. Alguien que nos conocía debía de haberle señalado el camino hasta aquí a Lord Muerte. Y ahí en realidad solo cabía una persona.

Maldición.

—¡Anabel! —dije—. Podría habérnoslo echado encima.

Arthur asintió lentamente.

—Yo también he llegado a esa conclusión. Solo quería estar seguro de que no erais ninguno de vosotros. Creo que podemos excluir a Grayson y a Jasper. Y yo tampoco he sido. —Se apartó un rizo de la cara. Llevaba el pelo más largo de lo normal e irritantemente desaliñado. Siempre había visto a Arthur peinado a la perfección. No obstante, mantenía su belleza.

—Quizás es un novio o un familiar al que Anabel ha contado toda la historia. O alguien de esa secta de la que procede el estúpido manual de los demonios —reflexioné mientras Henry se cruzaba de brazos y se mantenía en silencio. Podía adivinar lo que estaba pasando al otro lado de su frente.

—¿Un novio? Ese tío ronda los treinta y tantos. Y en absoluto es el tipo de Anabel. —Arthur se mordió el labio, quizá porque pensaba en la época en la que él aún había sido el tipo de Anabel—. Tampoco es un familiar, no tiene muchos y a los pocos que tiene los conozco a todos. En cuanto a la secta, la sacaron cuando tenía tres años y esa comunidad se disolvió. No ha tenido contacto con nadie más. Y su madre estuvo en el manicomio hasta su muerte... No, no creo que sea alguien de su pasado.

—Hace siglos que no veo la puerta de Anabel. —Henry escrutó a Arthur con la mirada—. ¿Sabes dónde está ahora?

¡Buena pregunta! La puerta de Anabel era muy ostentosa, una puerta enorme de dos hojas con un arco de ojiva gótico, como el de la portada de una iglesia. Siempre había estado eficazmente enfrente de la puerta de Arthur. Pero desde el ingreso de Anabel en la clínica, había desaparecido sin dejar rastro y otra puerta se había desplazado a ese lugar.

Arthur negó con la cabeza.

—No tengo ni idea. Supongo que Anabel ha cambiado por completo el aspecto de su puerta para que no la encontremos. En el fondo, podría ser cualquier puerta.

—¿Incluso esta de enfrente? —pregunté.

Arthur se miró la puntera de los zapatos, avergonzado.

—Esa pertenece a mi madre.

Oh. Qué... eh... dulce.

—No querrás hacerme creer que ya no te ves con Anabel. —Henry le dedicó a su antiguo mejor amigo una mirada fría.

—Pues sí, así es. Desde que está en la clínica, solo la he visto dos veces. Muy al principio. —Arthur volvió a mirarse la puntera de los zapatos—. Apareció delante de mi puerta, pero yo había cambiado el código de mi castillo. —Levantó la barbilla y primero me miró a mí y luego a Henry directamente a los ojos—. ¿Acaso podéis imaginaros lo que se siente al ser manipulado por tu propia novia? ¿Lo mierda que se siente uno cuando te utilizan y te mienten?

—Ahora espero que eso fuera una pregunta retórica. —Henry había enarcado una ceja.

—Por segunda vez, cuando Anabel y yo nos encontramos, corté con ella —prosiguió Arthur imperturbable—. Oh... Bueno, en realidad cortó ella. En todo caso, no fueron precisamente unos encuentros agradables. Me echó la culpa de bastantes cosas. —Por un momento, se quedó callado antes de decir—: ¡No me mires con esa desconfianza, Henry!

—Oh, seguro que lo entiendes. —La voz de Henry estaba llena de sarcasmo—. Al contrario que nosotros, tú puedes imaginarte mejor lo que se siente cuando te manipula y te miente tu propio amigo. Lo mierda que se siente uno.

Arthur levantó las dos manos.

—Por favor, ya me he disculpado suficientes veces.

¿De verdad? Conmigo en realidad no. Pero bueno, quizá pensaba que, por la fractura de mandíbula, estábamos empatados.

Henry y Arthur se miraron sin piedad.

—Hay cosas que sencillamente no se pueden disculpar —dijo Henry.

Suspiré. Enseguida se tirarían a la yugular. O se transformarían en algún animal para despedazarse.

—Chicos, será mejor que pensemos en qué anda este Lord Muerte —sugerí—. ¿Qué podría querer perseguir Anabel mandándonos a este tío? ¿Qué puede querer él, aparte de deambular con disfraces curiosos y hacer retumbar su risa loca por los pasillos?... ¡Un momento! ¡Eso es! —jadeé nerviosa—. ¡Este tipo está loco! Es un paciente que está con Anabel. Y también encajan las sandeces de redentores y troles.

Arthur levantó la cabeza, entonces asintió.

—Esa sería una opción.

—Sí, podría ser —dijo también Henry—. Aunque tenía la impresión de que, tras sus palabras, se ocultaba un sistema. Solo que aún no sé cuál.

—Aunque fuera un asesino psicópata, no tengo la impresión de que pudiera hacernos daño aquí de algún modo —dije—. Como mucho, es un poco pesado.

—Quizá de momento —dijo Arthur—. Pero no deberíais menospreciar a Anabel. Es peligrosa.

—Está encerrada en una clínica de Surrey —repliqué—. En una unidad de aislamiento.

—No tienes ni idea de lo que es capaz, Liv —dijo Arthur.

—¿Hola? —Furiosa, le fulminé con la mirada—. Quería cortarme el cuello con un cuchillo, sé perfectamente de lo que es capaz. Pero mientras esté en esa clínica, no debemos tenerle miedo. Lo mismo que a ese tipo raro de la puerta. ¿No es cierto, Henry?

Pero Henry parecía tener la cabeza en otra parte.

—Temed terror nulo —murmuró—. Tumor... Trueno... Redentor trémulo... ¿Podría ser un código?

Suspiré.

—Si lo es, averigüémoslo. Lo que en realidad quería decir yo es...

—A Lord Muerte no le gusta estar desentrenado en estas cosas, pero vosotros mismos sabéis lo rápido que hemos aprendido. —Arthur me había quitado la palabra—. Yo me considero ya bastante bueno, y Henry quizás incluso... —Se interrumpió, parecía que sus labios no podían decir que su ex mejor colega Henry probablemente podría ser mejor que él—. La verdadera cuestión es que con Anabel no podemos medirnos.

—Muere dentro, trol —murmuró Henry—. ¿Verdad? ¿O era «rol»?

—Pero... —Me habría gustado repetir por cuarta vez que Anabel no podía hacernos nada; sin embargo, Arthur no me dejó acabar la frase.

—¿Acaso no lo entiendes, Liv? —Se bajó de la me-

sa—. No se trata de lo que pasa en el mundo real. Aquí...
—Señaló su puerta, que estaba encajada entre dos estanterías del primer piso, como si ya formara parte de esta sala desde siempre—: Este lugar es peligroso. Sabemos demasiado poco sobre él. Probablemente ni siquiera conocemos una fracción de las posibilidades. Por el contrario, Anabel ha superado barreras de las que vosotros no tenéis ni la menor idea. Creedme, esto no ha terminado.

Anabel lo había expresado de forma parecida en nuestro último encuentro hacía meses. Había dicho: «Esto acaba de empezar.»

Parecía que Henry había dejado de cavilar en las palabras de Lord Muerte.

—¿Y qué? —dijo, mirando a Arthur—. Aunque Anabel trame algo, nuestras puertas son seguras. Nosotros solo tenemos que ser cuidadosos ahí fuera, eso es todo.
—Se apartó de su mesa—. Y con nosotros en este caso me refiero a Liv y a mí. Lo que suceda contigo me interesa poco. —Su mirada se intensificó un poco más—. No confío en ti, Arthur.

—No confías en nadie, Henry —replicó Arthur acaloradamente—. Por eso tampoco dejas esto. —Hizo un gesto con la mano señalando todo alrededor—. Eres adicto a colarte en los sueños de todos aquellos en los que no confías. Sé que se te da bien. Y que te consideras sin escrúpulos. Pero en comparación con Anabel, eres un angelito inofensivo.

Ahora era el turno de Henry de encogerse de hombros.

—En comparación contigo, también —dijo con frialdad—. Venga, Liv, nos vamos. La noche es tan corta...

Me alargó la mano, pero cuando quise cogerla, ya no estaba ahí, sino que había desaparecido con Henry.

Me lamenté.

—¡Otra vez no!

Arthur me miró.

—¿Suele ocurrir esto?

—Continuamente. Casi cada noche le despierta su hermana. Se trata de una especie de virus estomacal...

—Sí, claro, y su madre vuelve a no ser responsable. Pobre Henry, mi familia me parece bastante estrafalaria, pero no querría cambiarme por Henry. —Arthur estiró la pierna y me dedicó una amplia sonrisa—. Aunque tiene una novia mona —añadió como de pasada.

—Y este es el momento en el que, desgraciadísimamente tengo que irme —dije al tiempo que me volvía hacia a la puerta del pasillo. Seguía colgada en el mismo sitio entre las dos estanterías. Subí por las escaleras a la galería y Arthur me siguió a una distancia prudencial, un anfitrión muy cortés. Si hubiera tenido un abrigo, seguro que me habría ayudado. En el fondo, me habría gustado charlar con Arthur, justo ahora que se ponía interesante. Pero en primer lugar, de repente tenía un brillo travieso en los ojos y, en segundo lugar, no me parecía justo para Henry interrogar a su antiguo mejor amigo sobre él.

Con precaución, miré el pasillo al otro lado del umbral. Casi esperaba encontrar restos de sangre en el suelo. Pero el pasillo estaba vacío e impecable.

—¿Te acompaño hasta tu puerta? —preguntó Arthur. La luz caía a través de la cúpula directa a él, y solo ahora pude darme cuenta de que parecía agotado. A diferencia de antes, ya no estaba tan seguro de sí mismo, aunque seguía diciendo las mismas fanfarronadas. Y de repente caí en lo que había dicho sobre Anabel, ya no me parecía del todo erróneo. Vale, tampoco yo confiaba del todo en él, al fin y al cabo estábamos hablando de Arthur; por otra parte, no entendía del todo por qué Henry había descartado directamente sus ideas.

—Y, ¿qué pasa? —parecía haber notado mi vacilación.

Meneé la cabeza. Solo anhelaba mi cama. O mejor dicho, dormir un par de horas sin sueños.

—Ya puedo sola. Creo que Lord Muerte también ha tenido bastante por hoy. Gracias por... eh... —En realidad, por nada.

—Está bien —dijo Arthur, sin embargo—. Aunque Henry piense otra cosa, creo que debemos mantenernos juntos. Quizá juntos seamos lo bastante fuertes.

Sí. Quizá. Para lo que fuera.

—Buenas noches. —Quería irme de inmediato, pero entonces me volví una vez más, casi como si obedeciese a un mecanismo de control remoto. Sencillamente tenía que hacer esa pregunta, aunque fuera a Arthur y tuviera la terrible sensación de traicionar a Henry—. ¿Qué has querido decir antes con eso? ¿Con lo de que Henry no confía en nadie y por las noches se cuela en los sueños de los demás? ¿En los sueños de quién?

—Si él no te cuenta eso... —Arthur no acabó la frase. Tampoco hacía falta.

13

Bañada en sudor, me sobresalté. ¡Maldición! Había vuelto a metamorfosearme en una planta, en medio del parque. Por fortuna, me había despertado cuando la Bocre se acercaba a mí con unas tijeras gigantes. No podía seguir así... Al menos necesitaba un par de horas de sueño. Quizá debería intentarlo con una infusión para dormir en la que Lottie confiaba ciegamente. Aunque tenía un desagradable olor a valeriana. (Por eso *Spot* siempre se sentaba en el regazo de Lottie y se la quedaba mirando embelesado cuando se bebía el té.)

Un vistazo al despertador me dijo que solo le quedaban dos horas a la noche, dos miserables horas en las que con toda seguridad no conciliaría el sueño si me dejaba puesta la ropa sudada. Así pues, encendí la lámpara de la mesilla, me levanté y me puse otros pantalones del pijama y una camiseta limpia de cualquier manera. Eso significa que me quería cambiar, pero, cuando fui a hacerlo, se abrió la puerta de la habitación. Solté un grito ahogado del susto y crucé los brazos sobre el pecho; quién sabe quién me había imaginado que entraría por la puerta. Pero solo era Mia. Y no me miró en absoluto, sino que pasó a mi lado despacio en dirección a mi cama y con la vista fija.

—Sí —iba diciendo—. Está tumbada ahí.

—No, no está tumbada ahí —dije—. Está de pie aquí. ¡Aquí, delante del armario!

Pero Mia parecía no haberme visto. Estiró los brazos como si quisiera palpar algo. Me pasé rápidamente por la cabeza la camiseta limpia, me acerqué a ella y le toqué el brazo con cuidado.

—Eh.

—Se parece mucho a ti, Liv —susurró Mia con la mirada fija en mi almohada revuelta. Desde que había entrado por la puerta, no había parpadeado ni una sola vez—. Lo haré —añadió entonces decidida, y más rápido de lo que pude reaccionar agarró mi cojín (con una ardilla estampada) y lo presionó con ambas manos sobre la almohada.

—¡Mia! —dije ahora un poco más fuerte. Eso era una locura. Mi hermana intentaba asfixiar un cojín con otro cojín. Por otra parte, si yo no me hubiera despertado por casualidad, me estaría asfixiando—. ¡Despierta! ¡Enseguida! —La sujeté por los hombros y la sacudí con energía—. ¡Mia! ¡Ya basta, el cojín está muerto!

Jadeó intensamente y parpadeó con la luz de la lámpara de la mesilla. Y entonces soltó un grito estremecedor. Bueno, quizá solo fuera estremecedor porque me lo chilló directamente al oído, en todo caso fue lo bastante fuerte como para hacer venir a Grayson. Entró corriendo en mi habitación con unos pantalones de franela a cuadros grandes, que formaban parte del pijama de abuelo que la Bocre le había regalado por Navidad; no era una sorpresa que Grayson por principio no llevara la parte de arriba por la noche. Lo cual hacía que ese modelo no le hiciera parecer un abuelo en realidad.

—¿Qué ha pasado?

Me alegré mucho de haberme terminado de poner la camiseta, aunque fuera al revés, como vi ahora.

—Ha vuelto a andar sonámbula —dije.

Mia parecía bastante agitada, pasaba la mirada de mí al cojín que tenía en las manos, y su respiración seguía siendo entrecortada.

—¿He vuelto a andar sonámbula? —repitió—. Tenía un sueño aterrador. Liv tenía un clon, un ser malvado que quería asesinarla y ocupar su lugar... Pero tú pudiste huir a tiempo, Livvy, y te he escondido en mi habitación. Todos los demás habían tomado al clon por la auténtica Liv. —Le dedicó a Grayson una mirada llena de reproches—. ¡Tú también!

—Hum. ¿Perdón? —dijo Grayson. Por suerte parecía que él era el único al que habíamos despertado. Cerré la puerta rápidamente para que eso siguiera así.

Mia tragó saliva.

—En todo caso, teníamos que esperar hasta que la falsa Liv se durmiera. Entonces nos hemos colado en tu habitación y... —se interrumpió.

—... Y queríais asfixiar a la falsa Liv con un cojín —proseguí en su lugar y ahuequé la almohada—. La almohada ha tenido suerte de que no quisieras apuñalarla con un cuchillo...

—Así que he venido en sueños a tu habitación y he cogido un cojín para... ¡Oh, Dios mío! —Mia se me quedó mirando horrorizada—. ¡Eso es horrible!

—Menos mal que no ha ocurrido nada.

—Pero si hubieras estado tumbada en la cama...

Los ojos de Mia se llenaron de lágrimas. Eso pasaba tan pocas veces —y si pasaba, la mayoría de las veces era de rabia— que le cogí la mano alarmada.

—Eh, todo está bien, Mia. —La empujé suavemente hacia el borde de mi cama y me senté a su lado.

—Nada está bien —dijo Mia.

Grayson se quedó de pie indeciso delante de nosotras.

—¿Ha intentado asfixiarte con un cojín?

—No, ha asfixiado el cojín con un cojín, nada más. —Le fulminé con una mirada enfadada. ¿Tenía que insistir en eso ahora que Mia ya estaba deshecha de todos modos?

Pero Grayson no se dejó impresionar por mi mirada de enojo. Se sentó en el borde de la cama al otro lado de Mia.

—¿Puedes recordar quién tuvo la idea en el sueño de asfixiar a Liv?

—Te refieres a la malvada Liv clon. La que tú creías que era la auténtica —dije, y seguí intentando fulminar a Grayson con la mirada por encima de la cabeza hundida de Mia. Pero no me miró para nada—. Sinceramente, ¿a quién le interesa eso? Algunos sueños es mejor no analizarlos, solo hay que olvidarlos con rapidez. —Por ejemplo, cuando a una le crecen raíces en los pies y ramas y hojas en las yemas de los dedos—. Sugiero que ahora llevemos a Mia a la cama.

Mia negó con la cabeza.

—No, no quiero volver a dormir jamás. ¡En sueños hago cosas horribles!

—Si quieres, me acuesto a tu lado y te cuido —dije echando un vistazo al reloj—. De todos modos, ya no falta mucho.

—¿Puedo quedarme aquí? —Mia no esperó a mi respuesta, sino que se deslizó bajo el edredón y se acurrucó.

—Sí, por supuesto que sí —dije.

Grayson suspiró.

—¿No te parece extraño eso del sonambulismo? ¿Y que intentara asesinarte mientras dormías?

—Ahora sí que exageras. —Estiré el edredón y se lo puse bien a Mia—. Solo se trataba de mi clon.

—De verdad, no volveré a dormir jamás —murmuró Mia, pero ya tenía los ojos cerrados y su cara se relajó—. Solo hoy. Porque estoy tan cansa... —El resto acabó en un murmullo ininteligible y justo después su respiración se volvió profunda y tranquila.

Grayson y yo nos quedamos mirándola en silencio. De repente, fui consciente de su cercanía y deseé que se hubiera puesto una camiseta. Su torso desnudo me incomodaba.

—¿Ahora no es el momento en el que por fin tienes que abandonar la habitación? —pregunté, sabiendo que me había pasado un poco de respondona. En realidad, no me había hecho nada aparte de mirar decepcionado. Pero, sin embargo, seguí—. ¿O has olvidado la prohibición familiar de los Spencer sobre Mia y sobre mí? Nada de confianzas con las asesinas de árboles.

Grayson me cogió del brazo y me obligó a mirarle.

—Liv, tienes que tomarte esto en serio. ¿Y si Mia no hubiese soñado este sueño sola? ¿Y si alguien hubiera manipulado sus sueños para hacerte daño?

Tragué saliva.

—Eso es... —Imposible, quería decir. Pero ¿de verdad lo era?

—Piénsalo: ¿de dónde saca Secrecy todas esas cosas sobre ti?

Sí, ¿de dónde? Se me pusieron los pelos de punta y Grayson lo vio.

—Cosas que solo tú sabías —dijo con insistencia—. Tú y Mia.

Y Henry.

—Ni idea —susurré—. De todos modos, Mia no lo habría revelado nunca.

—No voluntariamente. Pero ¿no podría ser que alguien se colara en los sueños de Mia por las noches y le sonsacara todas esas cosas?

Los ojos marrones de Grayson resultaban mucho más oscuros que nunca a la luz de la lámpara de la mesilla. Parecía preocupado en serio y tan compasivo que, de repente, sentí la necesidad de apoyarme en él y llorar de puro agotamiento. Lo que, por supuesto, no hice; al contrario, me aparté un poco de él.

—¿Quieres decir que Secrecy ha espiado a Mia en sueños?

Se encogió de hombros.

—Más bien alguien que luego se lo ha contado a Secrecy.

—¿Y ese alguien también se encargaría de que Mia fuera sonámbula? —Negué con la cabeza y le aparté a mi hermana un mechón de pelo de la cara. Parecía tan dulce cuando dormía—. Yo también era sonámbula de niña, viene de familia. Tenemos sueños muy vívidos.

—Claro que sí. —Grayson suspiró—. Y Liv, ahora con toda sinceridad: vosotros, Henry y tú, seguís haciéndolo, ¿no?

Oh, no, por favor, otra vez no. Pero Grayson no aflojó cuando simplemente me quedé mirándole lo más atontadamente posible.

—De vez en cuando, deambuláis por ese pasillo, ¿verdad?

—Bueno... —Eso era difícil. Me habría gustado tanto mentirle. Solo para ahorrarme su mirada decepcionada—. No... eh... necesariamente —balbuceé.

Y ahí estaba, la mirada decepcionada. Nadie la ponía tan bien como Grayson.

—Lo sabía. Lo vi en tus ojeras. En cierto modo, también me habría asombrado que hubierais podido manteneros al margen. Tanto Henry como tú. De Arthur, prefiero no hablar... —Con un nuevo suspiro hondo, por fin me soltó el brazo—. No os entiendo, es insensato e irresponsable y... ¡no es correcto! Los sueños son como los pensamientos, tienen que ser libres y nadie debería espiarlos. Ni siquiera por diversión.

—Pero... eso no lo hacemos —nos defendí—. No nos colamos en los sueños de los demás. —«Como mucho en caso de emergencia. Cuando Lord Muerte nos persigue y, casualmente, tu puerta es la única escapatoria...»—. Solo nos citamos en nuestros propios sueños. En eso no hay nada malo.

—Sin contar con que no tenéis ni idea de cómo ni por qué funciona lo de los sueños. Después de todo lo que vivimos el año pasado. —El susurro de Grayson era tan fuerte ahora que, en realidad, ya no se podía considerar un susurro.

—Pensaba que estábamos de acuerdo en que no había demonios, ni en general ni en particular —dije.

—Eso no cambia nada el hecho de que no sabéis en qué os estáis metiendo. Es imprevisible, es inmoral, es perjudicial, es...

—Chist —le interrumpí. Esta discusión a las cinco de la mañana del viernes combinada con la necesidad inexplicable de lanzarme llorando al pecho desnudo de Grayson me desbordó por completo—. Vas a despertar a Mia. Necesita dormir. ¡Y yo también! —Señalé mi cama.

—¡Precisamente! —Grayson fue hacia la puerta, o más bien caminó pisando fuerte. Nunca antes le había visto tan furioso. En el umbral, se volvió otra vez—. ¿Crees que no veo cómo te va? Sin contar con las grandes cantidades de café que te metes por las mañanas, ¿cuánto tiempo quieres aguantar aún? —No esperó la respuesta, tan solo añadió un desagradable «buenas noches» y cerró la puerta. Al menos no dio un portazo.

—¡Para ti también! Y ponte algo encima la próxima vez —murmuré aún. Después, apagué la lámpara de la mesilla, me tumbé con cuidado bajo mi edredón al lado de Mia y me sentí fatal.

Ya no me dormí, claro que no. En vez de eso, le di vueltas a lo que Grayson había dicho. ¿Y si de verdad alguien se había colado en los sueños de Mia? ¿A quién podría interesar? ¿Era alguien que quería hacerme daño como suponía Grayson? Entonces, solo se me ocurría Anabel otra vez. ¿Quizá tenía la capacidad de provocar el sonambulismo a alguien? Pero tenía que poseer un objeto personal de Mia para cruzar su puerta. ¿Y cómo habría podido lograrlo si se encontraba en una clínica en Surrey? ¿O en realidad era como había insinuado Arthur y Anabel tenía ayudantes en el mundo real a los que no habíamos tenido en cuenta? ¿Ayudantes a los que tal vez conocíamos en persona?

Se movió ligeramente a mi lado. Seguía pareciendo muy relajada. Dejé de intentar dormir, me deslicé con cuidado fuera de la cama, me arropé con una chaqueta de punto grueso y me senté en el alféizar de la ventana, mi lugar preferido para pensar desde que nos habíamos mudado a casa de los Spencer. Podía contemplar el jardín que Ernest cuidaba con cariño. En esta época del año, con sus árboles y arbustos desnudos, no era una vista reconfortante, pero se podía imaginar qué aspecto tendría en primavera, cuando el cerezo y el magnolio florecieran y extendieran debajo una alfombra de nomeolvides. Esta noche, sin embargo, la primavera me parecía infinitamente lejana.

Mia rodó hacia el otro lado y emitió un sonido placentero. Al menos una dormía a pierna suelta. Suspiré.

Quizá solo fueran quimeras, pero en ningún caso dejaría que alguien se paseara por sus sueños. Solo que... ¿cómo podía vigilar la puerta de Mia? Esa era la cuestión en torno a la que giraba todo a fin de cuentas. ¿Estaba yo en condiciones de elevar las medidas de seguridad, o debía contárselo para que pudiera protegerse ella misma?

Hasta que sonó la alarma del despertador no encontré respuesta alguna. Lo único seguro era que de nuevo necesitaría una gran cantidad de café.

14

Ya mientras bajaba pude oír la pelea en la cocina. Mia se detuvo en medio de la escalera y se inclinó sobre la barandilla. Cuando me vio, levantó la mano a modo de advertencia y se puso un dedo en la boca.

—Ahora sí que estás yendo demasiado lejos, Florence —vociferó Ernest desde abajo.

—¡Cumplo dieciocho años y me gustaría que esta fiesta fuera algo especial! —gritó su hija—. No puedo celebrarlo en esta casa, ¡no con esos... esos monstruos bajo el mismo techo!

—Esas somos nosotras —susurró Mia.

—¿Qué hay que objetar a celebrar la fiesta en casa de la abuela? —prosiguió Florence—. Se ha ofrecido, tiene espacio suficiente y está más que encantada de ayudarnos con los preparativos. Para ti, solo hay ventajas, papá; recuerda solo como quedó la casa después de la última fiesta.

—Pero no es eso lo que te importa —dijo Ernest.

—¡No! —admitió Florence enseguida—. Lo que me importa es celebrar mis dieciocho años en un lugar en el que esas... bestias...

—Esas somos nosotras —volvió a susurrar Mia.

—¡... no tengan acceso!

—¡Florence Cecilia Elizabeth Spencer! —Parecía que Ernest estaba realmente enfurecido si enumeraba todos los nombres de Florence—. Es verdad que te paso por alto muchas cosas, pero esto...

—¿Qué pasa? —se enojó Florence—. No puedes obligarnos a celebrar la fiesta aquí. Ya es bastante malo que nos obligues a vivir bajo el mismo techo con estas... rudas.

Ahora estuve a punto de susurrar «esas somos nosotras». ¿«Ruda»? ¿De qué siglo había pillado esa palabra?

En ese momento, llegó Lottie precipitándose escaleras abajo desde arriba del todo y quiso adelantarnos.

—¡Me he quedado dormida! —se lamentó—. Es la primera vez en cinco años...

—¡Chiiist! —Mia interceptó a Lottie y le cerró la boca sin vacilar.

—¡*Pengo que espimí os pomeos!* —Lottie intentó liberarse, pero Mia no la soltó.

—Ahí abajo, por el momento, no hay ganas de zumo, créeme —susurré, y entonces Lottie dejó de agitarse, se apretujó entre nosotras y se apoyó en la barandilla con las orejas bien abiertas.

En la cocina seguía la pelea.

—Grayson, di algo tú también —exigió Florence.

Sí, eso, di algo tú también, Grayson.

—No tengo nada de ganas de celebrarlo en casa de la abuela —dijo Grayson. Como era el único que no chillaba, tuvimos que inclinarnos mucho sobre la barandilla para entenderle. Afortunadamente, la puerta de la cocina estaba abierta—. Allí no te puedes volver sin romper algo de valor. Un sitio muy poco chulo, si quieres saber mi opinión.

—Mola —susurró Mia.

—Escuchar a escondidas no es bueno —murmuró Lottie—. ¡Tenemos que hacernos notar!

—Ni hablar —murmuramos Mia y yo a la vez. Ahora también queríamos oír el resto.

—Por supuesto, guardaríamos la colección de porcelana de la abuela —vociferó Florence en la cocina—. Y tampoco te estoy preguntando, esto hace tiempo que está decidido.

—Florence Cecilia Eli... —Estaba claro que a Ernest no se le ocurría nada más.

Entretanto, mamá se había unido a nosotras y se inclinaba sobre la barandilla un par de escalones más arriba. Llevaba la mala conciencia escrita en la cara, pero era obvio que no se atrevía a seguir bajando la escalera ante el sonido estridente de la voz de Florence. ¿O estaba desarrollando una especie de insospechado instinto de leona y quería seguir defendiendo con uñas y dientes a sus cachorros en caso de necesidad?

—¿Ah, sí? —Ahora se podía entender a Grayson fabulosamente—. Bueno, si es así, entonces celebremos dos fiestas, hermanita: tú celebras tu cumpleaños en casa de la abuela y yo celebro el mío aquí. ¡Ya veremos quién tiene más invitados al final!

Se produjo una breve pausa.

—¡Tú no me harías eso! —gritó Florence furiosa.

—Claro que lo haría. Sencillamente te estás comportando como una cría.

—¿Que me estoy comportando como una cría? ¿Yo? ¿Acaso me he escapado de casa para destrozar un monumento cultural?

En ese punto, mamá nos dirigió su famosísima mirada «veis la que habéis liado». Se acabó su instinto de leona; no tenía.

—Oh, Florence, ¡cierra el pico! —dijo Grayson en

153

la cocina—. ¡Estoy harto de tus dramas! ¡Solo era un maldito árbol! —Salió de la cocina a grandes pasos, tan rápido que ya no logramos ponernos a cubierto.

Con seguridad dábamos una imagen llamativa, las cuatro juntas volcadas sobre la barandilla (en realidad, solo faltaba *Buttercup*, pero indudablemente ya estaba sentada en la cocina desde hacía rato al lado de la silla de Ernest esperando su ración de rosbif), pero Grayson solo nos lanzó una mirada cansada hacia arriba para, después, ir al perchero y ponerse la chaqueta.

—¿Ves lo que han hecho, papá? —vociferó Florence en la cocina. La mezcla de rabia y lágrimas en la voz estaba perfectamente equilibrada. ¿Se podía aprender bien algo así?—. Han logrado levantar un muro entre nosotros. Entre mi hermano gemelo y yo.

Ahora también ella salió de la cocina y nosotras dejamos con rapidez nuestra posición de escucha y fingimos que justo en ese momento bajábamos por la escalera. Por desgracia, Lottie y Mia entrechocaron sus cabezas.

—¡Au!—se quejó Mia.

Florence no se dignó a dirigirnos una mirada, sino que simplemente pasó disparada a nuestro lado escaleras arriba. Se oyó la puerta del baño cerrarse de golpe, el pestillo se cerró.

Así, el camino a la cafetera quedó por fin despejado.

O no, no del todo. Grayson seguía en el perchero. Mi mala conciencia me obligó a detenerme ante él mientras mamá y Lottie se dirigían a la cocina.

—Lo siento —murmuré, y realmente quería decir eso. Sentía haber aserrado a *Mr. Snuggles*. Sentía que se hubieran peleado por nuestra culpa. Y sentía que Grayson pareciera tan triste.

—¿El qué? —Me espetó, y en ese momento se pareció a su hermana gemela más de lo que probablemente se pensaba.

—Bueno, que seamos semejantes monstruos, bestias y rudas —respondió Mia en mi lugar.

Estaba bastante segura de que Grayson en realidad no quería eso, pero la expresión furiosa de su cara se transformó en una sonrisa espontánea. Le devolví la sonrisa aliviada. De un tirón, cerró la cremallera de su chaquetón y se puso un gorro de punto en la cabeza. Era el único de nosotros que por las mañanas iba en bicicleta al colegio, por malo que fuera el tiempo. Para Florence, Mia y yo, Ernest se desviaba de camino al trabajo para pasar por la Academia Frognal. Pero desde que Florence guardaba la mayor distancia posible con nosotras, Mia y yo cogíamos voluntariamente el autobús. Al fin y al cabo, no queríamos que la pobre tuviera que salir disparada del coche en marcha solo por huir de nuestra presencia.

El siguiente pasaría dentro de diez minutos y, si aún queríamos llegar puntuales al colegio, teníamos que darnos bastante prisa.

Grayson se había dado cuenta de mi mirada al gran reloj de pared y sonrió más.

—Vaya, la monstruosa bestia ruda tendrá que quedarse hoy sin su café —dijo.

—Bah, ya está —repliqué—. Ahora mismo ya me corre suficiente adrenalina por las venas.

En realidad, eso era cierto, pero por desgracia el efecto solo duraría hasta la primera hora. Durante la clase de francés de Mrs. Lawrence tuve muchos problemas para mantenerme despierta. A modo de prueba, apoyé la cabeza en el brazo. Solo cerrar los ojos un instante. Ahora sería el momento perfecto para una siestecita. Por fin estaba en paz. En realidad, funcionaría: dormir durante el día mientras todos los demás están despiertos. Descanso total.

—¿Ya has oído dónde se celebrará la fiesta de cumpleaños de Florence y Grayson? —Persephone tampoco tenía ganas de seguir las explicaciones de Mrs. Lawrence sobre el *passé composé*. Ella prefería uno de esos monólogos susurrados a los que denominaba «conversación» y que siempre acababan solo cuando Mrs. Lawrence se ponía delante de nosotras y me acusaba a mí de perturbar el orden. ¡Oh, cómo lo odiaba!—. ¡La fiesta será en la casa de su abuela! Al menos según Secrecy. —Claro, Secrecy ya lo sabía con seguridad. A veces era una bendición no tener un *smartphone*. (Ni lo tendría por el momento. Pero no llegaba a tanto como para agradecérselo a Mrs. Spencer.)

—Lo cual significa que entonces vosotras dos no podréis ir, Mia y tú. Tenéis prohibida la entrada en casa de la abuela de Florence y Grayson. —Hizo una minipausa dramática con la palabra «prohibida», después prosiguió—. Pero espero que no te enfades si voy de todos modos, ¿no? A Gabriel seguro que lo invita Grayson y, si me pide que le acompañe, difícilmente podré negarme... Ayer vi una falda de Missoni tan mona que sería simplemente perfecta para la fiesta, no con las típicas rayas de Missoni, sino azul oscuro pero no de un azul marino soso, sino algo más intenso, pero no azul eléctrico, más bien azul océano oscuro, ah, es difícil de describir, hay que verla, quizá mañana podrías acompañarme, también tienen vestidos monísimos, pero en realidad no necesitas ninguno si no vas a la fiesta, aunque por otra parte siempre se puede necesitar uno y mi hermana dice que las cosas de Missoni son prácticamente inversiones atemporales...

Persephone cotorreaba y cotorreaba o siseaba y siseaba. Era como si estuviera sentada al lado de un aparato de aire a presión defectuoso. Pero después de un rato, me acostumbré. Por delante, el francés monótono pero melódico de Mrs. Lawrence, por el lateral el siseo soporífero de Persephone: volví a hundir la cabeza en los brazos.

—... pillado? Henry tuvo que recogerle en la comisaría.

De golpe, estaba despierta del todo.

—¿Qué? ¿Quién?

Persephone se me quedó mirando con un gesto de desaprobación.

—No tienes que decírmelo si no quieres. Pero me interesaría saber si es cierto, al fin y al cabo me resulta raro que un chico de doce años robe un perfume de lujo.

—¿Pero quién?

Me miró con los ojos abiertos como platos.

—Oh, Dios mío, no lo sabes, ¿verdad? ¿Henry no te lo ha contado?

—No —dije. Me daba absolutamente igual si estaba mostrando un punto débil, solo quería saber de qué estaba hablando Persephone.

Sin esperar un segundo, me pasó su *smartphone*. Y en él pude leerlo negro sobre blanco mientras al mismo tiempo Persephone me susurraba los hechos a mi lado.

Habían pillado al hermano pequeño de Henry, Milo, robando un frasco de perfume, y Henry había tenido que recogerlo de la comisaría. No había habido denuncia, pero Milo tenía prohibido el acceso a la tienda. Secrecy y Persephone solo podían suponer los motivos de Milo, pero creían que recibía una asignación demasiado pequeña, pues, como todos sabían, el padre desatendía a sus hijos desde la vergonzosa separación y le daba todo su dinero solo a su amante.

—Eso es muy triste, ¿no? —Persephone recuperó el

smartphone sin darse cuenta de que yo quería ir al enlace que Secrecy había puesto a la amante exmodelo de ropa interior búlgara—. El pobrecito seguro que robó el perfume para darle una alegría a su madre. ¿No es horrible que los hombres se vayan con una más joven una y otra vez? Eso significa que, como mujer, es inevitable que te abandonen o que tengas que casarte con un hombre muy viejo...

Solo la escuchaba a medias. Pues todo eso había pasado precisamente el sábado anterior, es decir, el día en que Mia y yo habíamos regresado de Suiza. Cuando el móvil de Henry sonó y afirmó que tenía que irse para recoger a su hermano en casa de un amigo.

¡En casa de un amigo!

—¡Olivia Silber! ¡Persephone Porter-Peregrin! —Era obvio que Mrs. Lawrence pronunciaba nuestros nombres por enésima vez, pues en la frente se le había marcado esa vena de rabia que siempre le salía cuando estaba a punto de castigar a alguien.

—*Oui, Madame; pardon, Madame*, no he entendido la pregunta —se apresuró a decir Persephone.

—*Devoir. Fabien et Suzanne!* —dijo Mrs. Lawrence—. *Attendre une heure à la caisse du musée.*

—¿De verdad que hicieron cola durante una hora en la taquilla del museo? —Persephone chasqueó la lengua—. Bueno, pero depende de la exposición. Para la de Kate Moss yo habría hecho cola incluso mucho más tiempo, era muy chula.

Ahora la vena de la frente de Mrs. Lawrence parecía que iba a estallar en cualquier momento.

—*Fabien et Suzanne ont dû attendre une heure!* —gritó—. *Ont dû!*

Sí, vale. Pero Fabien y Suzanne y el dichoso museo de momento me daban igual.

15

El sol de enero brillaba a través de las ventanas altas de la cafetería y bañaba todo de una cálida luz dorada que no terminaba de encajar con mi estado de ánimo interior. Henry ya estaba sentado a nuestra mesa y conversaba con los chicos. Se estaba riendo de algo que Gabriel había dicho y, de repente, no quise seguir andando, sino que me quedé de pie en medio de la sala como si hubiera echado raíces. Inicialmente, había planeado coger a Henry, zarandearlo y preguntarle por qué demonios no me había contado nada de su hermano, pero después de todo, ahora que le veía ahí sentado riéndose, me di cuenta de que no estaba furiosa con él. Más bien... Sí, ¿en realidad qué? ¿Triste? ¿Decepcionada? ¿Confusa? En cualquier caso, un poco de todo. Ahí estaba sentado él, al sol, y parecía tan familiar y, al mismo tiempo, tan desconocido.

Una sombra surgió entre nosotros.

—Estás en medio.

Emily se había colocado delante de mí con la bandeja llena e hizo como si no pudiera pasar. Di un paso a un lado. Sin embargo, por desgracia, Emily no hizo ningún gesto de seguir andando.

—Qué bien te ha ido con Florence y Grayson —me dijo—. Supongo que estarás orgullosa de ti misma. Nadie había logrado aún enemistar a los gemelos.

—Yo no he hecho absolutamente nada... —Volví a cerrar la boca. Solo faltaba que me justificara ante Emily—. Se te va a enfriar la sopa —dije en su lugar.

Emily sacudió la cabeza.

—Realmente no me cambiaría contigo —dijo—. Tu cabeza debe de funcionar fatal. Primero, lo de *Mr. Snuggles* y ahora... ¡Eh! Vuelve a dejar eso inmediatamente.

Yo había cogido el cuenco de sopa de su bandeja y lo estaba olfateando.

—Hum, crema de puerros, debe de ser genial para el pelo.

—¡Estás fatal! —dijo Emily, pero enseguida vi que empezaba a tener miedo.

Levanté el cuenco.

—Más brillo, menos puntas abiertas... ¿Quieres extendértelo tú misma o debo encargarme también yo?

—¡Atrévete! —Como Emily estaba obligada a sujetar la bandeja con las dos manos, decidió seguir andando sin su sopa—. Absoluta y colosalmente enferma —siguió diciendo por encima del hombro.

—¿Está hablando de sí misma? —preguntó Henry. No me había dado cuenta de que, durante mi pequeño rifirrafe con Emily, había abandonado nuestra mesa—. ¿Necesitas ayuda?

—No. ¿Necesitas sopa? —Le ofrecía el cuenco de Emily.

Henry sonrió, me cogió la sopa de la mano y la puso en la mesa de al lado. Después me rodeó la cintura con los dos brazos y me acercó hacia él.

—¡Eh! Llegas tarde, chica del queso. Debo decirte sin falta que lo he averiguado.

Me quedé rígida.

—¿Por qué no me contaste lo de tu hermano? ¿Por qué me has mentido? —Hablé bastante rápido y bajo y, para ser sincera, medio confiaba en que no me entendiera con el ruido de la cafetería. Pero mis palabras borraron el esplendor de su cara.

—Has leído el blog de Secrecy. —Me soltó y suspiró—. Algún día descubriré quién es y entonces le retorceré el cuello con una sola mano. ¿No quieres comer nada?

En silencio, negué con la cabeza. En nuestra mesa, ahora también había tomado asiento Persephone entre Arthur, Eric y Gabriel. Sus mejillas coloradas se podían reconocer desde donde estaba. Hacía una hora, aún tenía un hambre atroz por haberme saltado el desayuno, pero de repente tenía un nudo en el estómago.

—¿Podemos ir a otra parte? ¿Donde nadie nos oiga?

Henry suspiró una vez más.

—Escucha, lo de Milo... ¿por qué debería agobiarte con eso?

—Sí, ¿por qué deberías agobiarme con cosas que te preocupan? —repetí, poniendo todo el sarcasmo posible en la voz—. Solo soy tu novia. ¿Por qué deberías contarme lo que pasa en tu casa o en qué andas en realidad? ¿Por qué deberías presentarme a tu familia?

—Sí que te cuento en qué ando en realidad —replicó Henry—. Nadie debería conocerme mejor que tú.

Me eché a reír indignada.

—Es una broma, ¿no? —Henry parecía ofendido, pero yo ya no podía echarme atrás—. Incluso Secrecy sabe más de ti que yo.

—Sí, Dios sabe de dónde se lo ha vuelto a sacar. —Henry se pasó la mano por el pelo revuelto—. Por cierto, no era un perfume de lujo, era una maldita vela aromática. Vainilla jazmín, asqueroso. ¿No te gustaría saber lo que he averiguado? ¿Sobre nuestro Lord Muerte?

—No —repliqué. Entretanto, me daba igual que estuviéramos de pie en medio de la cafetería. Si acaso, solo podían oírnos los alumnos de la mesa justo al lado de nosotros. Y estaban hablando fuerte sobre el último partido del Arsenal—. Me gustaría saber por qué aún no he estado en tu casa. Por qué no conozco a tus padres y nunca he visto a tus hermanos, excepto a Amy en sueños. ¿Tienes algún problema conmigo?

—¡No, Liv! Claro que no. —Henry me miraba horrorizado.

—¿O acaso piensas que no me afecta todo eso?

Arrugó la frente.

—Eh, no todos tienen una familia sin complicaciones como tú.

—¿Sin complicaciones? —No podía haber oído bien—. Mis padres están separados, mi madre vive con un tío nuevo cuya hija nos odia como a la peste...

—Sois la familia Rayo de Sol —me interrumpió Henry—. Vuestra casa es cálida, limpia y amable, todos os queréis (Florence no cuenta), siempre hay comida casera e incluso el perro podría participar en un anuncio. Por el contrario, nosotros somos la familia Lluvia Fina. O Tormenta de Granizo. Milo roba velas perfumadas, mi hermana de cuatro años llama papi a todos los hombres que se cruzan en su camino, mi madre solo cocina cuando se ha tomado demasiados antidepresivos, y nuestra gata está zumbada. Últimamente ya no estaba limpia, por eso nuestra mujer de la limpieza ha renunciado. ¿Por qué tendría la necesidad de llevarte a mi casa? ¿Para que lo veas todo con tus propios ojos?

La violencia de sus palabras, aunque dichas en voz baja, me dejó sin aliento durante unos segundos.

—Sí —dije entonces mirándole fijamente a los ojos. Dios mío, le quería tanto. Y me daba tanta, tanta pena que su madre tuviera que tomar antidepresivos. Y la gata...

Nos quedamos un rato de pie en silencio.

—Oh, Livvy... —Henry me apartó un mechón de pelo de la frente, muy despacio. Por primera vez desde que le conocía, parecía herido y, por primera vez, deseé ser yo la alta de hombros anchos, así habría podido apoyarle en mi pecho para consolarle.

No habría hecho falta mucho para que hubiera empezado a llorar, pero logré contener las lágrimas. Tampoco es que hubiera un motivo para lloriquear, era solo porque estaba cansada. Y hambrienta.

—Quizá la gata solo se siente abandonada —parloteé rápidamente para que Henry no se diera cuenta—. La tía Gertrude tuvo el mismo problema una vez. Con *Tapsi*. O *Stupsi*. La llevó a un psicólogo de animales y ahora *Tabby* vuelve a estar genial. O *Izzy*.

Cuando ahora sonrió Henry, fue esa sonrisa tan especial solo para mí que me gustaba más que todas las demás sonrisas del mundo.

—Vale. Entonces, ¿quedamos esta tarde en mi casa?

¿Así de fácil? ¿Lo proponía por iniciativa propia? Me quedé vacilando en algún lugar entre la confusión, el alivio y la desconfianza, y esa mezcla sencillamente me hizo interrumpir el cotorreo.

—Sí, estaría bien —dije sin resuello—. O no, por supuesto quiero decir que sí, pero esta tarde tengo kung-fu. Y después quería ir al cine con Lottie y con Mia, lo organizamos hace siglos; puedes venir con nosotras si quieres. Aunque seguro que volverá a ser un melodrama romántico con vampiros, porque Lottie elegirá la película. Tanto mejor para mí, por lo menos así puedo dormir un poco, ¿ves estas ojeras? Un par de noches más sin dormir y pareceré un oso panda. Mamá está asombrada de lo rápido que el corrector... —Oh, Dios mío, ya sonaba como Persephone. Solo con esfuerzo pude detener mi cotorreo imparable mediante un ataque de tos forzado.

Henry esperó pacientemente hasta que acabé.

—Entonces, ¿mañana por la tarde?

Así que lo decía en serio. Respiré hondo y asentí.

—Sí. Sí, mañana es perfecto.

El alivio se extendió dentro de mí, la desconfianza y el desconcierto se habían esfumado. Todo estaba bien. Entre nosotros todo estaba bien. ¿Por qué no había hablado de todo esto mucho antes? Había resultado bastante fácil.

Tomé la mano de Henry y le arrastré detrás del carro de los platos para besarle. No hacía falta que eso lo viera toda la cafetería. En general, las parejitas besuqueándose por el colegio me ponían bastante de los nervios, pero ahora sencillamente tenía que hacerlo. Henry parecía pensar eso mismo también y me abrazó más fuerte. Solo cuando los fans del Arsenal empezaron a chillar y a aplaudir y Henry me soltó con cuidado, me di cuenta de que una ayudante de cocina había apartado nuestro camuflaje.

Qué vergüenza.

—No hagas caso —dijo Henry, alisándome el pelo. Al contrario que yo, por supuesto no se había puesto colorado.

—¿Y qué has averiguado ahora sobre Lord Muerte? —susurré.

Henry sonrió con aire conspirador.

—Tenía la sospecha de que, tras su verborrea disparatada, se ocultaba un sistema, ¿te acuerdas?

—Temed horror nulo... Oh, sí.

—Temed terror nulo —corrigió Henry—. He tardado un rato, pero después lo tuve claro: ¡anagramas!

—¿Como «radar», «arenera» y «acurruca»?

—Sí, pero eso son palíndromos, palabras que de derecha a izquierda se leen exactamente igual que de izquierda a derecha. En el caso de los anagramas, las letras pueden intercambiarse a lo loco. Lord Muerte Norte. Temed terror nulo. Muere dentro, trol. Redentor trémulo. —Me miraba con los ojos radiantes—. No mintió, ¡siempre nos ha dicho su nombre!

Su entusiasmo era en cierto modo contagioso.

—Y, ¿conocemos a ese tipo?

—Aún no —dijo Henry—. Pero Google le conoce. Se llama...

—¡No! ¡No, no digas nada! Quiero averiguarlo por mí misma, me encantan estos acertijos. —Nerviosa, le arrastré hasta nuestra mesa—. ¿Alguien tiene un trozo de papel y un lápiz? Una servilleta también me sirve.

—La hora de comer se acaba dentro de un minuto —dijo Persephone.

Pero qué fastidio.

16

—Si no os lo coméis todo, mañana no habrá ni un rayo de sol en casa de la familia Rayo de Sol. —Mamá nos miraba a Mia y a mí desafiante con los brazos en jarras. Yo le tenía miedo. No solo porque estaba cada vez más cubierta de harina y se parecía un poco a un zombi, sino porque sus ojos centelleaban con esa maldad y decisión. Por todas partes a nuestro alrededor, sobre la encimera, las estanterías, la mesa, el alféizar, se amontonaban magdalenas, montañas de magdalenas, y todas parecían quemadas, mohosas y sencillamente nada apetitosas. Cuando, sin embargo, cogí una con la mano, la corteza se abrió y salió una larva.

—¡No puedo comer esto, mamá! —me quejé.

—Puedes y lo harás. ¡No quiero haberme metido demasiados antidepresivos hoy para nada! —Mamá zombi cogió a Mia, intentó abrirle la boca con violencia para meterle una magdalena, y Mia empezó a gritar. Se la arranqué a mamá, con ella tropecé de espaldas con una montaña de magdalenas y miré a mi alrededor aterrorizada en busca de un escondite o de una vía de escape. Ahí delante, una puerta verde... Oh, gracias a Dios era solo un sueño. Ya no tenía que tenerle miedo a mamá zombi.

En un abrir y cerrar de ojos, hice que desaparecieran ella y sus repugnantes magdalenas, después seguí también con la Mia del sueño que gritaba; tenía que salir para proteger la puerta de los sueños de la auténtica Mia. Para ello, le había tomado prestada una pulsera y, antes de dormirme, me la había puesto en la muñeca. Las palabras de Grayson de anoche no me habían dejado tranquila: ¿y si de verdad alguien se colaba en los sueños de Mia por las noches? Anabel, por ejemplo.

El pasillo estaba vacío, todo tranquilo y en paz. Ver la puerta negra de Henry justo enfrente de la mía me hizo sonreír; estaba tan contenta de haber aclarado las cosas entre nosotros. Mañana iría a su casa y, por fin, conocería a su familia. Y a la gata. Si lo pensaba, me ponía un poco nerviosa. Ojalá les gustara. Quizá debería llevar algo de comida casera para que me apreciaran, no parecía que estuvieran muy mimados. Y chucherías para la gata. O simplemente un saco de arena para gatos. Había leído en internet que la causa más frecuente de la falta de aseo en los gatos se encontraba en una caja sucia.

Pero ahora debía ocuparme primero de Mia. Su puerta se encontraba justo al lado de la mía. Era una sencilla puerta de madera pintada de azul nomeolvides con herrajes plata mate que encajaban perfectamente en una casa de piedra natural en cualquier parte del campo, igual que la cadena de banderines de colores que colgaba cruzando el dintel. No había cerradura ni mirilla, y la ranura del buzón era tan amplia que un animal pequeño pasaba con soltura. La última vez al menos patrullaba la puerta arriba y abajo el conejo de peluche sobredimensionado con la cola de zorro, pero esta noche no se le veía. A modo de prueba, pulsé el timbre. ¡No estaba cerrada! Qué irresponsable por parte del inconsciente de Mia, realmente cualquiera podía entrar sin pro...

—¡Holaholitaholaza!

Una cabeza gorda apareció justo en mi nariz y, del susto, di un salto hacia atrás. *Fuzzy-Wuzzy*, el conejo del peto amarillo. Nunca antes había tenido que plantearme lo mucho que pierden los muñecos de peluche cuando crecen a tamaño natural. Incluso más cuando son tan detestados como *Fuzzy-Wuzzy*. Ya solo por el ojo que le faltaba no tenía nada de mono, sino más bien algo de pérfido. Que se intensificó cuando ahora al hablar salieron a la luz dos largos dientes de conejo.

—¡Una *poecía*! ¡Una *poecía*! —ceceó con su grotesca lengua de trapo que contrastaba totalmente con su monumental aspecto. La voz sonaba clara e infantil, como la de un conejo en una película de dibujos animados.

—¿Una poesía?

—¡*Cíii*! —*Fuzzy-Wuzzy* aplaudió con las patas—. ¡Recítala! Recítala para *Fuzzy*.

—¿Una cualquiera?

—Una *pecioza*. Una que *guzte a Fuzzy*.

—Vale. Pues... Llegan los pastores...

—¡Nooo! *Eza no guzta* a *Fuzzy*. ¡*Ota poecía*! La *correzta. Ci no, Fuzzy* te zampará. —Abrió la boca enseñándome sus enormes dientes.

Oh, vale, quizá tampoco estaban tan mal estas medidas de seguridad. Como *Fuzzy-Wuzzy* era una creación del subconsciente de Mia, probablemente tenía una poesía concreta en mente. Una que le encantaba a Mia cuando era pequeña. Y, entonces, entraron en cuestión unas ciento veinte obras, muchas de ellas en alemán, un intruso tendría bastantes dificultades para encontrar la respuesta correcta antes de que *Fuzzy* se lo zampara. Siempre y cuando, por supuesto, el intruso se tomara la molestia de hablar con *Fuzzy*. Pues a pesar de la aparición amenazante de *Fuzzy* y su promesa de devorarme, desgraciadamente había medios y formas suficientes para pasar inadvertida a su lado.

—Como corriente de aire, ya habría estado tres veces en el sueño de Mia —me lamenté—. O como ardilla a través de la ranura del buzón.

—*Ezo* no *ez* una *poecía*. Ahora *Fuzzy tie* que zamparte —se preparó para cruzar el umbral—. Pero no me *guztaz*. *Fuzzy zolo guzta zanahoriaz* —añadió a continuación y me dio con la puerta en las narices con una risita triunfal.

Suspiré. Vale, genial, así ya quedaba claro: un soñador con bastante práctica, como por ejemplo Anabel, lo tenía chupado con Mia. Me puse a pensar. Como difícilmente yo misma podía montar guardia delante de la puerta cada noche, debía tomar medidas. Chasqueé los dedos.

—¡Miss Olive! —Mr. Wu me hizo una reverencia con el atuendo de lucha, como si acabara de sacarlo de una película de artes marciales. Asentí satisfecha. Sí, esto tenía otro calibre, diferente de un conejo de peluche bobo.

—Me gustaría que hoy montara guardia delante de esta puerta —le expliqué—. No deje entrar o salir a nadie. Y dé la alarma enseguida si alguien lo intenta. Tan fuerte que pueda oírle sea como sea, sin importar dónde esté. —Me imaginé un gong gigante al lado de la puerta y le alcancé a Mr. Wu la maza correspondiente.

Mr. Wu hizo silbar la maza en el aire con habilidad y la volvió a recoger.

—La puerta mejor cerrada siempre es la que se puede dejar abierta —dijo a modo de reproche.

—Sí, seguro que tiene razón. Pero esta debe mantenerse cerrada a cualquier precio. Ni siquiera puede pasar una corriente de aire. ¿Lo ha entendido, Mr. Wu?

Realizó un par de movimientos de kung-fu contra un enemigo invisible con tanta rapidez que mis ojos casi no los captaron.

—También me llaman el rayo, la Garra de Tigre Celestial.

—Magnífico —dije impresionada.

Lo había arreglado maravillosamente. (Y si alguna vez volvía a encontrarme con el auténtico Mr. Wu en mi vida, me disculparía por esto.) Pero no estaba del todo segura de si Mr. Wu también funcionaría cuando yo no estuviera ahí. A modo de prueba, me alejé hasta la siguiente esquina y volví a acercarme con sigilo como corriente de aire. Esta vez me salió mejor que en mi primer intento. Floté sin problemas varios metros por el pasillo directa hacia Mr. Wu.

—¡Deteneos, intruso aéreo! —Un golpe preciso en el aire justo delante de mí y me desplacé un par de metros hacia atrás—. ¡No podéis seguir más allá! —Con la otra mano golpeó el gong. Un sonido profundo, en cierto modo solemne, pero sobre todo ensordecedor, resonó por el pasillo y rebotó en las paredes centenares de veces como un eco. Seguí revoloteando un poco más. Sí, en efecto era suficientemente fuerte como para provocar la huida de la mismísima Anabel. Mr. Wu, perdón, la Garra de Tigre Celestial, era el guardián perfecto. Si no hubiera sido una corriente de aire, me habría frotado las manos satisfecha.

La puerta de Mia me pareció segura por primera vez. Ahora podía regresar tranquila a mi sueño... y dormir. ¡Y que nadie se atreviera a despertarme el sábado por la mañana antes de la comida!

Pero tan pronto no podría descansar aún. El gong todavía no había dejado de resonar del todo cuando la puerta de Henry se abrió y salió él. Inmóvil, me mantuve en el aire. Las comisuras de su boca se elevaron un momento cuando vio mi puerta, pero no se quedó ahí delante, sino que avanzó por el pasillo.

—Quien cree en sus sueños, se pierde la vida, chico del pelo revuelto —dijo Mr. Wu cuando Henry pasó a su lado.

Henry les dirigió una mirada asombrada a él y al gong gigante, pero no ralentizó sus pasos, sino que dobló la siguiente esquina con determinación.

Le seguí sin pensar, como la corriente de aire más invisible y más rápida que había visto el mundo. O más bien que no había visto. Incluso podía dar volteretas, volteretas invisibles e inaudibles. Henry se asombraría si me materializara ante sus ojos ahora mismo. Pero antes intentaría pasearme por su pelo y acariciarle la mejilla, algo que las corrientes de aire hacen cuando son un poco traviesas.

Por cierto, había tardado cinco minutos en averiguar el verdadero nombre de Lord Muerte. Henry solo había sido más rápido porque había empleado un generador de anagramas en internet. Lord Muerte Norte. Muere dentro, trol. Temed terror nulo. Redentor trémulo, todos anagramas de un mismo nombre. Por diversión, había encontrado también «Tumor detener rol», «Turrón el temedor» y, mi favorito, «Termo dele turrón». Al final, había dado con el nombre, que era de lo que se trataba en realidad, y tras algunos intentos con Lee, Ned, Elmore y Monroe, finalmente solo quedó uno, con título incluido: Dr. René Otto Ulmer.

El buscador había escupido dos René Otto Ulmer, uno de ellos era un médico especialista en psiquiatría. En una clínica de Surrey. Justo la clínica en la que había ingresado Anabel.

Qué idea más horripilante ser tratada por un psiquiatra loco cuando una misma se ha vuelto loca. Pero quizás ese doctor Ulmer no estuviera tan demente como parecía. Fuera como fuese, no podía menos que admirar a Anabel, porque había logrado convencer a su psiquiatra de que era posible visitar los sueños de los demás. ¿Cómo lo había conseguido sin que la consideraran más enferma de lo que ya estaba de todos modos? Debido a lo del sonambulismo, me había planteado poner al corriente a Mia, pero me había echado atrás, porque ya podía imaginarme su reacción: enseguida buscaría con la vista una cámara oculta. Nadie con la mitad de sentido común normal lo creería.

Pero este doctor Ulmer no solo había creído a Anabel, también se había lanzado a probarlo y ahora cometía excesos en el pasillo. La cuestión era: en realidad, ¿qué quería exactamente de nosotros? ¿Y por qué Anabel no se había dejado volver a ver?

De momento, a Arthur no le habíamos dicho nada de nuestro sensacional descubrimiento. Yo estaba a favor de ponerle al corriente, pero Henry aún prefería esperar.

A propósito de Henry, no había tenido cuidado y le había perdido de vista enseguida pero eso no era un problema para una corriente de aire. Con fuerza diez, aceleré en la esquina y ahí estaba de nuevo. Se había detenido delante de una elegante puerta forrada de lujosos brocados recamados y sus ojos (¿Ojos? ¡No pienses en ellos, Liv!) miraron en todas las direcciones. Le seguí y admiré los zarcillos, las flores, los pájaros y las mariposas en cálidos tonos pastel de la tela. Bastante cursi, pero precioso. Si hubiera tenido que adivinar, habría apostado sí o sí a que pertenecía a una mujer.

Henry se inclinó y tocó con cuidado un pájaro de seda rosa bordado. La puerta se abrió con un ligero crujido.

Naturalmente, ahora era el momento en el que tendría que haberme dejado ver sonriendo, y Henry —también sonriendo— me habría explicado de qué puerta se trataba.

Pero, en realidad, fue el momento en el que Henry cruzó el umbral de la puerta y yo me colé con él como corriente de aire. En el sueño de una persona desconocida para mí. Suavemente, la puerta se cerró detrás de nosotros.

17

En un primer momento, creí que había aterrizado en el interior de un huevo de Fabergé azul y dorado, pues las paredes estaban arqueadas y sobre nosotros había una enorme cúpula centelleante. En realidad, resplandecía y brillaba por todos los lados. Al observar más de cerca, me di cuenta de que nos encontrábamos en una especie de *spa*, un paisaje de baños de aire oriental muy lujuriosos. Baldosas azul noche con motas doradas cubrían los suelos, las paredes estaban revocadas y pintadas en luminosos tonos azules. Aberturas enmarcadas con adornos dorados conducían de una sala a la siguiente, por todas partes había piscinas para nadar y relajarse, saunas y fuentes, plantas exóticas, gigantes espejos dorados, montañas de toallas dobladas y un gran número de amplias tumbonas acolchadas. Y gente. Todo tipo de gente. Algunos llevaban traje de baño o albornoz, un par también iban envueltos en una toalla, pero la mayoría iban desnudos. Como, por ejemplo, ese hombre rojo cangrejo que acababa de salir de la sauna. Si no hubiera sido una corriente de aire, me habría tapado los ojos brevemente.

Pero ¿quién soñaba algo así? Y —¡guaaauuu!— ¿dónde se había quedado la ropa de Henry?

De tanto mirar alrededor, no me había dado cuenta de cómo lo había hecho; en todo caso, ahora llevaba un mullido albornoz azul y así estaba perfectamente adaptado al entorno. Pero todo lo contrario de invisible. ¿No me acababa de explicar que no tenía sentido pasearse por un sueño sin camuflarse cuando se quería espiar a alguien? ¿Porque la gente podía mentir en sueños incluso mejor que en la realidad? «Como observador y oyente invisible, se aprende bastante más de una persona en el sueño. Con algo de paciencia, incluso todo», eso había dicho. Así pues, ¿qué hacía aquí si no quería espiar a nadie? Parecía como si tuviera una cita.

Sin prisa, pasó junto a un tresillo en dirección a una gran piscina de hidromasaje y le seguí intentando no prestar atención alguna al rojo cangrejo que se había acomodado en uno de los sillones. En todo caso, tenía que concentrarme en flotar más que antes, pues debido a la gran cantidad de vapor existente, en ese intervalo me había transformado de corriente de aire en una pequeña nube. Ya no más remolinos y volteretas, con la ligereza también había perdido mi arrogancia. Un efecto que se reforzó con la banda sonora: quienquiera que soñara esto tenía un gusto musical repulsivo. Resulta que, de unos altavoces ocultos, Celine Dion susurraba *My heart will go on*. Al menos cuatro veces al año Lottie procuraba obligarnos a ver con ella *Titanic*, por eso conocía la canción mucho mejor de lo que me gustaría. Entonces, Lottie siempre sollozaba terriblemente, pero aseguraba que esa forma de llorar era muy sana e importante para la higiene del alma.

Cuando en el borde de la piscina de hidromasaje vi a David Beckham sentado y con las piernas balanceándose en el agua, me sentí aliviada por un segundo. En ese brevísimo segundo, creí que todo esto sería el sueño de

David Beckham y Henry se mostraría ahora mismo como un estrafalario aficionado al fútbol y le pediría un autógrafo o algo similar. Incluso Celine Dion parecía encajar en esa imagen, al fin y al cabo Beckham se había casado con una Spice Girl y respecto a su gusto musical todo me parecía posible. Pero entonces, antes de poder contemplar los tatuajes de Beckham más de cerca, alguien dijo con voz ronca: «¡Henry! Mi querido muchacho», y no era David Beckham, sino una mujer desnuda que se estiraba en la piscina de hidromasaje. Eso significa que no podía saber si estaba del todo desnuda, pues el agua soltaba demasiadas burbujas, pero de la cintura hacia arriba sí que no llevaba nada puesto. Con un uniforme bronceado ligero en la piel, brillantes rizos dorados y enormes ojos verdes rodeados de pestañas largas y gruesas, podría haber pasado fácilmente por una sirena. Solo el pintalabios rojo intenso la hacía parecer un poco ordinaria.

Henry le sonrió. No solo como si la hubiera esperado aquí, sino como si estuviera contento de verla. Noté cómo me volvía un poco más pesada y me hundía lentamente hacia el suelo.

—Hola, B —dijo Henry, que ni siquiera le dedicó una mirada de soslayo a Beckham. ¿Be o B? ¿Era un nombre en clave? En todo caso, su copa de sujetador no.

B estiró una de sus largas piernas fuera del agua. Si en su lugar hubiera tenido una cola de pez, no me habría sorprendido.

—¿No te gustaría meterte en el agua? —sonrió, lasciva.

No, no le gustaría, me habría gustado gritar, pero las nubes no podían hablar. Henry se desabrochó el cinturón del albornoz y, con un gesto desenfadado, lo dejó deslizarse por sus hombros hasta el suelo, con tanta determinación que B suspiró en la piscina de hidromasaje y tuve problemas para mantenerme en el aire. Sin que yo interviniera para nada, me fundí en algo entre nube y agua condensada y supe que no podría aguantar ese curioso estado por mucho tiempo. Pero eso no era lo único que sabía; ¿qué demonios estaba pasando aquí? Las palabras malvadas de Secrecy cruzaron por mi cabeza. ¿Qué más había escrito? ¿Que Henry no era precisamente conocido por contenerse en lo que respecta a las mujeres?

Sin darme verdadera cuenta de lo que hacía, me transformé en una libélula y me puse en la hoja de unas cintas que había junto a la piscina. Eso estaba mejor. Como libélula, al menos podía respirar y sujetarme con las seis patas en el suelo.

Mientras tanto, B entrecerró los ojos y se regodeó contemplando a Henry de arriba abajo.

—Tienes un cuerpo tan fantástico —musitó. Hasta David Beckham se desvanecía al lado de Henry, incluso más que proverbialmente, pues ya había desaparecido sin dejar rastro. De todos modos, Henry llevaba bañador, por lo que pude comprobar, aunque en realidad en ese momento eso no me tranquilizaba.

»¿A qué esperas? —Sonriendo, B echó la cabeza hacia atrás. También tenía unos dientes bonitos—. ¿Acaso tienes miedo de mí?

No, definitivamente Henry no parecía tener miedo. Más bien al contrario. Noté cómo mis alas empezaban a temblar. ¿Quizás este era el motivo por el que Henry esperaba con tanta calma a que nuestra relación progresara? ¿Por qué con otras...?

—No entres —le imploré mentalmente. Me habría gustado taparme los ojos con las patas delanteras (¿por qué siempre tenía que escoger animales con un sentido de la vista extraordinario?), pero no hice nada parecido. En lugar de eso, me quedé mirando a Henry, que se estaba deslizando en el agua delante de mí y se sumergió tan lentamente como un modelo masculino en un anuncio de colonia. Cuando reapareció, a su alrededor centellearon a cámara lenta unas diminutas gotas de agua en las que la luz se refractaba, en su piel suave brillaban gruesas perlas de agua. Con una sonrisa de satisfacción, Henry se puso cómodo enfrente de B. Tenían la piscina para ellos solos. Y Celine Dion volvió a empezar desde el principio: «*Every night in my dreams I see you, I feel you, that is how I know you go on...*»

¿Las libélulas podían vomitar? Yo estaba a punto.

En lugar de David Beckham, en el borde de la piscina había aparecido entretanto un hombre mayor con un traje arrugado. Estaba sentado en una silla de plástico cutre que no encajaba nada en ese ambiente noble y dijo algo en un idioma extranjero, quizá ruso, bastante rudo y desagradable.

B frunció el ceño.

—¿Que ahora ya voy a por niños? —Solo entonces oí el ligero acento con el que hablaba—. Míratelo bien, papá, es más hombre de lo que tú has sido jamás. Y tengo derecho a un poco de diversión.

El hombre mayor respondió en su idioma, más desagradable que antes, torció el gesto con desprecio y, para reforzar sus palabras, escupió en el suelo.

—Eso no es cierto —gritó B indignada—. No parezco ni un día mayor de veintinueve, y este chico es mayor de edad y sabe lo que hace.

—Absolutamente —dijo Henry, aunque era mentira. De ningún modo era mayor de edad. Cumpliría los dieciocho en febrero, una semana después de Florence y Grayson—. Y ahora le rogaría que se fuera y dejara a su hija en paz, si no desgraciadamente deberé echar una mano.

El padre de B no daba la impresión de querer estar dispuesto a cumplir esa petición. Abrió la boca para replicar algo, pero Henry levantó la mano y fue como si hubiera apagado el volumen con un mando: el padre de B hablaba con gestos impetuosos, pero no se le podía oír, tampoco cuando se esforzó cada vez más por abrir mucho la boca y marcar las venas de la frente. Con otro movimiento de la mano de Henry, aparecieron dos bañeros vestidos de blanco que, en silencio, levantaron al hombre vociferante con su silla cutre incluida y se lo llevaron de allí.

—Bueno, ya está —dijo Henry, y se volvió de nuevo hacia B, que le miraba asombrada.

—¿Cómo lo has hecho? —preguntó B—. Nadie antes había logrado hacerle callar.

—En ese caso, ya era hora —dijo Henry. El gesto de encogerse de hombros era tan típico en él que empecé a temblar en mi hoja de la cinta y esta vez la hoja tembló conmigo. ¿Qué hacía yo aquí en realidad? ¿Por qué le había seguido? No quería ver todo eso. Lo único que quería en realidad era despertarme.

Entretanto, toda la planta se sacudió, pero Henry no lo notó.

—No te mereces eso, B, de verdad —prosiguió él con voz profunda y aduladora—. Una mujer como tú no debería dejar que nadie la tratara mal.

—Oh, maravilloso, chico maravilloso.

B hizo ademán de nadar hacia él y, durante los siguientes días, me pregunté muy a menudo qué habría pasado a continuación si yo no hubiera crecido en la hoja de la cinta y me hubiera resbalado lentamente hacia abajo. Con un ruidoso chapoteo, aterricé entre Henry y

B en el agua burbujeante. A B se le escapó un pequeño grito y se atragantó, mientras Henry me miraba perplejo.

No había tenido ningún control sobre la transforma-
ción inversa y no me asombró que yo también estuviera
desnuda, aunque mi piel brillaba en metálicos tonos azul
verdosos y en mi espalda seguían encontrándose cuatro
tiernas alas de libélula que colgaban absolutamente em-
papadas e inútiles.

Pero eso ahora daba igual.

B fue la primera en recuperarse del susto. Tosió y
escupió algo de agua.

—¡Oh, no, no! —dijo entonces disgustada—. Era tan
bonito. ¡Perfecto! No necesitábamos ningún elfo raro o
un ser de *Avatar*. ¿Qué se supone que es?

Sí, ¿qué se suponía que era? Tampoco yo lo sabía. Ya
no sabía nada.

La expresión culpable en los ojos de Henry aún lo
empeoró todo y me puso tan furiosa que olvidé por completo avergonzarme.

—Vaya, ni idea —gruñí mientras corregía mi color
de piel y hacía desaparecer las alas—. ¡Preguntémosle a
Henry!

Pero Henry se quedó callado. Era obvio que verme
le había dejado sin habla.

Nadé hasta el borde de la piscina, salí y caminé pesadamente mojando a las otras personas desnudas al pasar.
Mis pies seguían siendo verdes y cada uno de los que
estaban en la sala parecía mirarme boquiabierto. Podían
hacerlo... ¡seguro que jamás volveríamos a vernos!

¿Por qué no podía despertarme? ¿Dónde estaba la
puerta que conducía al pasillo? Quería irme a casa. Simplemente a casa.

Como si alguien hubiera abierto un grifo en mi interior, empecé a llorar. Las lágrimas me caían por las mejillas, no podía hacer nada por evitarlo. ¡Maldición! Lo que faltaba. En alguna parte tenía que estar esa maldita puerta. Cegada por las lágrimas fui palpando por la pared.

—¡Liv! —Henry me agarró el brazo con las dos manos y me hizo volverme hacia él. Sin pensarlo mucho, eché mano de la maniobra de evasión que tanto había practicado con Mr. Wu en Berkeley y que había interiorizado hasta la médula. Como Henry volvió a agarrarme enseguida, le di un puñetazo en el esternón, Gua Tong Choy.

Pero en vez de doblarse por la fuerza del golpe, Henry estiró las manos e intentó secarme las lágrimas de las mejillas.

—¡Livvy, por favor! No te vayas corriendo.

Volvió a vestir vaqueros y camiseta y estaba completamente seco, y eso también me enfureció: al parecer tenía la calma suficiente para preocuparse por su aspecto incluso en esta situación, mientras que yo deambulaba desnuda, empapada y rebosante de lágrimas con los pies verdes.

Para colmo, ahora hizo aparecer de la nada un albornoz y me lo ofreció. Y sí, no cabía duda de que había compasión en su mirada.

—No deberías haber hecho eso, Liv —dijo en voz baja—. Toma, ponte esto.

Ese fue el momento en el que se me secaron las lágrimas y, de pura ira, me tensioné. Solo tardé una centésima de segundo en estar vestida e impecablemente peinada. Incluso me había imaginado las gafas. Ahora por fin podía volver a ver con claridad: ahí había una puerta forrada de tela, justo a mi lado.

—Por cierto —respondí, e incluso mi voz estaba rígida. Helada como un carámbano de hielo. Levanté la barbilla y miré a Henry directamente a sus ojos grises—. Siento haber estropeado la cita. No tenía ni idea de que te iban las mujeres mayores. Es maja, sin duda. Excepto quizá por el gusto musical. —Por los altavoces, Celine Dion seguía aullando que guardaría su amor seguro en su corazón. Y que su corazón seguía latiendo y su vida continuaba. Qué bien para ella—. Pero, eh, no se puede tener todo.

Con ímpetu, me eché el pelo a la espalda, giré sobre los talones y abrí la puerta. El arte de la salida teatral se lo había copiado a Florence. Por desgracia, era la puerta equivocada. Esta solo conducía a un armario empotrado lleno de toallas.

¡Maldición, maldición, maldición! Ni siquiera se me concedía una salida respetable.

Detrás de mí, Henry repitió mi nombre, pero antes de poder verme de nuevo hacia él, noté una fuerte presión en el pecho. Y entonces realicé una salida dramática cuando una zarpa gigante cubierta de pelo rojo irrumpió a través de la cúpula y me sacó del sueño de B.

18

En realidad, no era una zarpa gigante, sino las patitas de *Spot*, más bien finas en relación con el resto de su cuerpo, que me presionaban la mejilla. El gato estaba sentado sobre mi pecho ronroneando con fuerza y yo estaba tan agradecida de que me hubiera despertado de ese sueño que ni siquiera le reñí. Al contrario, le dejé quedarse sentado sobre mi pecho y le rasqué debajo de la barbilla hasta que mi pulso se calmó un poco. Nunca antes había añorado tanto la época en la que un mal sueño, después de despertar, realmente no era nada más que un mal sueño. En mi garganta se había formado un nudo gordo, porque las lágrimas que había llorado en el sueño se habían amontonado allí. Pero sabía que, si cedía al impulso, sería como la rotura de una presa, ya no se podría parar. Así pues, intenté concentrarme en el sonido tranquilizador del ronroneo y tan solo no pensar.

Pero *Spot* no había venido para dejarse acariciar. Para recordármelo, me dio otro cachete en la mejilla, una orden clara.

—¿Cómo es que has entrado aquí dentro, gatito? —Con cuidado, lo puse en el suelo, encendí la lámpara de la mesilla y me levanté. Alguien debía de haber abierto mi puerta, pues estaba segura de que la había cerrado antes de irme a dormir.

—¿O puedes bajar el picaporte desde hace poco?

Spot se restregó contra mi pierna todavía ronroneando fuerte. Eché un vistazo al despertador. Las tres y media. Probablemente el gato quería salir a su habitual vuelta nocturna cazarratones. Por lo general era Grayson el responsable (también tenía que deshacerse siempre de los ratones de campo muertos que *Spot* nos dejaba en el felpudo), pero hoy *Spot* me había escogido a mí para abrirle la puerta.

—Venga, ven —dije, y *Spot* salió disparado delante de mí por el resquicio de la puerta. En la escalera, me esperó mientras yo controlaba si Mia estaba tumbada en la cama y dormía tranquilamente (que era el caso). Una vez abajo, le abrí la puerta de la terraza de la cocina y, como siempre, de repente ya no tuvo prisa, sino que se quedó sentado en el umbral y se estuvo limpiando mientras yo pasaba el peso de una pierna a otra a la intemperie y poco a poco me transformaba en un carámbano de hielo. Sin embargo, me quedé mirando a *Spot* con auténtica compasión cuando por fin se dignó a marcharse. Su presencia había tenido algo de consuelo. O al menos a mí me había distraído. Cuando regresara a la cama, enseguida volvería a tener las imágenes del sueño a la vista, de eso estaba bastante segura: Henry quitándose el albornoz y metiéndose en la piscina de hidromasaje, sonriendo a B, diciendo con voz profunda: «Una mujer como tú no debería dejar que nadie la tratara mal.»

«Una mujer como tú...» En vez de ir a la cama, fui al baño y me miré en el espejo. «Una mujer como tú.» Sin gafas y lentillas, no podía ver con claridad, pero aun así sabía que, en comparación con B, definitivamente no podía estar a la altura. Lo contrario de guapa, adulta y sexy. Lamentable de verdad.

Como si hubiera dicho una palabra clave, volvieron a venirme a la cabeza todas las cosas malas que Secrecy había escrito, los comentarios de mis queridos compañeros. Quizá tenían razón de verdad en lo de que Henry y yo todavía no nos habíamos acostado juntos porque era demasiado infantil y demasiado inmadura para él.

Lo contrario de deseable.

Y, entonces, sin más preaviso, las lágrimas empezaron a caer y ya no tenía *Spot* alguno que me distrajera. No estaba en condiciones de detenerlas, aunque lo intenté de verdad. Retorciéndome como con un horrible dolor de barriga, me apoyé en el lavabo y lloré tan intensamente como nunca antes en mi vida.

Cuando llamaron a la puerta, no habría sabido decir cuánto tiempo había pasado. Tampoco quería saberlo. Prefería no volver a saber nada. Tenía que haber una posibilidad de borrar de mi memoria sin más las últimas horas. Solo cabía preguntar dónde conseguir lo más rápidamente posible un hipnotizador que satisficiera mi deseo. Los electrochoques también deberían ayudar. Pero quizá las frías baldosas del baño también lo conseguían si me golpeaba la cabeza contra ellas con suficiente fuerza. Volvieron a llamar.

—¿Liv? ¿Estás dentro? —Era Grayson y sonaba cansado y molesto.

¿En esta casa no se podía descansar ni siquiera de noche? Quería estar a solas. A solas con las baldosas.

—Vete... hip... Al baño de invitados, Grayson —le respondí igual de molesta. El peor sollozo había pasado, pero ahora tenía esa especie de hipo.

Grayson refunfuñó para sus adentros frente a la puerta.

Incluso sin lentillas podía ver en el espejo que tenía la cara con manchas y los ojos hinchados. Primero lo intenté con agua fría, pero como no tuvo efecto alguno, cogí un algodón desmaquillante, lo empapé con el tónico facial de naranja de Florence y me impregné con él. Contra las manchas tampoco sirvió, pero al menos olía bien. Lo que precisaba era una crema calmante. ¿Quizás había algo así en el valioso cuenco que teníamos prohibido tocar bajo pena de muerte? De momento, siempre me había mantenido apartada de él, pero ahora tenía la urgente necesidad de abrir algo con una tapa dorada. Fluido de caléndula. La letra pequeña apenas podía leerla, pero «caléndula» sonaba calmante y sano, el enemigo natural de las manchas rojas. Me lo apliqué generosamente en la cara.

—No creo que pueda reventar la puerta. —Evidentemente, Grayson seguía apoyado al otro lado de la puerta.

—No. Pero puedes... hip... largarte sin más —dije.

—No hablo contigo; y no, no puedo, si no despertaría a toda la casa... Liv, ¿qué haces ahí dentro?

—¿No has... hip... todo?

El suspiro de Grayson se pudo oír a través de la puerta.

—¿Te estás cortando las venas?

¿Qué?

—No. Me estoy poniendo crema. —Y ahora se me resbaló de la mano la fina tapita de cristal dorada y se cayó en el lavabo—. ¡Maldición! Hip.

—¿Has oído? Ella está bien.

¿Con quién estaba hablando? Ojalá no con Florence. Me mataría si descubría que la tapa tenía una raja. ¿Quizá se podía tapar con un poco de laca de uñas dorada? Una como la que había visto hacía poco en los dedos de los pies de Florence. Abrí el cajón en el que guardaba los pintaúñas. Había unos sesenta.

—No, idiota, no puedo verlo con mis propios ojos —increpó Grayson delante de la puerta—. Porque no tengo la capacidad de ver a través de las paredes... No, cómo quieres que... ¡Liv, abre ahora! Tengo que convencerme con mis propios ojos de que estás bien.

—Estás loco —dije. Ahí, pintaúñas dorado, al lado de un botecito marrón claro. Florence los había ordenado por colores.

—Díselo a Henry, no a mí.

El botecito de pintaúñas se me escurrió de las manos, aún pude atraparlo antes de que golpeara las baldosas. ¡Henry! Del susto, me había desaparecido el hipo como por arte de magia.

—No le has cogido el móvil, por eso me ha llamado a mí —dijo Grayson—. Y ahora me está volviendo loco y me obliga a deambular delante del baño.

A toda velocidad, abrí la puerta y Grayson entrecerró los ojos cegado. En silencio, me alargó su iPhone.

—¡Por fin!

Estiré la mano, pero no era capaz de coger el teléfono. Solo la idea de oír la voz de Henry...

—Dile que estoy durmiendo —susurré.

Grayson puso los ojos en blanco.

—Para eso es un poco tarde. Por lo demás, también me he dormido y a él le ha dado absolutamente igual —bostezó—. Liv, ¿no podéis resolver vuestros problemas de día? ¡Por favor!

No, me temía que nuestro problema no se podía resolver. Ni de día ni de noche.

Grayson se puso de nuevo el móvil en la oreja.

—¿Has oído? No quiere hablar contigo. Pero está bien.

Sí, claro. Superbién. Excepto por las lágrimas que me brotaban de nuevo.

—¿Qué? —Grayson me observó un poco detenidamente ahora que sus ojos se habían acostumbrado a la luz. Arrugó la frente—. ¡Sí, por supuesto! Muy normal. Y ahora cuelgo, ¿vale? Son las cuatro y media y, maldición, a estas horas todos deberíamos estar durmiendo profundamente. Y no lo cogeré si vuelves a llamar, ¿está claro? Nos vemos luego en el entrenamiento. —Con un resoplido, colgó—. ¿Qué le has hecho?

—¿Yo a él? —Ahora era mi turno de resoplar, lo que en parte ayudó a mantener las lágrimas bajo control—. Solo le he molestado cuando estaba a punto de hacerle algo a alguien. ¿Por casualidad no conocerás a una tal B?

—¡Chist! —Grayson me agarró y apagó la luz del baño—. ¡No despiertes a los demás aún!

—Aún no he acabado aquí —dije, y encendí la luz de nuevo.

—Sí que has acabado. —Grayson volvió a apagar la luz.

»Tu sitio está en la cama. ¿Te has mirado en el espejo? Tienes un aspecto horrible.

—¿Acaso crees que no lo sé? —Intenté cerrarle la puerta del baño en las narices, pero se interpuso, me cogió del brazo y me arrastró por el pasillo.

—Esta tarde tenemos un partido importante, y el entrenador ha convocado un entrenamiento adicional. Ya basta. Tengo que dormir.

—Entonces sencillamente vete a la cama. —Me esforcé a medias por librarme de su mano, pero en el fondo estaba agradecida de que me hubiera sacado del baño. De lo contrario, probablemente me habría quedado allí durante días y algo malo habría hecho con la cabeza, las baldosas y los pintaúñas de Florence.

Pero no me pude deshacer de Grayson tan fácilmente. Solo me soltó cuando estuvimos en mi habitación y hubo cerrado la puerta detrás de nosotros. Entonces apoyó la espalda en la madera y respiró hondo dos veces.

Yo también. La compasión en la mirada de Grayson se podía ver bien incluso a la tenue luz de la lámpara de mi mesilla, y apenas se podía soportar. Entrecerré los ojos. No debía llorar delante de él. Tampoco lo haría.

—¿Qué tienes en la cara?

—¿Te refieres a la nariz? Es fea, ¿verdad? Como toda yo. No es de extrañar que Henry no me quiera.

—Me refiero a esa masa blanca... —Grayson levantó el dedo índice y me señaló la frente. Había olvidado por completo el fluido de caléndula de Florence. Me pasé el dorso de la mano por la cara.

»No eres nada fea, Liv, solo tienes unas cuantas pecas... y estás hinchada. —Grayson me miraba serio—. Y Henry... No tengo ni idea de lo que ha pasado entre vosotros, pero jamás le había visto tan fuera de sí.

¿Fuera de sí? Dudaba de que también él necesitara fluido de caléndula.

—¿Qué hacéis en vuestros sueños por las noches? —De repente, Grayson sonó indignado—. ¿Por qué no lo dejáis sin más? ¿Por qué no os concentráis en la vida real que ya es suficientemente complicada?

—Eso tienes que preguntárselo a Henry. —Me dejé caer en la cama boca abajo—. En general, no es mucho menos real cuando algo se vive en sueños. —Desgraciadamente. Y entonces volvieron a caer las lágrimas. Maldita mierda.

—Un motivo más para dejarlo estar.

Yo había hundido la cara en la almohada, pero podía oír cómo Grayson se acercaba y se sentaba titubeando en el borde de la cama.

—Lo que haya pasado entre vosotros es cosa vuestra —dijo, y ahora su tono de voz era considerablemente más suave—. Pero una cosa sí que sé: Henry nunca te haría daño, Liv.

¿No me lo haría? Ya me lo había hecho. Sollocé ahogada en la almohada.

—Te lo juro —dijo Grayson con cierta insistencia—. Le conozco desde primaria y contigo es muy diferente.

Me incorporé de golpe.

—¿Ah sí? ¿Cómo de diferente?

En la cara de Grayson apareció una sombra.

—Esto no te lo puedo explicar bien.

Furiosa, alcé la nariz.

—Una explicación sí que me habría ayudado —dije. En realidad, había querido poner un tono sarcástico, pero la frase resultó un ruego encarecido.

Pero parecía que Grayson prefería estar en otra parte.

—Henry... —volvió a titubear—. Ya ha tenido algunas... muchas novias, ¿vale?

Oh. Buena explicación. Quizá prefería mujeres algo mayores que se lo montaban de fábula en una piscina de hidromasaje. Realmente, este era el mejor consuelo que Grayson podría haberme ofrecido. Debería haberlo intentado con las baldosas.

—Pero todo eso era siempre muy breve. Y superficial —dijo Grayson a toda prisa. Llevaba ese sentimiento de culpa escrito en la cara—. Henry nunca ha dejado que nadie se le acercara. Pero contigo es diferente. Henry es diferente. Es... —Hizo una breve pausa—. Contigo es, en cierto modo, él mismo. Feliz.

La conversación estaba yendo en la dirección equivocada.

Negué con la cabeza.

—¿Feliz? ¿Y qué pasa entonces con...? —Me interrumpí. No fui capaz de contarle a Grayson lo de la sirena desnuda de la que Henry no podía deshacerse aunque estuviera conmigo. Eso era demasiado humillante—. Claro, y como es tan feliz, me cuenta todo sobre su vida —dije en lugar de eso.

—Liv...

—Es cierto. Incluso Emily sabe más de él que yo.

Grayson se levantó y caminó hacia la ventana. Solo ahora me di cuenta de que hoy, cosa rara, llevaba camiseta.

—Henry nunca ha contado mucho de sí mismo, ni siquiera a Arthur y a mí. Preferiría arrancarse la lengua. Solo que, a lo largo de los años, nos hemos enterado de alguna que otra cosa.

—¿De qué, por ejemplo? —pregunté.

En el rostro de Grayson, se notaba que se esforzaba. Se volvió hacia la ventana e hizo como si mirara hacia fuera.

—En su octavo cumpleaños, todos tuvimos que irnos antes cuando su madre entró en el salón tambaleándose y, en vez de querer cortar la tarta, quiso cortarse las venas. Porque el padre de Henry tenía una aventura con la *au-pair* sueca. Su decimotercer cumpleaños se fue completamente al garete. En ese caso resulta que su madre desapareció sin dejar rastro durante una semana en la que Henry estuvo solo en casa con Milo y Amy, que solo tenía cuatro meses, mientras su padre disfrutaba en algún yate en el Mediterráneo y no estaba localizable. En realidad, como siempre que Henry le ha necesitado. He perdido la cuenta de las veces que Henry ha llegado tarde al colegio o al entrenamiento porque tenía que ocuparse de algo en casa...

Grayson había hablado rápido y con la voz ahogada,

como si las frases le dolieran físicamente, y a mí me pasó algo parecido. Todo eso era mucho, mucho peor de lo que yo había supuesto.

Y aun así, mientras me inundaban esas horribles imágenes de la vida familiar de Henry y mi corazón se compadecía terriblemente, sabía que eso no cambiaba un hecho: Henry había estado a punto de engañarme con otra mujer, y eso no hacía menos daño ahora que antes. Solo que, para colmo, ahora me veía a mí misma fría y egoísta porque no podía perdonar al pobre Henry, que ya había tenido que sufrir bastante por su desastrosa familia, que se acercara a una mujer desnuda en la piscina de hidromasaje.

Se oyó un sonido lastimoso y, por un momento, creí que *Spot* volvía a estar ahí. Eso fue antes de darme cuenta de que era yo quien había soltado ese sonido.

Grayson se volvió hacia mí. Tuve miedo de mirarle a la cara, porque si volvía a componer aquella expresión tan compasiva, me encerraría en el cuarto de baño. Para siempre.

Pero esta vez en la mirada de Grayson no había compasión sino más bien algo parecido al disgusto.

—Soy un idiota —profirió—. Es asunto exclusivo de Henry contarte estas cosas. Y debería haberlo hecho hace tiempo. No sé por qué me he encargado yo ahora.

—Porque quieres ayudar. —No sabía exactamente por qué, pero de golpe me sentí un poquito mejor. Más ligera.

—Pero si te ha hecho algo que te ha dolido, entonces... mi ayuda no sirve de mucho. —Grayson me sonrió avergonzado—. Aparte de que he exagerado un poco. Entonces no estuvo del todo solo con Amy y Milo. El jardinero y el ama de llaves también estaban. Y las mascotas y la *au-pair*. Pero de ellas sigue sin fiarse en lo que respecta a Amy. Me refiero a las *au-pairs*, no a las mascotas.

Intenté reír. Y de hecho, incluso funcionó en parte.

Grayson se acercó a mí y me miró fijamente a la cara.

—¿Hace cuántas noches que no duermes de un tirón?

Me encogí de hombros y volví a apoyarme en la almohada. De repente, estaba muy cansada. Cansada y agotada y desbordada.

Echó un vistazo a mi despertador.

—Aún tienes un par de horas, les diré a todos que no deben hacer ruido ni despertarte. De Mia no tienes que preocuparte, he ido a verla antes, está durmiendo tranquilamente en su cama.

Tuve que sonreír.

—He dispuesto un par de medidas de seguridad en su puerta de los sueños, solo por si acaso. Quizá tú también deberías hacerlo en la tuya.

—¿Debería? —Ya se disponía a marcharse, pero se volvió de nuevo y me miró desconfiado—. ¿Quién se interesaría por mis sueños? Estoy fuera del juego. Y espero de verdad que no hayas tenido la idea de, eh, abusar de mi confianza y visitarme en mis sueños.

—¡Nunca! Solo en caso de emergencia —le aseguré, y apagué rápidamente la lámpara de la mesilla. A oscuras, me resultaba más fácil seguir hablando—. ¿Grayson?

—¿Sí?

—Gracias. A veces no sabría qué hacer sin ti. —Farfullando, añadí—: Y lo siento. Que por mi culpa duermas poco. Que tengas que preocuparte. Y que hayamos podado ese espantoso arbusto.

Oí a Grayson suspirar.

—Está bien.

—No, no lo está. Realmente eres el mejor hermano

mayor y el más encantador... —¡y el más guapo!— que se podría desear.

Soltó una risita.

—Y tú eres la hermana pequeña más desquiciante... y pecosa que he tenido nunca. Que duermas bien, Liv. Mañana todo volverá a estar bien.

Dimes y Diretes

El blog *Dimes y Diretes* de la Academia Frognal con los últimos cotilleos, los mejores rumores y los escándalos más candentes de nuestro colegio.

SOBRE MÍ:
Mi nombre es Secrecy; estoy entre vosotros y conozco todos vuestros secretos.

ACTUALIZAR   **ACTIVIDAD**

13 de enero

Pensaba que, si Jasper ya no estaba para ponerle apodos al árbitro, empezar peleas o arrancarse la camiseta del cuerpo en mitad del partido, sería aburrido ver a los Frognal Fire, pero ¡eh! me equivocaba.

Bueno, quizá sería mejor si hubiéramos ganado, pero de todos modos no se puede criticar: el espectáculo fue impecable.

Gente, a veces me alegro sinceramente de no ser un chico, lo de la testosterona no es nada divertido. Parece aún más imprevisible que el síndrome premenstrual. Arthur ha logrado un nuevo récord; con dos faltas lamentables en solo ocho minutos ha huido del partido, guau, Gabriel no debería haber llamado al árbitro cegato plasta con barriga cervecera. Y Henry. Grandiosa la elegancia con la que ha puesto todos sus tiros libres cerca del aro sin mover un músculo.

Una pequeña nota solo para Eric Sarstedt: nos gustas, en serio, y te esfuerzas de verdad por representar dignamente a Jasper. Pero si no te importa, por favor, déjate la camiseta puesta. Si queremos ver espaldas peludas, sencillamente nos vamos al zoo.

Después del partido, Grayson, capitán del equipo y subredactor jefe de *Reflexx*, concedió a su redactora jefe y novia Emily una entrevista que nos alegramos de poder transcribir palabra por palabra, en exclusiva para vosotros.

Emily: «Necesito una declaración para *Reflexx*. Una frase que explique por qué habéis perdido. Parece que el entrenamiento extra no ha servido de nada a tus compañeros.»

Grayson: «Sencillamente deberían volver a dormir una noche entera. Tengo que irme.»

Emily: «¿Debo escribir eso?»

Grayson: «No, claro que no. Eso lo hacemos luego, ¿vale? Tengo que ir con los demás.»

Emily: «Luego ya no se puede. Conoces nuestros plazos. Solo una frase.»

Grayson: «¡Dios mío, Emily! Ya se te ocurrirá algo.»

Emily: «Grayson Spencer está decepcionado con sus compañeros que, con su comportamiento tardoadolescente volvieron a frustrar todos sus esfuerzos. Una se pregunta realmente por qué dedica tanto tiempo y energía a este deporte ridículo y a su equipo, aunque, en su año de graduación, en realidad debería concentrarse en cosas más importantes.»

Grayson: «¿Deporte ridículo? ¿El baloncesto? ¿Porque para practicarlo no hay que atormentar a un caballo con trencitas en la crin?»

Emily: «Porque hay que estar con un montón de imbéciles idiotas tres veces a la semana y eso se pega.»

Pequeña pausa.

Grayson: «Vale. Esa es una frase genial. Escríbela.»

Emily: «Grayson. No quería decir eso. Espera.»

Grayson (ya se ha ido).

Siempre lo digo, sería mejor que las parejas no trabajaran juntas, eso solo da problemas.

Veamos a ver qué se lee en *Reflexx* el miércoles. Probablemente nada. :-)

¡Hasta pronto!

Secrecy

P. S. Por cierto, Liv y Mia Silber, también conocidas como las Asesinas del Hacha, también conocidas como las Gafotas Arboricidas, no estuvieron en el pabellón, y personalmente tampoco las eché de menos. Se me sigue partiendo el corazón cuando pienso en *Mr. Snuggles*. ¿Y a vosotros?

Dimesydiretesblog.wordpress.com

19

Mr. Wu se encontraba delante de la puerta de Mia con su indumentaria de lucha, como un soldado de la guardia real, solo que en vez de un arma llevaba al hombro el mazo del gong. Sin embargo, no estaba segura de si también había realizado su servicio durante mi fase de vigilia. Al fin y al cabo, era una creación de mi sueño y, si no estaba dormida, ¿cómo iba a existir?

—Ningún intruso se ha atrevido a vérselas con la Garra de Tigre Celestial —me informó.

—¿Acaso alguien lo ha intentado? —pregunté con curiosidad, aunque en ese mismo momento se me pasó por la cabeza la idea de que una figura que tan solo me había imaginado no podría haber visto algo que no hubiera visto yo. (Sí, una idea complicada. Una de esas que deberían evitarse si no se quiere que el cerebro se haga un lío.)

—Todas las cornejas bajo el cielo son negras. —Mr. Wu balanceó la cabeza a un lado y a otro—. Estuvo ese extraño del sombrero...

¿Sombrero? Ese solo podía haber sido Lord Muerte. O mejor dicho, el doctor Ulmer, el psiquiatra de Anabel. ¿Y eso significaba que realmente había estado ahí o solo significaba que Mr. Wu, como parte de mí misma, decía en voz alta lo que yo temía? Pero ¿qué podía querer de Mia Lord Muerte? ¿Quizá solo había pasado por aquí porque buscaba a alguien diferente, a mí por ejemplo?

—Eso es bastante complicado —murmuré y eché un rápido vistazo a la puerta negra de Henry. Cuando había entrado antes en el pasillo y había visto que seguía estando justo enfrente de la mía, se me había removido todo en el estómago. Aunque insistía en que solo estaba aquí por Mia, no podía engañarme a mí misma, en secreto había esperado encontrar a Henry.

Durante todo el sábado, había evitado hablar con él. Después de haber dormido hasta las once, me tendría que haber reanimado y debería haber saltado de la cama alegre, pero una no se levanta de la cama reanimada y alegre cuando se ha pillado al novio con una mujer desnuda en la piscina de hidromasaje y se ha estado llorando la mitad de la noche. Al menos yo tenía la sensación de que, en vez de sangre, tenía plomo fundido en las venas. O veneno.

A pesar del entrenamiento extra y del partido, Henry me había dejado siete mensajes en el contestador y me había llamado tres veces al fijo, pero por la noche, cuando se acabó el partido y por fin me sentí lo suficientemente fuerte como para hacerle frente sin ponerme a llorar o gritar o las dos cosas a la vez, de repente silencio total. No más llamadas, ni SMS.

Y cuando había sonado el timbre de la puerta, solo era Emily que quería ver a Florence para preparar la fiesta de cumpleaños de los gemelos, naturalmente en ausencia de Grayson. Como acapararon el salón, Mia y yo tuvimos que abandonarlo. Lo que tampoco estuvo tan mal, pues mi deseo para esa noche era quedarme tumbada en la cama, mirar al techo y sentirme miserable.

Antes aún me di un baño mirando al techo y sintiéndome miserable. Quizá se debió al efecto del agua caliente, quizá también a que aún tenía un montón de sueño que recuperar o fue una especie de función protectora del cuerpo que, en situaciones de estrés, simplemente se apagaba, en cualquier caso, en la cama los ojos se me cerraron al instante. Mi último pensamiento fue para el pasillo, al que hoy no iría en ningún caso. Pues, por una parte, no sabía si Henry me esperaría allí y, por otra, quería que esperara en vano. Si acaso estaba esperando.

Vaya. Y ahora resulta que yo estaba aquí pese a mis buenas intenciones... Y Henry no.

—Primero se confunden las palabras, después se confunden los conceptos y, finalmente, se confunden las cosas —dijo Mr. Wu.

—Ahí tiene algo de razón. —Suspiré y le di un golpecito en el hombro—. Siga vigilando, lo está haciendo genial.

¿Y ahora? Giré sobre mí misma. De nuevo me quedé mirando la puerta de Henry. La cabeza de león de latón y los herrajes de las tres cerraduras dispuestas una encima de la otra brillaban a la luz difusa del pasillo como recién pulidas. Durante un par de segundos, me fijé en las palabras «*dream on*», sigue soñando, que estaban talladas con letras oscilantes y llamativas, a continuación me puse en marcha. Tan solo lejos de ahí. Corrí pasillo abajo, doblé la esquina hacia la izquierda y solo me detuve cuando descubrí la siguiente puerta conocida. Pertenecía a Arthur y, por un segundo, me planteé llamar a la puerta. Quizás Arthur tenía respuestas a mis preguntas.

Rápidamente, volví a dejar caer la mano. ¿Tan lejos había llegado? ¿Por pura desesperación buscaba la compañía de Arthur? Habría preferido abofetearme a mí misma, pero ya no pude, pues de repente tuve la certeza de no estar sola. No era la primera vez que el pasillo estaba tranquilo, pero, sin embargo, se podía notar la presencia de alguien más.

Y no me equivocaba. Era Lord Muerte, que apareció de las sombras del siguiente cruce. Con capa y sombrero de ala ancha bien calado en la frente.

—Mira, la chica leopardo —dijo, y sonó verdaderamente encantado.

Yo no estaba asustada ni tenía miedo, y eso me sorprendió un poco.

—Señor lord. De nuevo elegantísimo —repliqué—. Aunque esa capa de piel me recuerda un poco a los disfraces de las películas baratas de clase C.

Lord Muerte echó la cabeza hacia atrás y soltó una risotada. Ese efecto de terror, entretanto, se había suavizado notablemente para mí. Ya no se me ponía la piel de gallina. Se calló y se acercó un paso más. Ahora no podía reconocer los acuosos ojos azules bajo el ala del sombrero.

—Oh, ¿acaso no tienes una araña en el brazo?

En efecto. Una gran tarántula peluda me trepaba lentamente por la manga. Solo con esfuerzo reprimí un grito. Si esto no hubiera sido un sueño, habría saltado por los alrededores gritando bien fuerte. Para ser sincera, la araña solo habría tenido que ser la mitad de grande. No me llevaba bien con los animales que tenían más de cuatro patas. En nuestra época en la India, había tenido que pasar mucho tiempo chillando. Pero no quería darle a Lord Muerte ese placer. Y esto no era la realidad. En ella, estaba segura y recogida en mi cama en una casa libre de tarántulas.

—De hecho, todavía no me he encontrado a ninguna chica que no le tenga miedo a las arañas —dijo Lord

Muerte alegrándose maliciosamente. Para él debía de parecer como si me hubiera quedado helada de miedo—. En psicología, eso se explica de forma muy simple: tenemos más miedo de los seres cuya apariencia física es menos similar a la humana.

Tuve que hacer un gran esfuerzo, pero estiré la mano y acaricié la tarántula por el lomo peludo.

—Tan agradable y suave —dije—. Tóquela. Creo que esto se denomina terapia de confrontación, ¿no?

Contaba con que ahora haría que la tarántula mordiera o creciera hasta convertirse en una araña gigante (pues eso habría hecho yo en su lugar), y me preparé para transformarla en una limonera, pero Lord Muerte solo puso una sonrisa taimada.

—Valiente, valiente, pequeña —dijo—. Pero a mí no me engañas. Veo perfectamente por lo que estás pasando: pupilas dilatadas, pulso acelerado, mayor frecuencia respiratoria... Oh, mira, ahí vienen más...

Entre nosotros habían aparecido dos tarántulas más y se encaminaron a mis piernas. Y sí, mi respiración se volvió un poco irregular.

—Apuesto más por los efectos sutiles, ¿sabes? —prosiguió Lord Muerte con un chasquido de lengua sádico, y aparecieron dos arañas más. Esta vez, reptaban por las paredes hacia abajo.

—A una araña se le puede echar un ojo, pero ¡a dos! —Los acuosos ojos azules me observaban con atención—. Son los incontables movimientos rápidos lo que las hacen tan aterradoras. ¿Sabías que pueden saltar fabulosamente?

—¿Es eso cierto?

Mientras las arañas se acercaban, me hice crecer dos brazos adicionales. Y dos piernas. Con abundante pelo. Bajo los ojos cada vez más abiertos de Lord Muerte, me transformé en una tarántula gigante y no me resultó difícil; tenía a esas pequeñas bestias justo delante de los ojos. Delante de mis ocho ojos, para ser más precisa, dos grandes y seis pequeños con los que ahora tuve a Lord Muerte en el punto de mira.

Tropezó completamente sorprendido yendo de espaldas y, de repente, sostenía en la mano una botellita que estaba rellena de un líquido claro y brillante. Él mismo parecía estar bastante sorprendido, pero se apartó de mí y gritó:

—¡No te acerques!

Yo no quería, pero me eché a reír. Alguien había visto demasiadas veces *El señor de los anillos*.

—¿La luz de Eärendil? Me temo que esto aquí no sirve.

De reírme tanto, apenas me pude sostener sobre las finas patas de araña, mi inmenso cuerpo se balanceaba a un lado y a otro, pero logré cambiar la botellita de la mano de Lord Muerte por una de las tarántulas del suelo. Las otras tres se las puse en el sombrero de ala ancha. Y después, como de todos modos mi risa aguda ya había hecho desaparecer el terror de mi aterradora apariencia, me volví a transformar en mí misma y me estiré la camiseta.

Eso me había sentado bien. Busqué un dicho adecuado en el amplio repertorio de Mr. Wu, pero con las prisas solo se me ocurría uno y no era precisamente adecuado. Sin embargo, lo dije, por principio.

—Cuando el viento del cambio sopla, unos construyen muros, otros molinos de viento.

Pero Lord Muerte no prestaba ninguna atención a mis sentencias, bastante tenía con deshacerse de las arañas que él mismo había imaginado, como pude comprobar con satisfacción. Cuando por fin lo consiguió, la puerta de Arthur se abrió y este salió.

—¿Molesto? —preguntó, dirigiendo la vista de mí a Lord Muerte y de nuevo a mí.

—En absoluto —dije mientras la puerta de Arthur se cerraba tras de sí—. Frodo y yo nos entreteníamos con la psicología aplicada. ¿Sabías que...?

No pude seguir más, pues Lord Muerte se había enderezado, había levantado el brazo y me había lanzado algo que parecía un rayo. Me habría alcanzado si no se hubiera formado una especie de campo de energía en el pasillo justo delante de mí, como una pared en la que el rayo rebotó y se rompió en mil chispas diminutas.

Arthur parecía sorprendido y solo entonces me di cuenta de que no había sido él quien me había salvado.

Me di la vuelta. Henry. Estaba en el pasillo algo detrás de mí y tenía levantada la palma de la mano en dirección a Lord Muerte. Al verle, mi corazón se aceleró, en realidad tal como debería haberse acelerado antes con las arañas. ¿De dónde salía de golpe? ¿Había estado ahí todo el tiempo? ¿Acaso me había seguido y observado desde el principio?

Tenía buen aspecto, mejor que yo, pálido, con los ojos grises brillantes y una leve sonrisa en los labios. Con un movimiento desenfadado, metió las manos en los bolsillos del pantalón y Arthur aplaudió.

Lord Muerte también parecía haberse quedado temporalmente sin habla. Nos miró a los tres enfadado.

—¿Qué se supone que representa esto, señor lord? ¿Thor, el dios del trueno? ¿O Zeus? —Henry meneó la cabeza, compasivo—. Fantasías de omnipotencia, cuero negro, rayos: un caso claro de megalomanía. Pero seguro que eso hace tiempo que se lo ha autodiagnosticado, ¿verdad, doctor Ulmer?

Lord Muerte parecía un poco asombrado. Se enderezó el sombrero.

—¿Doctor Ulmer? —repitió Arthur.

Henry asintió.

—Dr. René Otto Ulmer, el psiquiatra de Anabel en la clínica. En realidad, es un poco más gordo y bajito y lleva gafas. Pero ¿quién quiere parecer en sueños exactamente igual que en la realidad?

Estaba del todo claro que Arthur estaba totalmente sorprendido por esta noticia. Su mirada reflejó una tras otra una serie de emociones: asombro, comprensión y, al fin, rabia. Los maxilares estaban activos.

—¿Le ha enviado Anabel? ¿Se deja utilizar por una chica de dieciocho años?

El doctor Ulmer se había controlado un poco y, paulatinamente, parecía haber regresado a su habitual seguridad en sí mismo.

—Vuestra amiga Anabel tiene razón, en realidad no sois más que unos niños —dijo, y soltó una breve carcajada despectiva—. No dejo que nadie me utilice, y mucho menos una mocosa esquizoide. No obstante, sí le agradezco que me mostrara el camino a este mundo de los sueños. Pues, a diferencia de vosotros, hace tiempo que me he dado cuenta de que aquí no solo se puede jugar.

—¿Sino qué? ¿Dominar el mundo? —preguntó Henry—. No quiero ofenderle, pero para eso aún tiene mucho que aprender.

—¿Dónde está Anabel? ¿Y qué planes tiene para ella? —preguntó Arthur.

Lord Muerte hizo un gesto de desprecio con la mano.

—La pobre chica se pensaba que, si me manipulaba en sueños, quizá lograría salir de la clínica. Pero desafortunadamente su plan ha salido mal: resulta que no permito que me manipulen. Pero debo decir que esta posibilidad me parece muy fascinante. Solo por un momento pensé que ahora yo mismo me había vuelto loco...

—¿Y Anabel? —pregunté. Todavía tenía el corazón acelerado; aunque ya había dejado de mirar a Henry, prefería concentrarme en Lord Muerte .

—Anabel... Sí. Me habría mostrado completamente agradecido, solo que, por desgracia, la chica no cooperó. Habría podido necesitar su ayuda, todo esto es muy nuevo para mí. Pero a las personalidades como la de Anabel no les gusta que sus planes no funcionen. Vosotros lo sabéis bien. —Volvió a reírse. A cada segundo que pasaba, se le veía más seguro de sí mismo. Y por absurdo que pareciera, de golpe ya no me resultó tan ridículo. Sino muy peligroso—. Y como, por desgracia, no quiso jugar según mis reglas, tuve que... Bueno, digamos que se está tomando una pequeña pausa.

Ahora se me puso la piel de gallina por todo el cuerpo.

—Con pacientes como ella siempre hay que tener cuidado, una gran inteligencia además de un padre influyente, no quise arriesgar nada —prosiguió Lord Muerte con mucha calma. Nuestro silencio escandalizado pareció gustarle—. Pero, por suerte, como médico que le trata, tengo a mi disposición los medios.

—¿Qué le ha hecho? —murmuré. En mi cabeza se proyectó todo el arsenal de deprimentes tópicos cinematográficos sobre psiquiatras: electrochoques, camisas de fuerza, lobotomías, y vi a Anabel atada a una cama con los ojos inexpresivos.

El doctor Ulmer se acercó un paso.

—Hay somníferos fácilmente digeribles que evitan la fase REM del sueño —dijo autocomplaciente—. Por eso hace tanto tiempo que no veis a Anabel por aquí. ¿Quizá podríais visitarla alguna vez? Se quedará mucho tiempo en mi unidad y está tan sola. —Se dio una palmada en la frente—. Oh, no, no puede ser, le he prohibido las visitas. Solo por su bien.

—Usted... —El rostro angelical de Arthur había perdido todo el color—. ¡Usted miente! Anabel es demasiado lista para... Oh, Dios mío.

El doctor Ulmer sonrió triunfante.

—Todavía la quieres, ¿no, angelito? Admito que es una chica extremadamente guapa con esos increíbles ojos azul turquesa. —Hizo una breve pausa y le guiñó el ojo a Arthur—. Puedo entenderte. Pero créeme, no es para ti.

—Monstruo —profirió Arthur.

—Si Anabel no le ha enviado, ¿por qué nos busca? —preguntó Henry con el ceño fruncido—. ¿Qué quiere de nosotros?

La sonrisa autoindulgente dejó sitio a una expresión irritada.

—No quiero nada de vosotros. Pero sois los únicos que deambuláis por estos pasillos aparte de mí. ¡Con alguien tengo que practicar aquí! —Levantó la barbilla y pude ver el brillo demente de sus ojos—. En las horas de terapia, Anabel me ha explicado mucho de vosotros y debo decir que cuenta con un gran conocimiento de la naturaleza humana. Fue como si me encontrara con unos viejos conocidos cuando os vi por primera vez.

Los maxilares de Arthur volvieron a moverse. Probablemente se imaginaba lo que Anabel le habría contado a su psiquiatra sobre él.

—Todavía sois mejores que yo, pero pronto será diferente. —Ahora el doctor Ulmer hablaba más fuerte—. Y, entonces, queridos niños, ¡deberíais tener cuidado!

Henry tenía razón. Este hombre realmente sufría delirios de grandeza. Tenía muchas ganas de lanzarle un rayo yo misma.

Pero ya no hubo ocasión. Sonó un pitido electrónico y, mientras aún seguíamos buscando el origen, Lord Muerte desapareció sin dejar rastro.

210

—Su alarma de guardia —dijo Henry—. Se ha despertado. Pero por lo menos, ahora sabemos un poco más. Me ha parecido encantado de dar información.

Arthur seguía pareciendo perplejo.

—No puedo creerlo —murmuró y señaló la puerta a su espalda—. ¿Entramos y seguimos hablando dentro? —Introdujo su código, por supuesto de forma que no lo viéramos, y la puerta se abrió—. Me gustaría saber cómo habéis averiguado quién es. Y qué debemos hacer ahora.

Hice ademán de seguirle, pero Henry me agarró la muñeca y me detuvo.

—Nosotros no hacemos nada, Arthur —dijo—. Ya no somos un equipo, ¿acaso te has olvidado? Lo del doctor Ulmer no cambia nada.

—Henry... —La mirada de Arthur habría podido ablandar incluso a las piedras, pero Henry se volvió dispuesto a marcharse. Y me arrastró con él, sujetándome la muñeca con firmeza. Noté la mirada de Arthur a nuestras espaldas, después oí cómo se cerraba su puerta.

20

—¿Qué querías hacer exactamente con Arthur? —me preguntó Henry con su habitual tono distendido. Aunque su lenguaje corporal decía algo muy diferente. Seguía sujetándome la muñeca con fuerza y me costaba caminar a su ritmo.

No respondí. Porque en realidad ni yo misma sabía exactamente lo que había querido hacer con Arthur. Probablemente, no habría sido difícil soltarme, pero me dejé llevar hasta la puerta de Henry. En ese rato, revisé como loca mi aspecto, en los sueños nunca se sabía. Peinado: bien. Ropa: bien. Pecas fuera: bien. Gafas fuera: bien. De todos modos, en los sueños no se necesitaban, los ojos funcionaban impecablemente incluso sin ayudas ópticas.

Tan solo no logré calmar el pulso. Estaba casi segura de que Henry podía oír mi corazón latiendo salvajemente.

Me soltó y sacó tres llaves para abrir su puerta. Al verlas, no pude evitar pensar que me había regalado la réplica de una de ellas. Junto con una cadena para que pudiera llevar la llave colgada del cuello. Entonces me había parecido romántico. Ahora me resultaba una auténtica burla. ¿De qué me servía una llave si se necesitaban tres para entrar en sus sueños?

—¿Vienes? —Ya había entrado. Le seguí al otro lado del umbral y tuve que parpadear al sol. Nos encontrábamos en una especie de parque con arbustos en flor y árboles altos. No, un momento, esto no era un parque...

—¿Un cementerio? Qué apropiado. —Me metí las manos en los bolsillos de los vaqueros. El corazón seguía haciendo lo que quería, pero el resto lo tenía bien controlado. Ningún nudo de lágrimas en la garganta que impidiera que mi voz sonara como debía sonar—. Por otra parte, es una pena. Me había hecho ilusión un baño en la piscina de hidromasaje.

—No era mi sueño —dijo Henry.

—Oh, cierto, era el sueño de tu novia B.

—No es mi novia.

—¿Sino qué? ¿Tu prima lesbiana a la que por desgracia solo puedes ver en sueños, porque en la vida real está secuestrada por un talibán que la mantiene prisionera desde hace años en una cueva de Afganistán?

Una sonrisa se coló en la cara de Henry, pero enseguida volvió a ponerse serio.

—Lo siento, Liv. Sé lo que tiene que haberte parecido. Pero tenía mis motivos...

—¿Que qué me ha parecido? Bueno, por lo visto mi novio se lo iba a montar con una mujer desnuda en la piscina de hidromasaje. —Le aparté de un golpe la mano con la que al parecer quería a acariciarme la mejilla.

Henry arrugó la frente.

—Tienes claro que solo era un sueño, ¿verdad?

—Para esa sirena desvergonzada, quizá; pero no para ti.

Se quedó callado un segundo.

—Si se visita a alguien en sueños, hay que adaptarse a las circunstancias —dijo entonces—. No hice nada más. Y no tendrías que haber... ¿Qué demonios estabas haciendo allí, por cierto? ¿Por qué me seguías en secreto?

Por un momento, me quedé sin aire por lo mucho que me enfadó la forma en la que, de repente, le dio la vuelta a la tortilla.

—La cuestión es cuánto te habrías adaptado aún a las circunstancias.

—No, la cuestión es por qué me seguías en secreto.

—Por casualidad yo ya estaba invisible cuando...
—Me interrumpí. En ningún caso me justificaría ahora...
Me quedé mirando los pies intensamente. A lo tonto, se me había vuelto a formar un maldito nudo de lágrimas en la garganta. Solo con esfuerzo y en voz muy baja pude hacer la única pregunta sobre lo que se trataba en realidad:

»¿Qué buscabas en el sueño de esa mujer, Henry?

No respondió enseguida y levanté la cabeza para mirarlo directamente, aunque me costó una barbaridad. Tenía tanto miedo de volver a descubrir esa expresión de conciencia de culpa.

Pero lo que vi fue más bien desamparo.

—Es complicado —dijo.

—Explícamelo.

—Hay cosas que no podrías entender, aunque quisieras.

—Inténtalo sin más.

Henry apretó los labios.

—¿Es porque carezco de experiencia en algunos ámbitos? —Se me escapó, y me enfadé porque había sonado tan cohibido y victoriano que probablemente a continuación me saldría una cofia de encaje. Ni siquiera podía hablar de sexo. Pero no sirvió de nada, ahora tenía que seguir—. ¿O tiene más que ver con necesidades masculinas de las que yo no tengo ni idea? —Oh, Dios mío, cada vez se ponía peor. Empecé a odiarme. En la mirada de Henry también se podía notar una ligera turbación.

—¿Qué...? No. —Se acercó un paso y esta vez le dejé que me tocara la mejilla. Con delicadeza, me acarició la sien con la mano—. Todo eso no tiene nada que ver contigo.

—Entonces, ¿con qué? —Me costó todas mis energías no arrimar la cabeza a su mano, como *Spot* hacía siempre cuando le acariciaban. Pero tampoco fui capaz de apartarle la mano como, sin duda, habría sido lo más sensato.

Suspiré.

—Ya he dicho que es complicado. Mi vida es complicada. Hay cosas de las que debo ocuparme porque, si no, nadie lo hace. —Sus dedos volvieron a deslizarse hacia abajo y me acariciaron tiernamente a lo largo del pómulo hasta la barbilla—. No puedes entenderlo. En tu familia siempre se puede contar con todos, y todos quieren lo mejor para los demás. En la nuestra, es diferente. Mi padre... Digamos que ha perdido un poco de vista sus deberes paternales. Eso me daría igual siempre y cuando solo afectara a sus fines de semana de visita, aunque suela romperle el corazón a Amy y a Milo. Pero no puedo permitir que ponga su futuro en juego. Él lo llama hacer negocios, pero en realidad sencillamente despilfarra montones de dinero. Dinero que no le pertenece a él, sino a Milo, a Amy y a mí. Mi abuelo le hizo administrador fiduciario hasta que seamos mayores de edad. Yo también puedo salir adelante sin dinero, claro, pero probablemente a Milo nadie le dará becas. Lo necesitará más tarde.

Escuché en tensión y apenas me atreví a respirar, me quedé pues en silencio, sin atreverme a interrumpirle o siquiera a indicar que aún no pillaba la relación.

—Mi abuelo murió hace cuatro años. Sabía lo que

pasaría si dejaba el dinero en herencia a mi padre. —Con la barbilla señaló la lápida que había a nuestro lado y me estremecí. Extrañamente, resultaba que el nombre de Henry estaba grabado en ella. «Henry Harper, amado esposo y padre.» Solo cuando leí el año de nacimiento, me di cuenta de que Henry había recibido el nombre de su abuelo—. Por eso decidió esta herencia con patrimonio fideicomisario. Debía asegurar nuestro futuro. También porque sabía que mi madre... no estaba en condiciones... de ocuparse. —Se fue atascando cada vez más y ahora enmudeció del todo.

—Lo sé —susurré. Eso fue un error. Henry dejó de acariciarme y arrugó la frente.

—¿Qué sabes?

—Que tu madre tiene problemas —dije.

—Eso está dicho de forma muy amable. —Dio un paso atrás—. ¿Lo has leído en Secrecy?

—No, me lo ha parecido, me lo he imaginado. Además, Grayson me... —¡Oh, no! Era una chivata— lo ha insinuado —terminé con poco entusiasmo.

—Oh, ¿lo ha hecho? —Henry se cruzó de brazos y apoyó la espalda en la lápida de un tal Alfons G. Oppenheimer.

—Solo quería ayudar. Despertar comprensión —dije rápidamente.

—¿Y? ¿Sirvió? ¿Ahora te compadeces de mí? —Bajo el tono de burla de la voz de Henry se notaba otra cosa que difícilmente pude distinguir. ¿Sufrimiento? ¿Rabia?

—Sí, me compadezco —dije, aunque intuía que no quería oír eso.

Y, efectivamente, abandonó una pequeña sonrisa triste y saltó por encima de la lápida de Alfons G. Oppenheimer para sentarse en un bloque de mármol más ancho en una tumba más allá.

—Entonces debo darle las gracias a Grayson. La compasión es una base fantástica para una relación.

Titubeé un momento, pero después le seguí. Rodeé las tumbas, aunque eso no habría sido necesario. Al fin y al cabo, esto era un sueño y daba completamente igual lo que pasara con los pensamientos de Alfons G. Oppenheimer.

Henry no levantó la vista cuando me acerqué a él. Vale, estaba furioso, aparentemente porque yo me compadecía de él. Pero en todo el mundo no había nadie que hubiera sentido algo diferente en estas circunstancias. ¿Cómo podía echármelo en cara?

—Nunca antes me habías confiado algo tan personal —dije con calma—. ¿Lo tienes realmente claro? Es la primera vez.

Sin respuesta. Vale, entonces no quería mi compasión. Respiré hondo. Podía hacerle ese favor. Cambié el tono de voz.

—No quisiera parecer desagradecida, pero deberías explicarme mejor la relación entre tu historia y la mujer de la piscina de hidromasaje.

Henry torció la boca en una sonrisa sarcástica.

—Vaya. Ya he dicho que no lo entenderías. —Había vuelto a cruzar los brazos y eso hice ahora yo también.

—Le doy vueltas y vueltas, pero sencillamente no me convence por qué los asuntos familiares te obligan a... eh... flirtear con una mujer desnuda. Y, por supuesto, me pregunto qué habrías llegado a hacer si no hubiera chapoteado entre vosotros.

Los ojos de Henry se entrecerraron un poco.

—Todo lo que hubiera sido necesario —dijo en voz baja pero muy decidido—. Lo siento si eso te hace daño. Pero puedo distinguir perfectamente entre sueño y realidad. Por lo visto, tú no.

Me quedé observándolo desconcertada.

—¿Perdón? Henry, en serio, ¿qué harías tú si me enrollara con otro en sueños?

Henry se encogió de hombros. Si antes su mirada había reflejado todo tipo de emociones, ahora era absolutamente inescrutable. Como si se hubiera puesto una máscara.

—Bueno, en primer lugar, no me enteraría, porque no te espiaría como un animal en celo; y en segundo lugar, me parece bien que en una relación haya un par de secretos entre los dos. Todo lo demás es tan... aburrido.

Me mordí el labio.

—Entiendo. —Sobre todo entendía que estaba haciendo esto a propósito. Tan solo no entendía por qué. Hacía unos minutos, aún había tenido la sensación de que confiaba en una reconciliación. Ahora parecía que quería ofenderme a cualquier precio. Ese no era en absoluto su estilo, había algo que no terminaba de encajar—. Entonces tenemos ideas completamente diferentes sobre cómo debe ser una relación —dije en voz baja.

Asintió.

—Eso me temo también. —Nos miramos a los ojos en silencio un rato, después dijo—: Me gustas mucho de verdad, Liv, pero hay cosas en mi vida que sencillamente no te incumben.

—¿Por ejemplo, ese asunto con B en la piscina de hidromasaje?

—Por ejemplo.

Me había tranquilizado bastante. Compasión, miedo, rabia, ya no sentía nada de eso. Era como si alguien hubiera apagado todas las velas en mi interior.

—Qué bien que hayamos hablado de esto —dije. Por poco había citado un dicho de Mr. Wu: «Si sobre lo fundamental no se da conformidad alguna, no tiene sentido hacer planes conjuntos.» Por una vez, encajaba perfectamente. Sin embargo, no lo dije.

—Entonces, ¿eso es todo? —preguntó Henry.

Asentí.

—Sí, eso es todo. Si eso es lo que quieres.

Tampoco ahora se movió nada en el rostro de Henry. Solo me miraba, y yo me volví buscando la puerta que daba al pasillo. Estaba justo ahí delante, al lado de un cerezo en flor ornamental. Qué amable por parte de Henry haber conseguido un ambiente tan primaveral para cortar conmigo. O más bien para hacerme cortar con él. Solo faltaba un acompañamiento musical adecuado. Mientras me dirigía a la puerta, medio contaba con que mis rodillas cederían a mitad de camino y yo me hundiría en el suelo llorando compulsivamente, pero nada de eso pasó. Mis lágrimas también habían desaparecido. Mi interior parecía un gran agujero negro.

En el umbral de la puerta, no pude resistir la tentación de volverme una vez más. Henry no se había movido del sitio. Estaba sentado en el bloque de mármol, tan inmóvil como si él mismo fuera de mármol.

21

Mia ya lo había previsto en su sueño: nadie se daría cuenta si me reemplazaba por un clon, ni siquiera ella misma. No obstante, fue la única que me miraba escrutadora de vez en cuando, como si intuyera que algo no cuadraba conmigo. Pero, aun así, en ningún momento se dispuso a ahogarme con un cojín.

Había sido una semana extraña. Extraña sobre todo porque yo había sobrevivido a ella sin más. Y porque nadie se había dado cuenta de que no era la auténtica Liv, sino un terrorífico clon que cada mañana se levantaba con normalidad, se tomaba el zumo de pomelo de Lottie, iba a Frognal en autobús, comía a mediodía con Persephone y hacía los deberes por la tarde. A la auténtica Liv la había encerrado junto con su corazón roto en un agujero oscuro, por mi parte allí podía sentirse morir, pensar en Henry y su amor perdido, y llorar a moco tendido.

La Liv clon me prestó un buen servicio esa semana, incluso sacó un notable alto en el trabajo de francés. La ventaja de la Liv clon era que no sentía nada. Por ejemplo, la mirada fulminante de Florence no le importaba nada. Y cuando la Bocre llamó por teléfono, ella lo cogió por casualidad y la Bocre sencillamente volvió a colgar, solo sonrió y le quitó importancia encogiéndose de hombros.

Cada día esperaba que Secrecy anunciara en su blog que Henry y yo ya no estábamos juntos, pero no pasaba nada. Quizá se debía a que los alumnos de último curso (¿también Secrecy?) tenían una serie de exámenes esta semana y no pasaban la hora de comer en la cafetería, donde probablemente habría sido evidente que Henry y yo ya no éramos pareja. Quizá también se debiera a que la Liv clon hasta ahora no había considerado necesario contárselo a alguien y por eso nadie había podido chivárselo a Secrecy. De todas formas, nadie había preguntado tampoco, ni siquiera Grayson, que sí que se había enterado de nuestra pelea. Pero como ya no lloraba ni deambulaba como un zombi pecoso (de esa parte se encargaba la auténtica Liv en su agujero oscuro), probablemente supuso que todo volvía a estar en orden. Lo que significaba que Henry tampoco había contado nada.

Solo nos habíamos visto una vez, Henry y yo, a mitad de la semana en el colegio, junto a nuestras taquillas. En el preciso momento en el que se detuvo delante de mí, la Liv clon falló y la auténtica Liv tuvo que sustituirla. Aparte de un ronco «hola», no me salió nada, pues todo lo que los días anteriores había logrado reprimir, volvió a aparecer al verle. La sensación de tristeza abrumadora me dejó sencillamente sin habla.

Henry no parecía tener esos problemas. Tal vez porque yo no era su primera exnovia. Él incluso me había sonreído.

—Tienes aspecto de haber dormido bien —había dicho—. Te favorece.

Gracias, quise murmurar, pero ni siquiera me salió. En general, tenía la sensación de que nunca más podría volver a hablar. La Liv clon intentó con todas sus fuerzas apartar a la auténtica Liv para evitar que se echara a llorar mientras Henry sacaba sus cosas de la taquilla y seguía charlando alegremente.

—Ahora tengo examen de Biología, cruza los dedos —dijo y me guiñó un ojo, como si fuéramos buenos amigos.

Y, entonces, por fin, tras un fuerte codazo, se escondió la auténtica Liv y la Liv clon volvió a aparecer.

—Claro, mucha suerte —dije justo a tiempo antes de que Henry hubiera desaparecido de nuevo al doblar la esquina.

Como he dicho, la semana fue rara. En realidad, no había creído que pudiera volver a cerrar un ojo, pero de hecho dormí casi como si estuviera en coma. Cada noche esperaba poder retirarme a la cama lo más pronto posible sin que se notara. Pero solo para dormir. En consecuencia, me mantenía lejos de mi puerta de los sueños. Que Lord Muerte practicara con otro, yo ya no estaba disponible.

Naturalmente, tenía mala conciencia por Anabel. Por supuesto era una loca que había intentado asesinarme, pero no por eso se había merecido quedar bajo los efectos de los tranquilizantes y aislada por su propio psiquiatra con quién sabe qué medios. Por eso, el domingo pasado había buscado el número del padre de Anabel en el listín telefónico y me había presentado como la amiga de Anabel, Florence Spencer, para preguntar por ella. Cuando Mr. Scott dijo que hoy ya era la tercera que llamaba, que los también amigos de Anabel, Henry y Arthur, ya se habían informado y que ahora iba de camino a la clínica para convencerse con sus propios ojos de que su hija estaba bien, me quedé aliviada.

En cuanto a Mia, cada noche dormía de un tirón exactamente igual que yo y me pregunté si de verdad otra persona había sido responsable del sonambulismo o si había habido una causa natural. En caso de no haberla, aparentemente había dejado de colarse en los sueños de mi hermana pequeña.

La propia Mia se había instalado en su habitación un complicado sistema de seguridad para prevenir el sonambulismo, una construcción ingeniosa compuesta de alambres, cuerdas, tapas de cacerolas y un cencerro suizo que dispararía una alarma ensordecedora si abandonaba la cama sin antes quitarse la cuerda que se había atado al tobillo. Y casi tropecé precisamente con este artefacto cuando entré el sábado por la tarde en la habitación de Mia, donde Lottie se estaba mirando delante del espejo con ojo crítico.

Faltaba poco para las seis y toda la casa estaba en la calma previa a la actividad frenética, porque hoy Ernest cumplía cincuenta y tres años y quería celebrarlo en un restaurante con el pequeño círculo familiar, como decía él (no podía intuir que se había colado un clon). Amablemente, el círculo familiar incluía a Lottie; estúpidamente, también a la Bocre y a Emily. Y a Charles, claro, lo que había lanzado a Lottie a un estado de gran agitación. No debía olvidar explicarle que ahora tenía un novio llamado Jonathan, solo por si acaso Charles se lo comentaba.

—No, ¡eso tampoco queda bien! —Lottie miraba furiosa su imagen en el espejo—. Parezco mi tía Friederike en bata de estar por casa. Como una pueblerina.

Crucé una mirada con Mia.

—Es el undécimo vestido que se pone —susurró, y ahí estaba de nuevo, la mirada penetrante de detective—. ¿Te va todo bien?

No era la primera vez que Mia me hacía esa pregunta esa semana. En concreto, la vigesimosexta vez. (Las había contado.) Y cuando me examinaba a través de las gafas como ahora arrugando la nariz, la auténtica Liv estaba muy cerca de regresar a la superficie. Pero no podía permitirlo, sencillamente era demasiado peligroso.

—Pues claro —replicó la Liv clon con naturalidad—. Gracias por preguntar. —Me volví hacia Lottie—. ¡Estás genial!

—No lo estoy —se quejó.

—Yo me pondría el verde, es el que mejor te queda —dijo Mia.

—Pero ya me lo ha visto eh... Me lo pongo tan a menudo. —Lottie dio un profundo suspiro.

—«Eh» no debería pensar que te has puesto de punta en blanco por él, ¿no? —repuso Mia.

—También es cierto.

Lottie se quitó la bata de la tía Friederike. Cogió su vestido verde que estaba en la cama de Mia junto a un montón de otros vestidos y se lo enfundó. Le ayudé a cerrar la cremallera y la miré con admiración.

—¡Perfecto! —dijo también Mia—. Ahora solo tienes que hacer algo con el pelo para que parezca que no te has hecho nada.

Si no hubiera sido demasiado tarde para eso, Lottie habría usado el rizador, lo que en el caso de sus rizos naturales habría tenido el mismo efecto que verter agua sobre el aceite hirviendo.

—Quizá podría humedecerlo un poco —dijo Lottie, apresurándose hacia el baño.

—Sí, o mojarlo del todo —murmuré a su espalda y me pregunté cómo y cuándo debería sacar el dichoso tema de Jonathan.

Mia apartó a *Buttercup*, que dormitaba, y se dejó caer en su puf.

—¿Te va todo bien, Liv? Pareces algo rara.

—Si lo vuelves a preguntar, le pido a Lottie que te haga uno de esos ridículos peinados de Gretel. Quizás este frutero que hace estos días.

Normalmente, Mia me habría sacado la lengua, pero hoy no. ¿Me lo había parecido o miraba de reojo a uno de sus cojines?

Por seguridad, desaparecí de su habitación.

La invitación de Ernest a comer para esta tarde nos había sorprendido a todos. Mejor dicho, la ocasión.

Ni siquiera mamá se había enterado de que era su cumpleaños. Inconcebible. Aunque no se habían conocido hasta el febrero del año pasado, era imaginable que, por lo menos, hubiera comprobado los datos básicos antes de mudarse y, entre ellos, estaba el cumpleaños.

Para celebrar ese día, habíamos hecho una tarta con un 53 de mandarinas, y Florence había renunciado a su principio de estar en la misma habitación con las asesinas de árboles. Ernest se había conmovido hasta las lágrimas por el hecho de que su hija hubiera logrado desayunar la tarta con nosotras en la misma mesa.

Yo, por el contrario, desgraciadamente ya no conseguí informar a Lottie sobre Jonathan antes de marcharnos hacia el restaurante. Estaba solo a un par de calles, pero Ernest fue en coche con Lottie, mamá y Florence, porque sus zapatos no eran aptos para un paseo. Mia y yo hicimos el camino a pie, Grayson llegó directamente del partido de baloncesto al restaurante y allí nos encontraríamos también con Charles, Emily y la Bocre. Tras unos días lluviosos, volvía a hacer un frío cortante y en los charcos se había formado hielo que Mia aplastaba en mil pedazos con entusiasmo saltando con los dos pies en cada charco.

—Creo que podría olvidar que en marzo cumplirás catorce años —dije.

—Oh, vamos, ¡es divertido! —gritó Mia, brincando—. Y reduce la agresividad.

Me miró animándome y, por un momento, se me ocurrió que podría tratarse de un test. A modo de prueba, hice añicos una placa de hielo bajo mis pies y tuve que admitir que tenía razón. Se trataba de una actividad igual de liberadora que reventar las burbujas del plástico de embalar. Y, en realidad, ¿quién decía para qué se era demasiado mayor y para qué no? Durante un rato, saltamos como posesas de un charco a otro y, por primera vez esa semana, pude volver a reírme de verdad. No con una de esas risas postizas del clon a las que me había acostumbrado, sino una auténtica risa de Liv.

Solo cuando nos dimos cuenta de que nos observaban, lo dejamos. Pero solo era Grayson en su bicicleta que nos miraba ligeramente extrañado, como si él mismo necesitara con urgencia una terapia contra la agresividad.

—¿Habéis perdido? —preguntó Mia, poco compasiva.

—No preguntes —gruñó mientras se bajaba de la bicicleta y la empujaba por la calle.

El restaurante estaba justo enfrente, muy elegante, con un toldo rojo y dorado y un portero y, aunque entre la acera y la calzada se encontraba el charco de hielo más magnífico de todos, Mia y yo conseguimos llegar a la entrada muy adultas.

De hecho, fuimos las últimas y, a lo tonto, ya estaban todos sentados a la mesa.

Mamá nos hizo señas. Su vecina de mesa era la Bocre y parecía debidamente nerviosa.

—Veo tres sitios libres al final de la mesa —analizó Mia, tajante, mientras se quitaba el abrigo y se lo entregaba al camarero—. Uno al lado de Emily, uno enfrente de Emily y uno al lado del sitio vacío enfrente de Emily. Me pido ese. —Con una sonrisa burlona, nos dejó.

Mientras tanto, Grayson me ayudó a quitarme el abrigo.

—Ahora podemos pelearnos por los otros dos sitios —dijo.

—Hum, ¿peste o cólera?

La Liv clon no ocultó que no podía soportar a Emily. La auténtica Liv no habría sido tan directa. Pero Grayson tan solo sonrió bonachón.

—Bueno, como no le he regalado a Emily ningún símbolo del infinito de auténtica plata de ley, preferiría sentarme a su lado en vez de enfrente —dije—. Así no tengo que mirarla todo el rato.

Además, así podía sentarme al lado de Lottie, con la que tenía que hablar urgentemente. Si aún no era demasiado tarde para una explicación, pues Charles ya estaba conversando con ella a fondo. Ojalá todavía no hubiera surgido el nombre de Jonathan.

Grayson le había pasado mi abrigo al expectante camarero y ahora paseaba una mirada escrutadora de mi pelo a mis botas.

—¡Guau! ¡Estás estupenda!

—Lo sé —dije, excepcionalmente con la misma opinión. Por fin había encontrado una combinación para la minifalda de tul color crema que mamá me había regalado por Navidad sin tener que parecer una bailarina perturbada o una aspirante a novia: con botas negras de cordones, leotardos grises y el jersey de cachemir gris de mamá, de repente la falda molaba bastante.

—Cuánto más avanza la noche, más guapos son los invitados —consideró también Charles cuando llegamos a la mesa. Sonreí con mi mejor sonrisa de clon, que también incluía a la Bocre. No importaba que no devolviera la sonrisa, lo importante era que estuviera sentada en el otro extremo de la mesa. Aunque mamá me diera un poco de pena. Grayson ya se había sentado enfrente de Emily. Solo había saludado a la Bocre con un besito. A este respecto Emily había salido de vacío, lo que le valió una mirada de diez redondo en la escala del cabreo.

—Lechón con salsa de cerveza de ciruelas —Mia ya estaba inmersa en la carta—, acompañado de berzas y ¿orquídeas? ¿De verdad?

—Este restaurante tiene dos estrellas Michelin —dijo Emily, mordaz—. Por desgracia, no encontrarás hamburguesas en la carta. —Al otro extremo de la mesa, la Bocre le dedicó una sonrisa de reconocimiento.

—¿Puedes ser un poco más suave? —dijo Grayson, irritado.

Un asiento más allá, Charles miraba a Lottie desafiante y le preguntó:

—Y... ¿has ido al cine últimamente? ¿Alguna recomendación?

Solo ahora fui plenamente consciente de lo valiente que había sido Ernest reuniendo a una misma mesa a todas estas personas a las que llamaba familia. Era como si hubiera juntado muchos barriles de pólvora con mechas encendidas. La Bocre despreciaba a mamá, a Mia, a Lottie y a mí. Mia y yo no podíamos soportar a la Bocre. Igual que a Emily, que nos encontraba más horribles que nosotras a ella. Era evidente que estaba tensa con Grayson. Que por su parte se había vuelto a pelear con Florence. A Florence le habría encantado que nos azotaran a Mia y a mí en público. A mamá la Bocre le daba más miedo que los terremotos y las declaraciones de la renta. Charles odiaba que su madre le controlara. Y suma y sigue. Y en medio estaba sentado Ernest, que nos tenía cariño a todos. Cuando ahora levantó su copa, miró radiante al grupo y nos agradeció a todos el haber venido, por primera vez se despertó en mí una profunda admi-

ración hacia él y comprendí por qué mamá se había enamorado tanto de él a pesar de su calva y sus orejas de
Dumbo. Eso significa que la auténtica Liv lo entendió y,
de pura emoción, despidió a la Liv clon y la envió al
universo paralelo del que había venido.

Una sensación solemne se abrió camino en mí y, casi
al mismo tiempo, me sentí mal. Toda la semana había
funcionado como una máquina, solo aguantando, sin
sentir nada, sin pensar nada, sin recordar nada. Pero ahora, de repente, ante la generosidad y el optimismo de
Ernest, ya no pude evitar que todos los sentimientos
reprimidos afluyeran como una ola y me destrozaran.
Junto con el recuerdo. Todo volvía a estar ahí. Y dolía
terriblemente. Henry aparecía en mi memoria sentándo-
se pálido y tranquilo en ese bloque de mármol y mirándome.

—¿Eso es todo? —le oí decir.

¿Eso era todo? En cualquier caso, lo era para mi autocontrol. Desesperada, intenté respirar con calma, pero
hice justo lo contrario. La mirada escrutadora de Mia
me recorrió. Esta vez no podría desviar sus preguntas y
todos los que estaban en la mesa serían testigos de mi
colapso...

Precisamente Emily me salvó.

—¡Puaj, Liv! —Hizo aspavientos delante de la nariz—. ¿Qué perfume de vieja más asqueroso te has puesto? Le quita a una el apetito.

Mi respiración se normalizó. No, no me vendría abajo. Aguantaría por cariño a Ernest.

—Qué pena, justo cuando te han invitado a comer
—dije—. ¿Y qué tal te han ido los exámenes?

Mia volvió a relajarse.

—Bastante bien. —Emily habló con voz nasal—.
Todo es una cuestión de organización y disciplina. Por

desgracia, sigue habiendo gente en nuestra clase que piensa que además puede conseguirlo todo relajadamente. Así, entre fiestas y baloncesto...

—¿Nos cambiamos los sitios? —preguntó Grayson mirándola con cierta agresividad—. Me gusta el perfume de Liv.

Quería explicar que no me había puesto ningún perfume cuando dos asientos más allá prosiguieron.

—Puedo recomendar mucho la película *Una cuestión de tiempo* —le dijo Lottie a Charles, y Charles preguntó:

—¿También le gustó a Jonathan?

Intervine con precipitación.

—¿Ya sabéis todos lo que queréis comer? Le he echado el ojo a... eh... —Abrí la carta. ¿Hígado de pato crudo marinado con chocolate amargo y espuma de remolacha por cincuenta libras? ¿Ternera con vinagreta de menta y rábano y alioli de alcaparras por setenta y cinco libras? Cielos, eso no era una carta, era un libro de los horrores. Al menos, parecía que había desviado la pelea que se avecinaba, ahora todos estudiaban atentamente la carta. Y por decir una cosa buena de ella: era muy clara.

Y entonces también llegó el camarero.

Decidida a no arruinarle la noche a Ernest, pedí los tortellini de mascarpone con trufas al Périgord. Esperaba que con eso no me equivocara mucho.

Mia se pidió espaguetis de cocción de ijada de ternera a la carbonara de caviar de Aquitania, pero por favor sin caviar.

El camarero ni pestañeó, pero Emily dijo:

—En este caso, el caviar es el ingrediente principal, Mia.

—Déjala en paz —dijo Grayson.

—A tu padre le cuesta setenta y cinco libras y ella tan solo comerá sin ganas y buscará desesperadamente la pasta —dijo Emily y se volvió hacia el camarero—. ¿Quizá, sencillamente, podrían traerle un menú infantil, pasta con alguna salsa neutra? Y yo tomaré el *velouté* de langosta con alcachofas y cilantro.

—Eres... —empezó Grayson, pero le interrumpí.

—Eso suena realmente delicioso, Emily. Yo también me lo había planteado. —Bueno, al menos me había planteado qué debía de ser un *velouté*.

Grayson me miró de reojo, irritado, pero de momento se quedó callado.

Lottie y Charles pidieron rape *à l'Armoricaine*. Es decir, Lottie lo pidió, Charles se limitó a decir «para mí, lo mismo, por favor» y se inclinó hacia Lottie. «Ese Jonathan...», empezó.

—Sí, el rape también suena delicioso —grité. Si se pasaba por alto las ostras y la ensalada de pepinillos y manzana al curry. Poco a poco empecé a sudar. Esto era como Wimbledon. No podía vigilar a todas las parejas de jugadores a la vez.

—Sí, claro, realmente delicioso —murmuró Mia señalando la mesa de al lado, donde estaban sirviendo un pescado. Entero junto con los ojos saltones.

Ahora le tocó a Grayson.

—Para mí, por favor, el rodaballo. Pero sin la compota de almejas —le dijo al camarero.

—Pero eso es lo mejor del plato —dijo Emily cuando el camarero se hubo marchado, y parecía que Grayson solo había estado esperándolo.

—Y seguro que ahora mismo me explicarás por qué es así, señora Sabelotodo.

Oh, Dios mío, ya no podía más. Aún no habíamos llegado al primer plato. Desvalida, miré de un barril de pólvora al otro. Y solo era lo que podía oír. Quién sabe cómo iría en la otra parte de la mesa.

—Las ostras son los únicos moluscos que se pueden degustar crudos y...

—¿De qué Jonathan me hablas todo el rato?

—¿Por qué te crees que eso le interesa a alguien?

—Me dijiste que no te gustaban las películas de acción.

Quizá debería empezar a plantearme sufrir un colapso, al menos eso les desviaría de sus propios problemas y, posteriormente, podrían decir que solo yo había arruinado la noche.

«¿Eso es todo?», volví a oír la voz de Henry en mi cabeza.

En ese momento, Ernest golpeó su copa de vino con un tenedor y todos nos callamos.

—Mientras esperamos la comida, me gustaría soltar rápidamente unas palabras si me lo permitís. Seré muy breve. —Sonrió al grupo—. Cuando celebré mi cumpleaños el año pasado por entonces jamás habría imaginado que un año después estaría aquí —con torpeza, apartó la silla hacia atrás y se levantó— y sería el hombre más feliz de la tierra. Porque te he conocido, Ann.

Mamá se puso colorada.

—Jamás me habría imaginado que volvería a vivir el gran amor. —El tono de Ernest era tan solemne ahora que se me puso la piel de gallina. No solo nosotros, todo el restaurante parecía estar escuchando, pues aunque Ernest hablaba bastante bajito, se le entendía sin problemas.

La Bocre simuló un ataque de tos.

Pero Ernest prosiguió completamente imperturbable.

—No era consciente de lo que me faltaba, pero ahora sé que no quiero volver a dejarte marchar. ¿Ann?

Se metió la mano en el bolsillo de su chaqueta y sacó

una caja. Cuando la abrió y apareció un anillo con una piedra preciosa, a mamá se le escapó un gritito ahogado. A la Bocre también.

Se me saltaron las lágrimas en los ojos. No pude hacer nada por evitarlo. Pero nadie me prestaba atención. Tampoco era la única cuyos ojos se habían humedecido. A Lottie incluso se le escapó un leve sollozo.

—Ann Matthews, ¿quieres ser mi esposa? —preguntó Ernest.

Mamá también luchaba con las lágrimas.

—Sí —susurró—. Sí, quiero.

22

Una cosa había que reconocerle a la medida de seguridad contra el sonambulismo de Mia: definitivamente cumplía su objetivo. Cuando las tapas de las cacerolas empezaron a meter ruido, me desperté enseguida. Cuando le tocó el turno al cencerro, ya me había incorporado en la cama. Y cuando el último estruendo sonó, ya hacía rato que estaba de pie.

No solo yo, todos los habitantes de la casa, incluso Lottie un piso más arriba, se habían despertado del susto, y acudimos en un momento a la habitación de Mia. Mamá y yo fuimos las primeras. Cuando llegamos a la puerta, enseguida nos dimos cuenta de que Mia era la única de la casa que seguía durmiendo. Hacía un frío helador en la habitación, la ventana estaba abierta de par en par y Mia estaba sentada de espaldas a nosotros en la repisa. Mejor dicho, en el borde exterior, mientras las piernas se balanceaban hacia fuera.

Mamá soltó un grito ahogado y se puso la mano en la boca, asimismo yo apenas pude reprimir con esfuerzo un gemido. Un movimiento en falso y Mia se caería de la ventana. Solo nos encontrábamos en el primer piso, pero caerse cuatro metros sobre un camino asfaltado era de todos modos bastante peligroso. La única cuestión era qué podíamos hacer ahora. Si le hablábamos ahora o la agarrábamos, quizá se despertaría en el momento equivocado.

Mientras me pasaban por la cabeza en una fracción de segundo varias imágenes horrorosas, todas relacionadas con una Mia sin vida en un charco de sangre entre flores congeladas, Ernest se apresuró a nuestro lado, simplemente agarró a Mia con los dos brazos y la volvió a meter en la habitación, con una rapidez y energía de la que jamás le habría creído capaz.

Solté el aire. Y volví a inspirar y a espirar. De repente, todo en la habitación me parecía más claro y cálido, aunque por supuesto nada había cambiado. La única luz procedía de las farolas de la casa.

Ernest, que en una vida anterior debía de haber sido bombero, llevó a Mia a la cama y la tumbó con cuidado. Mamá ya estaba a su lado y la agarraba como un luchador de sumo. Impasible y con la mirada vacía, Mia miraba el techo sin mirarla a ella.

—¿Qué pasa aquí? —Florence había llegado la última, estaba de pie en la puerta detrás de Lottie, *Buttercup* y Grayson y se frotaba los ojos dormida—. Ni que se estuviera cayendo la casa.

Irritada, se quedó mirando la enorme colección de tapas de cacerolas desparramadas por la habitación y la cuerda que seguía atada al tobillo de Mia. *Buttercup* empezó a ladrar excitada —afortunadamente, solo ahora—, y Lottie preguntó:

—¿Traigo el termómetro?

Grayson me lanzó una larga mirada muy elocuente a la que solo pude replicar encogiéndome de hombros. Fue hacia la ventana y la cerró con fuerza.

Bajo el opresivo abrazo de mamá, Mia jadeó. Por fin parpadeó y, a continuación, sacudió la cabeza confusa.

—¿Mamá?

—Todo va bien, cariño, estamos contigo —dijo mamá, y relajó un poco su abrazo.

—¿He... he vuelto a ir sonámbula? —Mia se incorporó—. Ni siquiera puedo recordar lo que he soñado.

—Sí, pero tu dispositivo de alarma ha funcionado muy bien —dije, y encendí la lámpara de la mesilla de noche.

—Intenta recordar tu sueño —dijo Grayson contundente y un poco comprensivo.

Mia aparentando estar solo medio despierta.

—Ahí estaba... el mar —murmuró—. Y una pasarela en la que me he sentado con las piernas en el agua... —Examinó sus tapas de cacerolas—. ¿Y ha sido suficientemente fuerte de verdad?

—Oh, sí. —Lottie se frotó los brazos—. Pensaba que un camión de vacas había embestido la casa.

—Pero a mí no me ha despertado. Algo no termina de ir bien conmigo. —Mia se volvió a dejar caer en la almohada.

—Ayer fue un día agitado. —Mamá acarició la frente de Mia y miró a Ernest—. Que la madre quiera volver a casarse puede causar una conmoción en un niño, una experiencia drástica... —Le susurró a él a media voz. Después, se volvió de nuevo hacia Mia—. Esta noche me quedaré a dormir contigo, ¿vale, ratoncita?

Mia me buscó con la mirada. Sabía lo que pensaba. Nada de conmoción, esto ya nos lo habíamos imaginado hacía meses cuando mamá y Ernest nos habían comunicado que querían vivir juntos. Entonces sí que habíamos sufrido una conmoción de verdad; por el contrario, la proposición de matrimonio quizás había sido una sorpresa, pero bonita.

Sin embargo, me parecía bien que mamá quisiera dormir con Mia esta noche. Ya se había acurrucado junto a ella bajo el edredón y le rodeó la cintura con un brazo.

—Mamá, todo va bien —dijo Mia—. Me alegro de que Ernest y tú os caséis. La boda será un bombazo. Solo la idea de que la tía abuela Gertrude se encuentre con la Bocre...

—... sin olvidar a la tía abuela Virginia —le añadió Lottie.

—Me temo lo peor —murmuró Florence, y mamá y Mia se rieron entre dientes a la vez.

—Venga, que durmáis bien las dos. —Ernest parecía muy aliviado cuando salió de la habitación con nosotros y cerró la puerta a su espalda—. Todo va bien —repitió las palabras de Mia.

Pero no iba bien. Nada iba bien. Sin su sistema de alarma, mi hermana pequeña con toda probabilidad habría saltado por la ventana esta noche.

Noté la mirada de Grayson sobre mí, pero no le respondí, sino que desaparecí rápido en mi habitación murmurando «buenas noches».

Sorprendentemente, volví a dormirme sin problemas y, cuando crucé mi puerta al pasillo, fue como si nunca me hubiera ido. Me desconcertó que la puerta de Henry siguiera estando justo enfrente de la mía y no hubiera cambiado en absoluto. Elegante, negra, reservada, con una rabiosa cabeza de león triste como aldaba. Al instante, aparté la mirada y, en su lugar, me quedé contemplando mi propia puerta; en realidad, había esperado que estuviera un poco destartalada como yo, la pintura desconchada, un par de muescas, quizás otro color que encajara con mi estado de ánimo mejor que ese alegre verde menta. Pero mi puerta también estaba en un estado impecable. El lagarto me guiñó un ojo antes de volver a enroscarse en forma de brillante pomo de puerta.

Esta noche la puerta de Mia estaba a la derecha de la mía, y no se veía ni rastro de Mr. Wu por los alrededores. En su lugar, apareció otra persona delante de la puerta cuando quise agarrar el picaporte.

—¿Mamá?

Mamá se puso el dedo índice en los labios.

—¡Chist! Mia necesita silencio —susurró. Me quedé mirándola con una mezcla de sentimientos. Qué dulce Mia, tan confiada poniendo a mamá como protectora de sus sueños... y qué poco eficaz. Me di cuenta cuando abrió la puerta un poco más y añadió con gesto hospitalario—: Pero por supuesto puedes entrar, Liv, cariño. Si te tumbas con nosotras en silencio. Contaremos ovejitas.

—No, no, así no funciona. ¿Cómo vas a saber que soy la auténtica Liv?

La mamá del sueño negó con la cabeza sonriendo indulgente.

—¿La auténtica Liv? ¿De qué tonterías estás hablando, cariño? Como si no fuera a reconocer a mi hija. Oh, y ahí está también Grayson.

Me volví. En efecto, ahí estaba Grayson, detrás de mí, en el pasillo; su puerta se estaba cerrando suavemente.

—Grayson, querido —dijo mamá en un tono reprobatorio—. Estamos en enero. No vayas a resfriarte con el torso desnudo.

Grayson le dirigió una mirada de desconfianza.

—¿Es la puerta de Mia? —me preguntó.

Asentí. ¿Qué hacía aquí? ¿No había dicho que jamás volvería a pisar este pasillo?

—Grayson, ¿acaso tú también...?

—Ya sé lo que estás pensando —me interrumpió—. Y sigo pensando que deberíamos mantenernos al margen. Pero ahora tu hermana ha estado a punto de saltar por la ventana, y yo quería... —Meneó la cabeza y, de repente, pareció bastante avergonzado.

—¿Qué querías?

—Creo que quería vigilar. De algún modo.

Una sensación cálida me recorrió. Conmovida, le miré.

—¡Ya basta! —Mamá chasqueó la lengua impaciente—. ¿Qué pasa ahora, Liv? ¿Dentro o fuera? Son unas ovejitas muy dulces, Herdwick...

—Quizá luego —dije—. Cierra la puerta.

Eso hizo mamá, pero no sin antes recomendar a Grayson que se pusiera algo encima. Lo que tuvo como consecuencia que Grayson ahora llevara su anorak de plumas.

—Bien hecho —le elogié—. Para haber perdido la práctica.

Como Grayson se miró hacia abajo negando con la cabeza, supuse que, en realidad, había querido imaginarse otra cosa.

—¿No habías dicho que habías instalado un sistema de seguridad? —dijo con gesto huraño—. Pues no parece ser muy seguro del todo.

Oh, sí. Mr. Wu había sido muy seguro. Pero por lo visto no funcionaba ilimitadamente.

—Así cualquiera puede entrar con facilidad en el sueño de Mia —prosiguió Grayson. Acechó en la difusa penumbra del pasillo y se sintió claramente incómodo. Suspiró. Por desgracia, era cierto. Por otra parte, su idea de hacer guardia delante de la puerta de Mia le honraba, aunque en la práctica no fuera factible. Así que solo quedaba una cosa.

—Me temo que no me queda más remedio que poner al corriente a Mia —dije.

—¡No, Liv! Aún no puedes meterla en esto también.

—Pero quizá ya hace tiempo que está metida. Y debe proteger su puerta por sí misma. Solo así puede evitar que alguien se pasee por sus sueños como ahora y le haga ir sonámbula haciendo cosas peligrosas.

—Si lo supiera... —Grayson no terminó su frase, pues en ese momento oímos una voz de hombre.

—Quieto de inmediato, canalla, ¡o te arrepentirás! —atronó desde el siguiente pasillo—. ¡Para! ¡Frena enseguida!

Esa voz no me resultaba familiar. Por desgracia.

Grayson se había estremecido y solo ahora me quedó claro todo lo que se había perdido, pero antes de poder darle una explicación, una figura dobló la esquina y se acercó a nosotros a una velocidad peligrosísima. Una figura delgada y grácil, que, a pesar de la enorme prisa, se movía con una pronunciada elegancia.

Era... Anabel.

No tuve mucho tiempo para contemplarla y superar mi asombro, pues corría directa a nosotros. Lord Muerte le pisaba los talones con la capa ondeando y el sombrero de ala ancha, y la maldecía sin parar, con «canalla» y «guarra» como variantes aptas para menores.

Ahora Anabel nos había alcanzado y yo intervine instintivamente. La dejé pasar, me crucé en el camino de Lord Muerte y me puse delante de Anabel protegiéndola.

Jadeando, se detuvo.

—¡Tú otra vez! —gruñó—. ¡Ya me estáis hartando, niños!

—Eso mismo me pasa a mí con usted —le aseguré. Solo ahora me di cuenta de que yo había levantado la mano como un policía de tráfico. Ni idea de lo que estaba pensando. Discretamente la volví a bajar, pero sin dejar de mirar a Lord Muerte a los ojos.

Anabel estaba a mi espalda y, cuando de repente empezó a reírse, de golpe me quedó claro lo ridícula que había sido mi supuesta operación de rescate. Anabel era la última que necesitaba protección en los sueños. Aunque, al mismo tiempo, yo estaba muy aliviada de que volviera a estar allí. La idea de que Lord Muerte y sus medicamentos en esa clínica la hubieran dejado desvalida, pese a todo me había impresionado más de lo que había querido admitir.

—Ríete... pequeño diablo —dijo Lord Muerte—. Ya averiguaré cuál es tu puerta. Y entonces... —Con los ojos entrecerrados, miró a Grayson—. ¿Quién es el nuevo?

—Bah, déjelo, doctorcito. —Anabel se puso a mi lado.

Como antes, su voz sonaba dulce e inocente, y me provocó un escalofrío en la espalda. ¿De verdad debía estar aliviada de que hubiera regresado? Con diferencia, Anabel Scott era la persona más loca y peligrosa con la que jamás me había cruzado, ¿cómo podía haberlo olvidado? Su aspecto no había cambiado, seguía pareciendo una reencarnación de la *Venus* de Botticelli, incluso con vaqueros ajustados y camiseta. El pelo rubio dorado le caía en ondas sobre los hombros hasta la cintura y sus enormes ojos azul turquesa te hechizaban de inmediato. Era tan guapa que casi hacía daño mirarla. En ese aspecto, encajaba a la perfección con Arthur.

—Cierra la boca, Liv —dijo amablemente, después contempló a Grayson—. Hola, Grayson. Me asombra que estés aquí, para ser sincera. Pensaba que habrías renunciado a todo esto.

—Ajá. Ajá. —Lord Muerte asintió—. Así que Grayson Spencer. El tonto, vanidoso, ingenuo, buenazo del grupo.

—No, genio. Ese es Jasper Grant —le corrigió Anabel—. Grayson es el precavido, sensato, responsable, sin imaginación. Henry es el del problema con la autoridad, y Arthur es el guapo con el ego enorme. —Le guiñó el ojo a Grayson—. ¡Perdona! Sencillamente no puede recordar bien los nombres.

Hasta ahora, Grayson no había dicho una palabra, tan solo iba pasando la mirada perplejo de Anabel a mí y a Lord Muerte.

La sonrisa de Anabel se agrandó.

—Como siempre, llevas escrito en la cara lo que estás sintiendo, Grayson. Hace tiempo que no estabas aquí, quizá deberíamos ponerte un poco al día. En fin, mientras te quedabas valientemente en tus sueños y querías olvidar en lo posible que habías liberado a un demonio, Liv, Arthur y Henry han conocido aquí fuera a mi psiquiatra. Doctor René Otto Ulmer. Por desgracia, no es un experto en su campo. Pero para mis objetivos, justo la persona perfecta.

—Eso es... —Parecía que Lord Muerte estaba a punto de estallar de rabia. Seguro que no tardaba mucho más en lanzar rayos—. ¡Ni por un segundo me he dejado manipular por ti! Te descubrí enseguida.

Anabel echó la cabeza atrás.

—Justo la persona perfecta —repitió con dulzura.

—¿Qué tiene que ver todo esto con Mia? ¿Por qué le haces eso? ¿Para vengarte de Liv? —preguntó Grayson.

—¿Mia? —Anabel enarcó las cejas—. ¿La hermana pequeña de Liv?

—Sí, maldición, la hermana pequeña de Liv —dijo Grayson—. Y quiero que la dejes en paz. Dios mío, Anabel, ya has montado una buena.

Anabel parecía sinceramente perpleja.

—¿Alguien puede explicarme de qué habla? ¿Quizá tú, Henry?

Quise darme la vuelta, pero no fui capaz de realizar la maniobra de volverme lentamente. Y era cierto, ahí estaba Henry, apoyado en su puerta con los brazos cruzados y la pierna apoyada en la pared, como si llevara todo el rato allí.

Era el único de nosotros que lograba devolverle la sonrisa a Anabel.

—Me alegro de verte —dijo—. Nos habíamos preocupado por ti.

Anabel asintió.

—Lo sé. Mi padre me contó que habíais llamado por teléfono. Qué monos. ¿De verdad habíais creído que este doctorcito me había dejado fuera de combate con somníferos? —Se puso a reír a carcajadas.

Lord Muerte parecía estar a punto de rechinar los dientes.

—Pero hacía tiempo que no estabas aquí —dije.

—¿Estás segura?

Oh, maldición. Claro que no. Arthur había tenido razón: Anabel era demasiado lista para Lord Muerte. Y por desgracia también para mí. En lo que respecta a sus habilidades en los sueños, era la mejor de todos nosotros. Para ella era pan comido pasearse por los pasillos sin que ninguno de nosotros se diera cuenta. Y en el mundo real tampoco había que infravalorarla. Tonta de mí, había llamado a su padre por pura compasión, mientras que ella, en ese momento, probablemente ya había engañado a toda la clínica.

Aunque en realidad no quería, miré a Henry solo para darme cuenta de que ya tenía sus ojos en mí. Solo eso bastó para que mi corazón volviera a encogerse.

—Oh, es tan bonito volver a hablar con vosotros de verdad —siguió charlando Anabel—. Solo falta Arthur, entonces casi sería como los viejos tiempos. —Con un suspiro de satisfacción, se apoyó en la pared cerca de la puerta de Henry—. Como observadora invisible, una se entera de un montón de cosas, pero en cierto modo también es aburrido. —Me sonrió burlonamente—. Perdona que te haya dado miedo, Liv, pero no podía evitarlo. Un ligero crujido y ya piensas que el demonio está detrás de ti.

—Sí que lo estaba. —Solo ahora me di cuenta de que Anabel tenía las pupilas diminutas, como si estuviera mirando una luz cegadora. Y eso a pesar de que a nuestro alrededor había más oscuridad. Y más frío. Estaba bastante segura de que enseguida haría desfilar a su demonio.

Pero primero Anabel lo dejó en efectos sutiles.

—No os imagináis lo aburrida que es la rutina de la clínica, si no fuera por los sueños, ya me habría muerto de aburrimiento. No, no me lo podía permitir. Eso solo debía creérselo el doctorcito mientras yo podía estudiar con toda tranquilidad sus puntos débiles. Son bastantes, ¿no es cierto, Otto?

—Si crees que podrás chantajearme, entonces sobrevaloras la credibilidad de una paciente psíquicamente enferma pero violenta —dijo Lord Muerte—. Nadie se cree a alguien como tú. Además, jamás he incumplido la ley...

Anabel volvió a reírse.

—¡Chantajear! Hace tiempo que no recurro a esos métodos infantiles y pesados. No, para usted tengo planeado algo muy especial. No se preocupe, le gustará.

En ese momento, sonó la señal de alarma electrónica que ya habíamos oído una vez.

—La alarma de guardia —dijo Anabel mientras Lord Muerte empalidecía y desaparecía al mismo tiempo—. La paciente de la habitación 207, una amiga mía que recibe mi postre para sacar de la cama al doctorcito cada noche que le toca guardia. Apuesto a que ahora mismo entra de golpe en mi habitación. —Bostezó—. Una lástima, se está tan a gusto con vosotros. Podría seguir charlando durante horas, sobre todo me interesa la historia de tu hermana, Liv.

—¿Qué pasa con Mia? —Henry me miró inquisitivo.

Me quedé mirándome los pies.

—¿No te ha contado nada Liv? —preguntó Grayson—. Mia es sonámbula.

—No, no me ha contado nada de eso —dijo Henry. Sonó enojado.

Levanté la cabeza para lanzarle una mirada aún más enfadada. Si alguien no tenía derecho alguno a quejarse de que yo le contara poco, ese era él.

—Ni idea de cómo lo hace, pero Anabel consigue que Mia haga cosas malas dormida. —Grayson se plantó delante de Anabel—. Hace poco, Mia intentó asfixiar a Liv con un cojín, y esta noche ha estado a punto de saltar por la ventana.

Henry parecía estupefacto.

—¿Desde cuándo pasa esto?

—Desde hace un par de semanas. No sé por qué Liv no te lo ha contado.

—Yo tampoco lo sé —dijo Henry—. Pero ahora entiendo lo de Mr. Wu.

—¿Que no lo sabes? —Me esforcé para no sonar estridente, pero no estaba segura de haberlo conseguido de verdad—. Probablemente porque tú siempre me lo cuentas todo, ¿verdad?, así que uno espera automáticamente lo mismo de los demás. Sin olvidar que tú y yo ya no estamos juntos y ahora no tengo por qué contarte nada.

—¿Qué? —gritó Grayson—. ¿Ya no estáis juntos? ¿Desde cuándo?

—Oh, ¿no te lo ha contado Henry? —dije mordaz—. Bueno, seguramente se debe a que no le parece tan importante.

—Una cosa no tiene nada que ver con la otra. —Henry se apartó de su puerta. El aire resolutivo se había borrado de su cara—. Si Anabel manipula los sueños de Mia, deberías habérmelo dicho.

—Queridos, no vayáis a por mí todos a la vez —intervino Anabel—. Pero yo no tengo nada que ver.

—¿Quién, si no? —dijo Grayson, furioso.

Anabel sonrió con dulzura.

—Con sinceridad, Grayson, no quiero asegurar que no tenga más planes para vosotros, pero... no, la verdad es que no se me ha ocurrido la idea de inducir a la hermana de Liv al sonambulismo. —Era una locura, pero la creí, pese al brillo demente de sus ojos y pese a la expresión de triunfo y satisfacción de su rostro. Y antes de que desapareciera de una vez porque allá en la clínica de Surrey probablemente un Lord Muerte frenético irrumpía en su habitación, añadió—: Piénsalo nada más. ¿Acaso no podría otra persona tener una cuenta pendiente con Liv?

23

Henry vivía en una casa de ladrillo rojo independiente con varios voladizos, un montón de ventanas blancas con travesaños y una puerta pintada de verde con una claraboya semicircular. Se ocultaba tras un muro de ladrillos que llegaba a los hombros y no terminaba de parecer la casa de los horrores deprimente, sombría y descuidada que me había imaginado. El jardín delantero estaba muy cuidado, la verja del jardín claramente bien engrasada. En el camino a la puerta principal, pasé junto a un coche grande de juguete y una pelota de baloncesto, pero eso solo le daba a la casa un aire hogareño, al igual que el gato atigrado que dormía en el felpudo junto a un par de botas de goma de colores chillones. Lo que más me sorprendió fue el hecho de que había tardado exactamente doce minutos y medio en llegar allí. A pie. Sin correr. Figúrate: había estado meses con este tío y ni siquiera había sospechado que su casa estaba a solo doce minutos y medio de la mía. Un motivo más para estar cabreada con él.

Por un momento, dudé en llamar al timbre, también podía simplemente acariciar el gato y volver a irme sin quedar mal. Pero entonces hice un esfuerzo. Al fin y al cabo, me había escrito él, no al revés. Un SMS hacía solo trece minutos y medio que me había hecho olvidar la noche pasada y mis preocupaciones en torno a Mia y Anabel. «Tenemos que hablar», era lo único que ponía.

Y en eso tenía más que razón.

—Bueno, hablemos —dije cuando Henry abrió la puerta y me miró atónito. Procuré poner una expresión seria, lo que me costó horrores, porque mi dolorido corazón salió disparado. ¿Alguna vez dejaría de dolerme verle? ¿Alguna vez podría estar en la misma habitación que él sin tener la sensación de tener que morirme de melancolía?

Pero por lo menos nadie más de la familia me había abierto. En secreto, me había sentido muy aliviada. Y me ayudó un poco a recomponerme cuando vi cómo Henry se esforzaba por mantener la calma.

—Yo... ¿Qué...? —balbuceó. Como siempre, tenía unas ojeras enormes bajo los ojos, y su piel parecía casi transparente, lo que en cualquier otra persona habría parecido enfermizo, pero no en su caso.

—El SMS es tuyo, ¿no? —Le enseñé mi móvil—. Así pues, ¿de qué querías hablar? —Hasta ahora yo había estado realmente genial. Por desgracia, tuve que seguir parloteando y volví a arruinarlo todo—. Bonita casa, por cierto. Bonitas ventanas. Bonito... eh... arbusto verde. Bonita puerta. Y bonito gato. Y bonitas botas de agua y...

—Sí, todo muy bonito —dijo Henry, y una diminuta sonrisa se le dibujó en la comisura de la boca antes de que volviera a fruncir el ceño—. Escucha, Liv, este momento es en realidad poco oportuno.

—Tú has enviado este SMS —le recordé, subrayando mucho la palabra «tú».

—Sí, lo he hecho. Pero no pensaba que estarías delante de mi puerta un minuto después. Tenemos que hablar, pero no ahora.

—¿Por qué...?

—Porque... —Lanzó una mirada intranquila calle abajo, que a la luz de la puesta de sol resultaba muy tranquila. El domingo por la tarde parecía que aquí no había tráfico—. Porque precisamente ahora no es oportuno.

Me incliné hacia el gato y lo acaricié.

—Bueno, pero ya que estoy aquí, puedes aprovechar la oportunidad y al menos desvelarme de qué se trata.

Henry dudó un momento.

—Es solo... He estado pensando en lo que dijo Anabel.

Levanté la cabeza bruscamente. ¿Anabel? ¿Quería hablar conmigo sobre Anabel?

—Sé que miente más que habla, pero en este caso estoy casi seguro de que... —Se interrumpió. A una velocidad excesiva, dobló la esquina un todoterreno ostentoso. El motor rugió en el silencio vespertino, y Henry puso los ojos en blanco cuando dio un frenazo delante de la verja del jardín—. Estaría bien que te fueras ahora, Liv, en lo posible, antes de que alguien te vea... Oh, mierda.

Aparte de que no tenía ni idea de cómo debería haber desaparecido a través de la verja del jardín sin que alguien que acababa de aparcar justo delante me viera, ahora también era demasiado tarde. Del lado del copiloto, salió un hombre alto, quizá cincuenta y muchos, quizás incluso mayor, aunque parecía conservar todo el pelo. Estaba moreno, ocultaba los ojos tras unas gafas de sol y, cuando ahora empezó a hablar, relucieron unos dientes blancos como la nieve.

—Ve a buscar a tu madre. Tengo que hablar seriamente con ella —dijo sin siquiera saludar a Henry—. Milo ha vuelto a robar. Él lo niega, pero Biljana lo ha visto.

Abrió la puerta trasera y ayudó a una niña pequeña a salir del asiento infantil y bajar a la acera. Llevaba medias gruesas a rayas, una falda corta roja y un anorak de flores, y miraba a Henry con los ojos muy abiertos. Era Amy, su hermana de cuatro años, a la que yo ya conocía de sus dulces sueños llenos de colores en los que Henry y yo alguna vez nos habíamos visto. Detrás de ella, salió del coche un chico al que sin duda habría identificado como el hermano pequeño de Henry, porque resultó que era como una versión en miniatura de él con los hombros estrechos. Tenía el mismo remolino en la cabeza que hacía que el pelo se le levantara en todas las direcciones y los mismos ojos grises muy brillantes. Aunque no parecía tan desenfadado como su hermano mayor. Más bien parecía miserable.

—No he robado nada en absoluto —le dijo a Henry y apretó los labios—. Ella miente solo para dejarme mal. Seguro que lo ha cogido ella misma. ¡Ay!

Su padre (al menos supuse que se trataba de él) le había agarrado del cuello y lo sujetaba fuerte como a un gatito maleducado. Amy abrió la puerta del jardín y se acercó brincando.

—Yo no robo nada —dijo, y me miró con curiosidad—. Milo tampoco. ¿Y tú?

Bueno. Una maldita gorra de trampero quizá. Pero aparte de eso, nada.

Henry se quejó.

—¿Qué es lo que se ha ro... eh... perdido?

—La tabaquera rococó del abuelo Henry. La de la colección J. P. Morgan. Esto ya no es una broma, ni una travesura de niñato. Llama de una vez a tu madre. —El padre de Henry empujó a Milo por la puerta del jardín—. Esto no puede seguir así.

—Mamá... no está —dijo Henry—. Suelta a Milo.

Solo ahora se abrió la puerta del conductor del coche y salió una mujer.

—Esa tabaquera tiene un valorrr muy grrrande —dijo marcando las erres y con acento de la Europa del Este.

Hasta ahora me había quedado de pie en la escalera sin decir ni pío y deseando poder volverme invisible. Al parecer, había funcionado, pues nadie me había prestado atención aparte de Amy. Pero al ver a la mujer, mi invisibilidad desapareció. Se me escapó un jadeo. O un ronquido. O una mezcla de ambos.

¡Era B! La sirena de la piscina de hidromasaje. Como en el sueño, sencillamente parecía deslumbrante, aunque llevaba un abrigo de pieles que, si era auténtico y no me equivocaba, le había costado la vida a varios jaguares y había infringido el acuerdo para la protección de especies en peligro de extinción. Y mi dignidad. Casi me sentía ofendida en persona. ¿Un abrigo de jaguar? ¿En serio? No podía ser más simbólico.

Con el jadeo había llamado la atención del padre de Henry.

—¿A quién tenemos ahí? ¿Es tu pequeña novia, Henry?

—Pequeña exnovia —corregí.

—He dicho que le sueltes. —Henry había fruncido el ceño colérico. Con tres pasos, había llegado adonde estaba Milo y lo había liberado de su padre para agarrarlo del cuello él mismo.

—Ay —dijo Milo—. De verdad que no he hecho nada.

—No, no lo ha hecho —dijo con voz aguda Amy, que se había dejado caer en el coche de juguete y nos miraba a todos con sus grandes ojos—. Pero yo me he hecho pipí en los pantalones y Biljana me ha reñido.

Con un profundo suspiro, Henry soltó a su hermano, y Milo se frotó el cuello aliviado.

El padre me sonrió con sus cegadores dientes blancos, me alargó la mano y dijo:

—Ron Harper.

—Eh, Liv Silber —murmuré perpleja mientras me daba la mano enérgicamente.

—Encantado, pequeña exnovia. —Ron Harper me guiñó el ojo. ¡Oh, Dios mío! ¿Acaso estaba flirteando conmigo?

Le solté la mano como si me hubiera quemado.

—¡Ronald! ¡La tabaquera! —le recordó B, que se apoyaba en la puerta del conductor como en la piscina de hidromasaje.

—Cierto. —La mirada del padre de Henry volvió a dirigirse a Milo, que ya estaba a mitad de camino de la puerta—. Esta vez habrá consecuencias serias. Aparte de que estoy muy decepcionado contigo.

—Lo mismo digo —replicó el hermano de Henry y dio un par de pasos hacia atrás hasta que casi tropezó conmigo.

—Podríamos llamar a la policía —dijo B, sacando su móvil—. O simplemente buscamos en tus cosas.

Noté cómo la mano de Milo se movía en dirección al bolsillo de su anorak y estuve casi segura de que ahí tenía la tabaquera. Pues aunque solo podía ver su cara de perfil, tenía la culpa escrita con tanta claridad como si llevara una confesión colgada del cuello. Me daba una pena terrible.

—¡Milo! Devuelve sin más lo que hayas robado —dijo Henry y, de repente, parecía increíblemente cansado.

—Pero yo no tengo esa dichosa tabaquera —dijo Milo mientras volvía a sacar la mano del bolsillo del anorak y la escondía a su espalda con el puño cerrado. Más claro ya no podía estar.

En su lugar, seguro que ya habría intentado hacer

desaparecer el objeto mucho antes, quizá simplemente lo habría lanzado al seto de forma discreta. Pero ahora ya era demasiado tarde para eso.

—Oh, vaya, pronto será de noche —dije sin vacilar—. Tengo que irme, si no me reñirá mi... ¡Oh! ¡Ahí! ¡Una ardilla!

Y mientras todos miraban en la dirección en la que había señalado y Amy gritaba: «¿Dónde? ¿Dónde?», le agarré el puño a Milo y dejé caer el objeto oculto en mi mano.

Y me asombró que el truco tonto de la ardilla hubiera funcionado tan bien.

Milo, con presencia de ánimo, mantuvo la mano en la espalda y no dijo ni pío.

—¡No veo ninguna ardilla! —dijo Amy.

—Ya se ha ido —dije, lamentándolo.

—Odio las ardillas —dijo B.

Sí, probablemente porque se necesitan cientos para coser un abrigo de pieles entero.

—En Bulgaria decimos que el demonio habita en ellas. ¡Ron! ¡La tabaquera! Quítasela sin más. Y dile que ya no podrá venir a visitarnos. No puedo guardar bajo llave mis joyas cada vez.

—Hasta luego, Henry. —Con exagerada lentitud, me dirigí a la verja, hundí la mano en el bolsillo del abrigo y aún me volví una vez más.

El padre de Henry soltó un suspiro.

—¡Milo! Trae la tabaquera.

—¿Por qué siempre la crees a ella? —dijo Milo en tono de acusación—. No he robado nada, lo juro. ¡Ha sido ella! Probablemente quería vender la tabaquera en secreto...

—¡Críos! —B tamborileó con sus largas uñas en el techo del coche—. ¡Lo he visto con mis propios ojos!

—Vamos, Milo. —Henry se frotó la frente—. Dale la tabaquera, entonces habrá pasado.

—No he...

—¡Ya basta! —Su padre cogió a Milo del brazo y lo empujó hacia delante. Con violencia, le separó los dedos. Cuando vio la mano vacía, pareció perplejo—. Vale —dijo, apretando los dientes—. Tú lo has querido. Entonces te registraremos de los pies a la cabeza.

Entretanto, yo había llegado a la puerta del jardín y salí a la acera. De cerca, B seguía pareciendo deslumbrante, por desgracia. Excepto por el pintalabios quizás. Además, seguro que tenía la frente tan fina solo porque se inyectaba Botox.

—¿Es jaguar auténtico? —pregunté.

Sorprendida, B enarcó las cejas perfectamente depiladas.

—¡Sí! La mayoría lo confunde con leopardo.

—Lo sé.

No pude evitar volverme de nuevo para ver a Henry. Desde que había llegado su familia, no me había dedicado ni una mirada. Pero ahora me sonrió, una sonrisa triste y resignada que me fue imposible resistir.

Su padre estaba ocupado registrando el cuerpo de Milo, ya le había arrancado el anorak al pequeño mientras decía tacos en voz baja. Pero ahora ya no parecía un montoncito de miseria. Me lanzó una mirada por encima del muro... ¡y me guiñó el ojo!

Hora de irme.

—Necesito sin falta un abrigo de leopardo de las nieves —dijo B tras de mí y, como era la ocasión perfecta para una sentencia que me gustaba mucho (aunque en la original eran ocelotes en vez de leopardos de las nieves), me volví una última vez.

—Oh, no nos engañemos —dije—. Lo único que necesita la piel del leopardo de las nieves es al propio leopardo de las nieves.

Dimes y Diretes

✳ BLOG ✳

 El blog *Dimes y Diretes* de la Academia Frognal con los últimos cotilleos, los mejores rumores y los escándalos más candentes de nuestro colegio.

SOBRE MÍ:
Mi nombre es Secrecy; estoy entre vosotros y conozco todos vuestros secretos.

ACTUALIZAR   ACTIVIDAD

21 de enero

Ahora ya no son noticias de última hora, pero sí son noticias oídas en la última hora, je, je. :-)

Emily Clark y Grayson Spencer se han separado.

Liv Silber y Henry Harper también se han separado.

Todos aquellos que sospechen una relación entre ambos acontecimientos, por favor que levanten la mano. :-)

Pero ahora sinceramente, en ambos casos se veía venir el final y no ha sorprendido a nadie, ¿no? Emily dice que ha tenido que cortar porque Grayson es demasiado inmaduro para ella, además le falta ambición, visión de futuro y la masculina capacidad de imponerse.

Grayson no dice nada. Pero si me preguntáis, alguien con el corazón roto tiene otro aspecto. Además, la semana pasada Grayson sacó la máxima puntuación en lengua, lo que significa un punto más que Emily; ¿quizá no se necesita ambición cuando se es un genio?

De la separación de Henry y Liv, también solo puedo hacer conjeturas, pero creo que, en cualquier caso, el sexo está muy arriba en la lista. Así como el hecho de que Liv viva bajo el mismo techo con un nuevo soltero atractivo llamado Grayson

Y, ahora, la verdadera noticia de última hora del día: Jasper Grant ha cambiado su estado en Facebook de «Es complicado» a «En una relación». Por desgracia, se ha olvidado de poner el enlace a la persona en cuestión, pero apuesto a que no me equivoco con los cuarenta y cuatro nuevos amigos, más concretamente con una de las veintiocho amigas. ¿Os apetece un concurso? Sencillamente visitad los perfiles y escribidme en los comentarios cuál de esas francesas creéis que es la nueva de Jasper. Quien lo acierte primero, recibirá un premio. Ah, y ya puestos, quizá podríais responderme también por qué todas parecen estrellas de cine. Y por qué todos sus nombres empiezan por ele. Lola, Lilou, Lucy, Louise, Louanne, Lilly, Léa, Lina. Algo raro pasa con estos franceses.

¡Hasta pronto!
Secrecy

Dimesydiretesblog.wordpress.com

24

Cuando llegué al colegio a la mañana siguiente, como siempre todos habían leído el blog *Dimes y diretes* excepto yo y me observaban. Hoy, para variar, de nuevo con compasión.

Vaya. Entonces parecía que la información sobre el final de la relación entre Henry y yo había trascendido por fin hasta Secrecy.

—¡Oh, Liv, qué cruel por parte de Henry! Pero también va bien, ¡ahora podremos consolarnos mutuamente! —Persephone se me agarró al cuello y me empapó el uniforme del colegio con lágrimas. Por lo que me sollozó en el hombro, deduje que Jasper había encontrado una nueva novia en la lejana Francia.

—Pero pensaba que tú y Gabriel... —O quizás Eric, Persephone flirteaba en cada pausa con los dos todo lo que podía.

Apartó la cabeza de mi chaqueta y se sorbió los mocos.

—¿Gabriel? ¡Solo está ahí de distracción! ¡En realidad, para poder sobrevivir a la ausencia de Jasper! ¡Jasper fue, es y seguirá siendo mi gran amor! —Con grandes aspavientos, se secó las lágrimas de la cara y yo busqué discretamente en mi chaqueta rastros de mocos—. ¡Igual que Henry para ti! —Deseé que de verdad hablara un poco más bajo, pero no me hizo ese favor. Al contrario, ahora me cogió la mano y declaró con un volumen teatral—: Crearemos un club de corazones rotos.

Sí, claro, pero solo por encima de mi cadáver.

Un tanto melancólica, recordé el pasado, la época antes de Henry. Cuando aún era como Mia y era completamente inmune a los chicos. ¿Qué me había pasado? Fue tan miserable cómo estuve contemplando el móvil ayer por la noche y mordiéndome las uñas, con la esperanza de que Henry se pusiera en contacto. Algo que no pasó.

Y eso a pesar de que yo estaba en posesión de una tabaquera valorada en veinticinco mil dólares. Me había recorrido un escalofrío al buscar en Google: rococó, tabaquera y colección Morgan. Milo había robado un pequeño tesoro. Un diminuto pequeño tesoro que ahora estaba junto con la gorra de trampero de Charles en el primer cajón de mi mesilla de noche. No quería delatar a Milo, pero tampoco podía quedarme la tabaquera. Por eso habría estado bien que Henry se hubiera puesto en contacto.

Y para explicarme el asunto de B. Aunque... ¿qué debía explicar? El hecho de que la mujer con la que se divertía por las noches en la piscina de hidromasaje fuera la novia de su padre, tampoco lo mejoraba. Más bien lo empeoraba, si te parabas a pensarlo.

¿Por qué me envió un SMS si no quería hablar? Aproximadamente, había cogido el móvil unas setenta veces para preguntarle eso, pero después lo había dejado. Ya era bastante malo haberme apostado delante de su puerta. No era de esas que acosan a sus exnovios, les llaman y sencillamente no quieren aceptar que se ha acabado... no, yo solo era de esas que se quedan mirando el móvil y lloriquean.

Oh, Dios mío, entonces era la compañía perfecta para el club de los corazones rotos de Persephone.

—Quizá también se una Grayson —dijo Persephone.

—¿Grayson?

—Sí, ¡los chicos también pueden tener el corazón roto!

—Pero... —Bah, así nunca conseguiría nada. Sin perder el tiempo, le arranqué a Persephone el *smartphone* de la mano y busqué el blog de Secrecy. Y cuando lo hube leído, me había cabreado bastante—. Nos vemos luego en química —le susurré a Persephone y salí corriendo hacia las taquillas para pillar a Grayson.

Ya estaba ahí sacando los libros cuando me planté a su lado sin aliento.

—¿En serio, Grayson? ¿Te pasas el día ofendido porque no te he contado nada de Henry y de mí, pero no consideras necesario informarme de que Emily y tú también habéis roto? —pregunté. Mejor dicho, lo jadeé, pero no importaba, Grayson me entendió de todos modos.

—Henry y tú os lo habéis callado durante una semana —respondió—. Lo mío con Emily solo se acabó el sábado por la noche. Después de cenar.

—Entonces, habrías tenido tiempo todo el domingo para hablar conmigo, en vez de seguir mirándome ofendido.

—En todo caso, te miraba preocupado, no ofendido. Además, prácticamente no estuve en casa, en realidad no tuve tiempo de decírtelo.

—No te habría llevado mucho. Una frase habría bastado. «Oh, por cierto, Emily se ha deshecho de mí.» O me lo podrías haber contado esta noche...

Cerré la boca.

¿De verdad podía estar cabreada con Grayson? Fue tan dulce preocupándose de Mia. Cuando esta noche había mirado a la derecha en el pasillo, le había visto sentado a la puerta de Mia. Casi me abracé a él de la emoción. No es que hubiera podido hacer algo de verdad contra un intruso, pero la buena voluntad contaba. Y había sido tan amable su forma de estar sentado e intentar parecer peligroso.

Todavía dudaba de si poner al corriente a Mia de todo el asunto, pues en el fondo no había pruebas reales de que su sonambulismo no tuviera causas naturales. Sobre todo si seguía inclinándome por creer que Anabel no había tenido nada que ver con eso. Lo que quizás era una tontería, pues siempre se trataba de Anabel.

Fuera como fuese, esta vez había dormido en la cama de Mia para no tener que activar el sistema de alarma. Sorprendentemente, a ella le había parecido más que bien, el sonambulismo le resultaba inquietante y su cama era bastante grande para las dos. Había insistido en unir nuestros tobillos con una cuerda para que yo tuviera que despertarme si ella abandonaba la cama. O que me arrastrara. Pero no había pasado nada, Mia había dormido como un tronco, delante de su puerta no había aparecido nadie sospechoso, y por eso hoy me sentía otra vez mucho mejor. En mi caso, el sonambulismo había vuelto a desaparecer de repente tal y como había empezado, y con algo de suerte, en el caso de Mia sería exactamente igual. Mientras tanto, solo teníamos que atarnos un poco...

—¿Por qué ya no me gruñes? —Grayson seguía mirándome con el ceño fruncido—. ¿Debo preocuparme? Y, además, Emily no me ha desechado, sino que he sido yo. Solo para tu información.

—¿Ah, sí? —Ahora tuve que reírme—. Pues Secrecy escribe otra cosa. ¿Y qué pasa con el símbolo del infinito que le regalaste a Emily?

—No es más que un ocho volcado —respondió Grayson, seco.

—Entiendo. Sin embargo, a Persephone le gustaría que te unieras a nuestro club de los corazones rotos. —Me dirigí a mi taquilla para sacar el libro de Química.

—Qué honor —dijo Grayson—. Pero eso mejor pídeselo a Henry.

Entonces, desapareció en la siguiente esquina.

—¿Qué tienes que preguntarle a Henry? —Alguien me había puesto el brazo alrededor del hombro. Era Arthur. Vaya, genial, como novedad, en los últimos días sí que le había echado de menos. ¿Acaso ya sabía que nos habíamos encontrado a Anabel y que no era de ningún modo la pobre víctima de Lord Muerte sino al contrario?

Le aparté el brazo.

—Nada que te importe —dije rápidamente.

Sonrió y deambuló hacia su taquilla.

—A propósito, siento mucho lo que ha pasado, Liv. Habría podido jurar que lo tuyo con Henry era un gran amor. Cuando esta noche me he enterado de vuestra separación, al principio no me lo podía creer.

—¿Te quedas despierto para leer el blog de Secrecy? —pregunté estupefacta. Vale, creía a Arthur capaz de eso, pero realmente no me lo habría esperado.

Arthur se rio.

—Claro que no —dijo—. No, lo sé por Henry y Grayson.

Ajá. Sí, seguro, como los tres seguían siendo amigos de toda la vida que lo compartían todo y se lo confiaban todo.

Arthur pasó por alto mi expresión de incredulidad.

—Esta noche me los he encontrado en el pasillo. Estaban sentados delante de la puerta de tu hermana pequeña y me he quedado un rato.

No le creí ni una palabra.

—¿Y entonces Henry te ha contado con una cerveza imaginada que hemos cortado? ¿Mientras que Grayson te ha abierto su corazón respecto a Emily?

—Bueno, no directamente —dijo Arthur—. Grayson y Henry estaban hablando de eso y yo llegué... —Al menos era sincero—. Antes, en cualquier caso, me habrían pedido consejo. Tú quizá no lo creas, pero en cuestión de chicas siempre era el experto de nuestro pequeño grupo.

—Antes de que perdieras la cabeza por la loca que cree que tiene que soltar un demonio en el mundo —se me escapó.

El párpado derecho de Arthur tembló.

—Sabes, echo de menos los viejos tiempos, cuando me sentaba con los otros y hablábamos. —Se acarició la barbilla y volvió a recordarme la lesión que le había causado yo. ¿Lo hacía a propósito?—. Sobre chicas y sobre lo complicada que es la vida. Y sobre baloncesto, naturalmente. Cosas de chicos. —Suspiró—. Les echo de menos.

Los pasillos a nuestro alrededor se vaciaron. Pronto sonaría el timbre.

—¿Ahora debo compadecerme? —le pregunté molesta. Molesta sobre todo porque había vuelto a compadecerme. Debía de ser malo perder unos amigos tan buenos. Daba igual, ahora ya no había nada que buscar aquí—. Eso podías haberlo pensado antes de mentirles y meterles en un asunto tan desagradable —dije.

Parecía como si Arthur de verdad solo estuviera pensando.

—Sí, debería haberlo hecho —dijo—. De algún modo, obviamente di por sentado que todos seguiríamos siendo amigos hasta que fuéramos viejos. Pero quizás anoche fue un comienzo por lo menos...

¿Un comienzo de qué? ¿De verdad pensaba que Grayson y Henry se reconciliarían con este tipo que había querido asesinarme en su cripta familiar? ¡Jamás en la vida! Por otra parte, se conocían desde siempre y habían sido uña y carne. Yo, por el contrario, seguía siendo la nueva aquí, y una chica...

El timbre me sacó de mis sombríos pensamientos y, por una vez, me alegré de que existiera.

—Vaya —dije aliviada—. Sea como sea, tengo que largarme. Quizá pueda leer esas cosas de chicos de las que hablas en el *Dimes y*...

Me interrumpí. Se me había ocurrido una idea que parecía al mismo tiempo totalmente absurda y completamente lógica.

—Espera —dije lentamente mientras en mi cerebro empezaban a engranarse un montón de pequeñas ruedecitas—. ¿Grayson y Henry te han contado esta noche en el pasillo que sus relaciones han terminado?

Arthur asintió.

—Eso he dicho.

De repente, volvió a tener el aspecto autocomplaciente que le conocía.

—¡Qué enorme casualidad que Secrecy haya informado precisamente de esto hoy en su blog!

Arthur se encogió de hombros.

—Yo diría que opino como Nietzsche: ningún vencedor cree en la casualidad.

Él no era un vencedor. Solo era un miserable traidor. Era...

—Arthur, ¿eres Secrecy? —Se me escapó.

Arthur empezó a reírse.

—¡Oh, Dios mío, no! Liv, menudas ideas más divertidas se te ocurren. ¡Yo no soy Secrecy! Para ser sincero, no tengo ni la menor idea de quién es Secrecy. Un par de veces tuve una sospecha, pero siempre resultó falsa. Realmente se las sabe todas.

—Pero...

—Pero como todos, por supuesto tengo la dirección de correo electrónico de Secrecy. —Me sonrió y tuve la sensación de que le gustaba que le mirara tan atónita.

—¿Eso significa que tú le proporcionas información a Secrecy?

—Sí. —Arthur se apartó un rizo de ángel de su cara de ángel—. De vez en cuando. Desde una cuenta falsa. Lo que Secrecy sabe, yo lo sé antes. Sabes, soy el informador perfecto. En los sueños, uno se entera de todo. De cosas que, si no, nadie sabría. Oh, ahora no me mires tan moralmente indignada. Piensa siempre que, quien tiene muchos humos, también puede caer muy bajo. —Miró su reloj de muñeca—. ¿Y sabes lo tarde que es? Ya es hora de tu clase.

Levanté la barbilla.

—Tienes razón —dije esforzándome por poner un tono de voz lo más frío y despectivo posible—. Antes tengo que buscar un lavabo rápidamente para mí y para mis humos. Resulta que esta conversación nos ha dado náuseas.

Arthur siguió sonriendo, pero no era una sonrisa relajada, más bien una forzada. Y debajo se vislumbraba claramente el sufrimiento. Pero eso ya no me importaba.

Me dirigí al laboratorio de Química. Y por el camino tendría que escribir sí o sí un par de SMS.

25

—Ven al agua, muchacho mío. —B se desperezó seductoramente en la piscina de hidromasaje y esta vez también tenía una cola de pez brillante con todos los colores del arcoíris con la que desplazaba olas en el agua.

Henry aún titubeó. Me miró.

—No lo hagas —quise decir, pero no podía hablar. Resultaba que era un árbol y mis raíces atravesaban las baldosas y se ahondaban en la tierra. Indefensa, tuve que ver cómo Henry se desvestía y se metía en el agua con B.

—Malo, malo —susurró una voz a mi lado. Era Anabel. Compasiva, me golpeó en la corteza—. Que tengas que verlo. Pero así es Henry. Culpa tuya por haber perdido la cabeza precisamente por él.

En la piscina de hidromasaje, B nadó hacia Henry y le rodeó el cuello con sus delgados brazos.

—Ahora seguro que desearías poder cerrar los ojos —susurró Anabel—. Qué estúpido que seas un árbol.

Sí, qué estúpido. Henry y B empezaron a besarse y yo no pude hacer nada por evitarlo. Ni siquiera salir corriendo.

—¡Solo te sirve una cosa, Liv! —dijo Anabel—. Tienes que despertarte.

Señaló hacia la pared con adornos de oro en la que había una puerta verde menta al lado de una ducha laminar. Mi puerta.

Gracias a Dios. Solo era un sueño. Mi sueño. Que, sin embargo, no quería impedir que Henry y B siguieran besuqueándose. Se estaban achuchando y Henry tenía una mano hundida en el pelo de B mientras que la otra...

—Despiértate sin más —dijo Anabel dulcemente, y entonces lo hice. ¿Por qué no se pillaba de inmediato en los sueños que solo se estaba soñando, incluso cuando se era un árbol? Era una auténtica locura. En todo caso, el corazón seguía latiéndome muy rápido y me acurruqué aliviada un poco más cerca de Mia. Su despertador indicaba las 5.30, aún faltaba una hora para que sonara. Mia respiraba tranquila y con regularidad. También esta noche nos habíamos atado los tobillos con una cuerda, y no solo por eso me había dormido sin miedo. Fuera, en el pasillo, Grayson hacía guardia, quizás incluso de nuevo con Henry. Al fin y al cabo, la pasada noche también había hecho compañía a Grayson.

A mi SMS «A ha admitido dar info a Scr. L.» (tenía que abreviar por el miserable tecleo con el lamentable móvil), había respondido: «Sinceramente, no me sorprende. No deja de ser A.» Y añadió una sonrisa. Me había planteado volver a escribir algo como: «Tengo tabaquera. ¿Qué hago con ella?», pero entonces lo dejé. En primer lugar, la palabra tabaquera era tan larga que habría necesitado horas; y en segundo lugar, si hubiera querido que yo volviera a escribir, habría puesto una pregunta. Pero no lo había hecho. Además, yo también tenía otras preocupaciones. Gracias a Secrecy, ahora toda la familia sabía que Grayson y yo pertenecíamos al club de los corazones rotos, Florence había estado encantada de explicárselo.

Mamá había estado bastante ofendida por no haberse enterado por mí, pero había procurado que no se le notara.

—Sé perfectamente cómo se siente una con las primeras penas de amor, ratoncita —había dicho acariciándome la cabeza—. Pero créeme, volverás a tener esa sensación bastante a menudo en la vida.

Genial. Como si eso fuera un consuelo enorme, no lo sabía. Por lo menos, le había dicho exactamente lo mismo a Grayson y encima a él también le había acariciado la cabeza. Su mirada no había tenido precio. Por eso ahora me habría podido reír a carcajadas.

—Me gustaba el chico, sí. —Lottie había empezado enseguida con la producción de *muffins* de ánimo para Grayson y para mí, mientras mamá seguía ocupada con las caricias. Y también estaba un poco cabreada de que yo no hubiera dicho nada, pues ahora las pastas llegaban una semana demasiado tarde. Al menos para mí. En el caso de Grayson, el suceso aún estaba fresco—. Y... eh... seguro que Emily también es maja. Aunque no deje que se le note.

—Sí, puede ocultarlo muy bien —dijo Grayson, que parecía como si el simple aroma a chocolate ya le animara tremendamente.

Los *muffins* eran una señal de que Lottie no se tomaba el asunto con demasiado dramatismo. Si se hubiera preocupado de verdad, habría preparado sus medialunas de vainilla aptas para todo el año, las de los grandes casos de consuelo.

—Como he dicho, me gustaba Henry —le explicó mientras removía en la cazuela grande el chocolate que derretía en el fuego—. Pero quizá sea mejor así. Los hombres solo hacen la vida más complicada. Y son tan extraños. Mirad, por ejemplo, Charles. Tras semanas de indiferencia, ahora le gustaría salir conmigo de nuevo sin falta.

Lo que por supuesto solo se debía a sus celos por el inexistente Jonathan. Por algún motivo, eso y el hecho de que Lottie negara con rotundidad conocer a un Jonathan le provocaban gran interés. Los hombres eran extraños de verdad.

Mia se movió en sueños. Había sido la única que había comprendido de verdad mi silencio.

—Con sinceridad, así solo te enamoras una vez y luego pasa esto —había dicho—. Henry me cae realmente genial, pero por desgracia debe de ser un idiota si ya no quiere seguir contigo.

Para ella, con eso estaba todo dicho sobre el tema. En su lugar, antes de dormirse la había vuelto a tomar con Secrecy. Yo le había contado que Arthur había admitido suministrar información al blog *Dimes y diretes*. Información muy fiable, como el hecho de que Henry y yo habíamos cortado. Mia no había vuelto a dudarlo.

—Claro, de eso vive el blog de Secrecy. De que todos esos chismosos que lo leen le escriban de inmediato cuando se enteran de algo —dijo—. Quizá porque esperan que entonces, ellos mismos no sean el centro de su interés. Por cierto, ¿te has dado cuenta de que hace tiempo que no escribe nada malo sobre Hazel Pritchard?

—Sí, tengo claro que recibe todo tipo de indicios. Pero... ¿cómo puede distinguir Secrecy quién dice la verdad y quién no? —Miré pensativa al techo—. Fíjate, su porcentaje de aciertos es demasiado elevado, al menos por lo que puedo juzgar. ¿Cómo sabe pues en cuáles de sus innumerables informadores puede confiar sin dudas? Sobre todo en su caso, seguro que la ponen a prueba continuamente con historias falsas.

—Hum. —Mia también había mirado al techo—. Esa

es una buena pregunta. Quizá solo trabaja con informadores a los que conoce y de los que sabe que puede confiar en ellos.

—¿Entonces Arthur mentiría al afirmar que no sabe quién es ella?

—Posiblemente. A menos que en realidad hayas acertado y él mismo se oculte tras ese nombre. —Mia se había apoyado en los codos—. Aunque últimamente se me ha ocurrido la idea de que detrás de Secrecy quizá pueda ocultarse más de una sola persona.

Tampoco era una mala idea.

—Vaya, Watson, parece como si este caso le fuera demasiado grande —repliqué, sin embargo, para enfadar un poco a Mia—. ¿Acaso no quería haber aclarado todo esto antes de Navidades como mucho?

—¡Oh, no, Sherlock! No me salgas con esas. Admitido, Secrecy es dura de roer. Pero no lo suficientemente dura para Mia Silber.

Por desgracia, de eso no estaba tan segura. Por supuesto, no le había desvelado a Mia cómo había obtenido Arthur la información que le había pasado a Secrecy.

—No pongas esa cara de duda. —Mia me dio un toque—. ¡Mejor duerme! La verdad es que pareces bastante agotada... Perdona, quizá se deba a las penas de amor. Pido a Dios que nunca me pase eso. —Y entonces se volvió hacia el otro lado y enseguida se quedó dormida.

Ahora estaba tumbada boca arriba. A la escasa luz que entraba en la habitación procedente de la farola, parecía mucho más joven que nunca. Su largo pelo claro se había extendido por la almohada, donde junto con el mío, no se podía reconocer dónde acababa su pelo y empezaba el mío. Consideré descartado que pudiera evitar enamorarse, pero le deseé que aún le quedaran un par de años. Y mucho más hasta el primer mal de amores.

Fuera empezó a clarear, un pájaro comenzó a gorjear, después dos y, entonces, el sol naciente hizo aparecer en la pared, como por arte de magia, la tierna silueta en sombra de ramas y hojas, una copia del magnolio que había en el jardín delantero. Tenía un aspecto maravilloso, como un cuadro chino. La habitación se fue llenando lentamente de la dorada luz matutina, cada vez más pájaros empezaban a cantar y, en medio, se podían oír los agudos gritos de los gibones... ¡Un momento! De golpe, me incorporé. ¿Monos? ¿Hojas? ¿Dorado sol matutino? Nos encontrábamos en Londres en pleno invierno. A esta hora aún era noche cerrada y no cantaba ningún pájaro. ¡Y mucho menos un mono! Mi mirada deambuló por la habitación. Mia dormía profundamente, todo parecía como siempre... excepto la puerta verde menta de la pared.

¡No podía ser!

No me había despertado. Solo había soñado que yo estaba despierta, pero en realidad seguía durmiendo.

26

Apresuradamente, empecé a desatarme los nudos del tobillo, pero enseguida me di cuenta de que no era necesario. Al fin y al cabo, esto solo era un sueño, aquí podía pulverizar la cuerda sin más. Pero no tuve valor para hacer desaparecer la cama con Mia, era una imagen tan apacible ahí tumbada bajo el dorado sol matutino. Cuando cerré la puerta tras de mí, los monos seguían chillando.

Fuera, en el pasillo, todo era como siempre. Cada vez que salía, contenía el aliento un momento por si la puerta de Henry seguía ahí, pero hoy también se encontraba justo enfrente de la mía. Era un consuelo, todavía, sencillamente no podía negarlo.

Grayson hacía guardia, justo como había pensado. Estaba en cuclillas delante de la puerta de Mia en vaqueros y camiseta, y hojeaba un libro que enseguida quiso esconder detrás de la espalda cuando me vio llegar.

—De veras eres un genio si puedes leer un libro en sueños —dije—. ¿De qué va?

—*Fundamentos de la genética* —respondió Grayson avergonzado—. Pensaba que podría usar el tiempo para estudiar.

—¿Genética?

—Ya sé que solo es un libro soñado, pero quizá se puede engañar al cerebro sin más... —Se frotó la frente—. O no —añadió a continuación.

—Pareces cansado. ¿Te relevo un poco?

—¡Ni hablar! No llevo mucho rato aquí y en ningún caso quiero regresar a mi sueño. He soñado con Emily y con el caballo de Emily, con el que ella... En cualquier caso, la abuela también estaba ahí y ha vuelto a regañarme terriblemente...

—¿Como esta tarde? —pregunté compadeciéndome.

—Mucho peor —dijo Grayson, pero eso lo daba yo, con permiso, por descontado. Los *muffins* estaban en el horno cuando la puerta se había abierto y había entrado la Bocre, como siempre vestida de los pies a la cabeza en decentes tonos beige y ocre. Y con las alas de la nariz hinchadas de rabia.

—Por favor, abandone la cocina, miss Whistlehooper* —le había dicho a Lottie sin rodeos (y sin saludarla), como siempre sin dignarse a mirarme—. Y llévese a la joven delincuente consigo. Tengo que decirle un par de palabras serias a mi nieto.

Pero miss Whistlehooper y la joven delincuente no podían abandonar la cocina, porque tenían que vigilar los *muffins*, por eso Grayson se fue con su abuela a la «salita», como la Bocre llamaba al salón. Por supuesto, se adecuaba al nivel de vida. Por fortuna, pronunció sus palabras serias tan fuerte que pudimos entenderlas bien en la cocina. Al menos si no decíamos ni pío y pegába-

---

* Con este, añadió uno nuevo a la lista de nombres con los que ya había llamado a Lottie. La lista hasta ahora: 1) Miss Eh, 2) Miss Whistlewhastle, 3) Miss Whastlepooper, 4) Miss Whastle-Hitler, 5) Miss «Qué difícil es conseguir buen personal hoy en día», 6) Miss Whistlehooper.

mos las orejas en la puerta todo lo posible. La Bocre estaba enfadadísima con Grayson, porque había cometido «la imperdonable estupidez» de dejar marchar a «una chica como Emily» tan «súbitamente». Como si ella (la Bocre) no tuviera ya suficientes preocupaciones con la insensata crisis de la mediana edad de Ernest, así que Grayson también tenía que dejar de comportarse de un modo tan infantil.

—Chico, tienes que pensar en mi corazón —se quejó—. Sabe Dios que ya no soy la más joven, y desde el sábado y este... este... compromiso —casi escupió la palabra—, no duermo ni un minuto.

Me había parecido todo un logro, al fin y al cabo habían pasado tres días. Y la Bocre no parecía cansada, más bien lo contrario. Extraordinariamente fresca y combativa, prosiguió con su cuita:* Emily era todo lo que un joven como Grayson habría podido desear: inteligente, guapa, de buena familia y, sobre todo, muy, muy ambiciosa.

—Con una mujer como Emily a tu lado, no te puede pasar nada en la vida —gritó—. Siempre se encargará de que te mantengas en el buen camino.

Las objeciones de Grayson de que solo tenía diecisiete años y que en realidad prefería decidir su vida por sí mismo ella las barrió con el argumento de que su abuelo había tenido también solo dieciocho años cuando la había conocido y que eso había sido su salvación. Grayson debía hacer el favor de cejar de semejantes aspavientos. A lo que Grayson ya no supo replicar (al

---

* Y luego dicen que las disputas familiares tienen un efecto desfavorable en el rendimiento intelectual de los niños. En nuestro caso eso no pasaba, habíamos ampliado nuestro vocabulario enormemente.

menos sin diccionario) y la Bocre abandonó la casa poco después.

—La abuela a veces puede ser realmente... muy intrusiva —dijo ahora Grayson con tristeza y estiró las piernas.

—¿Quieres decir influyente? —intenté animarle.

—No, más bien *suprimiente* —replicó con una sonrisa cansada.

—Pero también ha sido malvado por parte de Florence haberse chivado a tu abuela. —Me senté en el suelo al lado de Grayson y apoyé la espalda en la puerta de Mia.

—No lo ha hecho —replicó Grayson. Solo ahora logró deshacerse del libro de genética—. Eso es lo más terrorífico de la cuestión: la abuela lee el blog de Secrecy. En sueños incluso me ha escupido, porque no he aprobado el examen de biología.

—Oh. Eso suena realmente terrorífico. Pero no es ni la mitad de extremo que mi sueño —dije, y miré pasillo abajo, donde la lechosa luz blanca parecía más clara que nunca—. Imagínate, me he despertado de una pesadilla horrible y estaba completamente aliviada de estar tumbada en la cama sana y salva. En concreto en la cama de Mia. Y solo después de un buen rato me he dado cuenta de que en realidad no estaba despierta, sino que solo había soñado que me había despertado, ¿lo entiendes?

Grayson meneó con lentitud la cabeza.

—Eh... creo que no del todo.

—Un sueño de sueño dentro del sueño. —Me tapé las rodillas con el camisón y admiré el fino encaje del dobladillo. Lo llevaba hoy por primera vez y, en realidad, no era mi estilo para nada, pero cuando lo había descubierto en esa pequeña tienda *vintage* cerca de Covent Garden yendo de compras con mamá en diciembre, había sido amor a primera vista. Exactamente con un vestido así tenía que haber despertado con un beso la Bella Durmiente: blanco crema con encaje y un ribete de pequeñas rosas bordadas. Me planteé si no debería imaginarme rápidamente algo más práctico. Pero esta prenda era demasiado bonita.

Grayson se pasó la mano por el pelo.

—¿Un sueño triple? Suena complicado.

—Cierto. Pero ¿no demuestra también lo variado que es en realidad esto de los sueños? En el fondo, nunca podemos saber si estamos realmente despiertos. ¿Quizá no somos de verdad, sino que solo existimos en el sueño de alguien?

—Déjalo ya —pidió Grayson—. Se me pone la piel de gallina. Oh, hola, Henry. ¿Tú también has tenido alguna vez un sueño de sueño dentro del sueño?

Como siempre, Henry se había acercado sin hacer ruido. Me habría gustado tener un momento más de tiempo para prepararme mentalmente para mirarle sin problemas. Quizá no lo conseguí del todo a la perfección, pero tampoco estuvo tan mal. En todo caso, me alegré de que el nuevo camisón me quedara tan bien. Aunque ahora mismo me resultara un poco excesivo.

—¿Y? ¿Todo en orden? —preguntó Henry.

—Acabamos de llegar —respondió Grayson.

Henry se dispuso a sentarse con nosotros.

—¿Ya habéis mirado si no hay moros en la costa en el sueño de Mia?

—Eh... no. ¿A qué te refieres? —Grayson le miró desconcertado.

Henry suspiró y se volvió a levantar.

—Quiero decir que alguien podría estar paseándose por el sueño de Mia desde antes. —Se dispuso a bajar el picaporte—. Echaré un vistazo rápido.

—¡Espera! —grité y también me levanté de un salto—. No puedes entrar sin más. Es el sueño de Mia, seguro que ella no querría.

Henry soltó el picaporte.

—Pero ¿cómo vamos a averiguar, si no, si tiene visita?

—Podríamos esperar —sugirió Grayson—. En algún momento tendrá que volver a salir. Y entonces lo tendremos.

Henry arrugó la frente.

—Quienquiera que sea, con toda probabilidad es demasiado listo para dejarse pillar delante de la puerta. Además, entonces podría ser demasiado tarde.

En mi interior sentía que tenía razón, pero una parte tozuda de mí no quería verlo.

—Y si nos dejamos de buscar agujas en un pajar y esto del sonambulismo es normal. Quiero decir, en serio, tal vez solo sueña intensamente. Y si ahora se paseara dormida, yo ya me habría despertado hace rato. Tenemos las piernas atadas. Con una cuerda.

Henry, que hasta ahora había evitado mis ojos, de repente me miró. Las comisuras de los labios se le levantaron y en los ojos apareció un brillo muy familiar.

—¿Con una cuerda? —preguntó divertido—. Con sinceridad, Liv, a veces echo de menos... —Se interrumpió y se mordió el labio—. Quizá sea mejor que entres tú sola a echar un vistazo. —Carraspeó—. Si todo está en orden, vuelves a salir y nos lo dices enseguida. Y si no lo está...

—... entonces salgo también y os lo digo enseguida —dije. Mi corazón latía un poco más rápido, no tanto por el sueño de Mia, sino porque me interesaba vivamente qué era lo que Henry echaba de menos con exactitud. Pero difícilmente se lo podía preguntar. No en presencia de Grayson.

Me volví hacia la puerta y accioné el picaporte con

cuidado. No estaba cerrada. Y esta vez ningún vigilante, ni siquiera mamá. No entendía el subconsciente de Mia, debía de notar si se avecinaba un peligro.

—Hasta ahora —dijo Henry—. Y Liv... —Le miré por encima del hombro—. Ten cuidado. Por el nuevo camisón. Te sienta muy bien.

Me contuve una sonrisa, cerré la puerta desde el interior y miré a mi alrededor. Había llegado a un jardín y era verano. La puerta de Mia encajaba a la perfección en el *cottage* al que pertenecía el jardín. Por la cerca trepaban arvejas en flor, caléndulas y hierbas que se alineaban en un pequeño sendero que conducía a un gran prado lleno de árboles frutales. Detrás de la cerca, pastaban unas ovejas a la luz del sol. Era el perfecto lugar idílico. Me alegré de que Mia tuviera sueños tan bonitos. Más al fondo la oí reír. Quería andar hacia allí para convencerme de una vez de que todo estaba en orden, pero por seguridad preferí transformarme en una libélula, solo por si acaso se hubiera colado alguien aquí de verdad. La libélula me recordó dolorosamente el sueño de B, pero así era lo bastante pequeña como para no caerme y lo suficiente grande como para que no me comiera uno de los numerosos pájaros que gorjeaban por aquí a pleno pulmón. Con cuidado, pasé volando por una cuerda de tender la ropa en la que se secaban pintorescamente unas prendas blancas, hasta que llegué a un manzano del que colgaba un gran columpio. Justo un columpio como el que siempre habíamos deseado.

En el amplio asiento, estaba sentada Mia. Y a su lado... yo.

Por algún motivo, llevaba el vestido de fiesta azul que me había puesto para ir al Baile de Otoño, y debo decir que me quedaba realmente estupendo. En general, éramos una imagen bonita, Mia y yo, sentadas juntas en el columpio y riéndonos. Me puse en una hoja y nos contemplé conmovida.

—Y si tuvieras que elaborar una lista con los diez momentos más ridículos de mi vida, ¿qué pondrías en primer lugar? —preguntó la Liv del sueño.

—Oh, eso es difícil —dijo Mia—. Hay tantos.

Las dos tuvimos que reírnos y yo me eché el pelo a la espalda. Un poco avergonzada (es decir, la yo libélula), noté lo cursi que parecía.

—Bueno, creo que en el puesto número uno estaría lo de Hyderabad, donde de repente te dio diarrea en el autobús y pensaste que te morirías de disentería. —Mia balanceó las piernas—. Te enrollaste una toalla de baño para que nadie lo viera...

—Oh, sí, eso fue ridículo —dijo la Liv del columpio, y una sonrisa diabólica se dibujó en su cara.

Un gorrión revoloteó desde alguna parte y se me quedó mirando con la cabeza torcida, como si estuviera pensando si yo cabía en su pico, pero no le presté atención. Por mí podría haber sido un ave de presa peligrosa, me daba igual. Pues ahora mismo me había quedado claro algo, algo que cambiaba notablemente la situación.

Esa sonrisa... Esa no era mi sonrisa. Como tampoco era mi mirada, que ahora recorría el jardín y luego regresaba a Mia.

La persona que estaba sentada en el columpio a su lado no la soñaba Mia.

Solo era alguien que se hacía pasar por mí.

Noté que me costaba mantener el equilibrio. Cuanto más tiempo miraba con mis ojos de libélula a la Liv con vestido de fiesta, menos parecida a mí la veía. Lo que siempre había temido más había sucedido en efecto. Pero ¿quién demonios era? ¿Quién estaba sentada ahí delante junto a mi hermana pequeña interrogándola?

La Liv falsa se inclinó hacia Mia y se rio entre dientes.

—¿Y en el puesto número dos?

La maldita risita fue la puntilla. De un único aleteo furioso, dejé atrás al gorrión hambriento y llegué al siguiente manzano. Allí, oculta detrás de las fuertes raíces, volví a transformarme.

Cuando salí de las sombras delante del columpio, Mia y la Liv falsa me miraron sorprendidas.

—¡Sherlock Holmes! —gritó Mia, y Liv dijo:

—Benedict Cumberbatch.

Las dos tenían razón. Era Benedict Cumberbatch haciendo de Sherlock Holmes.

—Hola, Watson —dije.

—Hola —respondió Mia, entusiasmada, en un susurro.

La Liv falsa debía de estar pensando que Mia se había imaginado a Sherlock, porque se estaba aburriendo un poco. Sonrió visiblemente divertida.

La miré de arriba abajo.

—¿Y quién se supone que es? —pregunté. Normalmente, me habría divertido poniendo la inimitable voz profunda de Benedict Cumberbatch, pero ahora estaba demasiado furiosa. ¿A quién demonios tenía delante?

—Es mi hermana. Liv. —Mia me miró.

La contemplé con una mirada típica de Sherlock.

—Se parece a tu hermana, uno casi podría confundirse. —Guau, la voz era sexy de verdad.

—¿Qué se supone que significa eso? —preguntó la Liv del sueño consternada.

—¡Oh, por favor! —Cada vez me sentía más segura—. Lo he visto de lejos. Ese gesto artificial, la risita tonta, la forma afectada de echarte el pelo a la espalda, la Liv auténtica está a años luz de ti.

—Y tú no eres más que un actorzuelo tardío totalmente sobrevalorado y sin talento reconocible —dijo la Liv del sueño, furiosa—. Nunca entenderé lo que ven las mujeres en ti, pareces un pez. Si no fuera por la voz, seguiría sin conocerte nadie.

—¡Pero Liv! —Mia se quedó mirando a su hermana falsa perpleja—. Eres su mayor fan.

—Precisamente —dije, adoptando mi propia forma.

La Liv del sueño y Mia cogieron aire a la vez.

—Míranos tranquilamente y dime quién de nosotras es la auténtica Liv —dije. Por desgracia, las dos con mi auténtica voz.

—Bueno, yo llevo todo el rato sentada aquí —dijo la Liv del sueño con una sonrisa desconcertada—. Tú, por el contrario, hace un momento eras Benedict Cumberbatch.

—Cierto —murmuró Mia.

—Bueno —dije—. Entonces, hagámoslo fácil para todos. ¡Señálate el Chüenisbärgli, Liv!

La falsa Liv empezó a reírse. No era mi risa y, mientras se reía, se transformó. El pelo le creció y se le onduló más y adoptó un tono rubio dorado más oscuro, la piel se transformó en puro alabastro y el color de sus ojos mutó de un azul normal a un turquesa excepcional.

No podía entender lo que veían mis ojos. ¿Nunca aprenderíamos a descubrirle sus trucos de inocencia? Al menos a Henry le había pasado igual que a mí. Se la había creído.

—Anabel —dije, esperando que sonara tan cabreada como me sentía—. ¿Cómo era? ¿«Pero yo no tengo nada que ver»?

Anabel se deslizó del columpio y se plantó delante de mí. Seguía llevando mi vestido del baile. Por desgracia, le quedaba mejor que a mí.

—Claro que tengo que ver —dijo y, como siempre,

el sonido de su dulce voz me provocó un escalofrío—. ¿Quién, si no?

Sí, ¿quién, si no? Mia solo parecía sorprenderse un poco por los acontecimientos de su sueño. Parecía menos conmocionada y mucho más interesada.

—Pero... —Me quedé mirando a Anabel. ¿Cómo lo había hecho? ¿Cómo se había colado en el sueño de Mia?—. Estás encerrada en esa clínica. Muy lejos de Londres. ¿Cómo has conseguido un objeto personal de Mia?

El párpado derecho de Anabel tembló.

—Dispongo de medios y formas de las que no tienes ni idea —dijo. ¿Siempre había sido tan alta?—. En general, eres alarmantemente desprevenida para alguien que domina las transformaciones con tanta perfección. —Puso su empalagosa sonrisa—. Enhorabuena por tu Benedict Cumberbatch. Ni yo misma lo habría conseguido mejor.

No, no, no.

Era todo falso.

La altura. Y algo más, un detalle, lo acababa de ver, era...

—¡No eres Anabel! —dije lentamente. Una certeza helada me recorrió y casi me oprimió la garganta—. Tu párpado. Ayer, cuando estábamos junto a mi taquilla, tembló del mismo modo...

Por un momento, incluso pareció que se habían silenciado los gorjeos de los pájaros.

—¡Arthur! —susurré, y en el silencio su nombre casi resonó como un grito.

—Maldición —dijo Anabel con la voz de Arthur—. Eres realmente buena.

27

Y ahora era Arthur el que estaba delante de mí, guapo como un ángel, y de golpe me pareció tan lógico que no pude más que maravillarme de no haberlo descubierto enseguida.

—En realidad no te habrás creído que volvemos a ser amigos, ¿no? —preguntó.

Sí. No. No directamente. Pero había creído en una tregua.

—Así que eras tú todo el tiempo. —Yo misma me di cuenta de lo enfermizo que sonaba, y me enfadé. Por eso enseguida añadí—: Por cierto, te has olvidado de quitarte mi vestido de fiesta.

El hecho de que Arthur, durante medio segundo, se mirara asustado, me dio una pequeña satisfacción. Por supuesto, ya no llevaba mi vestido, sino vaqueros negros y una camiseta negra de manga larga con los que tenía un aspecto simplemente perfecto. Tampoco me habría sorprendido si hubiera desplegado en la espalda un par de enormes alas de ángel negras.

—Ja, ja, muy graciosa —dijo—. Y sí, era yo todo el tiempo. No fue demasiado difícil engañar a tu hermana pequeña. No tiene una personalidad especialmente complicada, más bien lo contrario.

—¡Eh! —dijo Mia ligeramente ofendida.

—Eso era un cumplido —le dijo Arthur—. Para ser una chica, eres terriblemente sincera. Seguro que se te pasa.

Mia arrugó la frente poco convencida.

—¿Así que la has espiado para proporcionarle información a Secrecy? —Me esforcé en serio en poner un tono de superioridad en la voz, pero no me salió bien. Sobre todo porque tenía claro que con seguridad ese no había sido el único motivo.

Arthur sonrió, porque oyó el temblor de mi voz.

—Sabía que te afectaría si todo el colegio sabía tus secretos, pero ese solo fue un efecto secundario divertido.

—El sonambulismo...

—El sonambulismo —me imitó Arthur—. Sí, el sonambulismo. Genial, ¿no? Me llevó semanas averiguar cómo se consigue inducírselo a alguien. Y debo decir que tampoco funciona con cualquiera. Por lo visto, hay que poseer una predisposición de base. Que en el caso de tu hermana, afortunadamente existe. —Hizo una pequeña pausa. Los pájaros seguían callados y delante del sol había aparecido un velo brumoso—. Una idea inquietante que por la noche simplemente se levante y pueda ahorcarse en el cobertizo de vuestro jardín, ¿no? —dijo Arthur.

Los dedos se me agarrotaron.

—Arthur, Mia no te ha hecho nada...

—Sí, es cierto. Pobre. Solo tiene que sufrir, porque tiene la desgracia de tenerte como hermana. —Me miró con atención y ahora su tono de voz se llenó de odio—. Esa Liv tan graciosa, pequeña y valiente que se lleva de calle a Grayson y a Henry. Y a los que tanto ha impresionado con su kung-fu...

—Sigues cabreado conmigo.

—¿Cabreado? —Me interrumpió. Ya no parecía divertirse, al contrario, era pura cólera lo que le brillaba en los ojos. Automáticamente, di un paso atrás.

»¿Cabreado? —repitió—. Así estaría quizá si me hubieras rayado el coche. O si te hubiera prestado el iPad y me lo hubieras perdido. Pero no estoy cabreado contigo, tampoco lo estuve nunca. ¡Te odio!

Vale. Eso era un anuncio.

—Me has destrozado la vida, Liv Silber. Has arruinado todos mis planes. Por tu culpa, Anabel y yo ya no estamos juntos, por tu culpa he perdido a todos mis amigos. Y por tu culpa me sigue doliendo al masticar.

Arthur prácticamente gritó la última frase, todo su autocontrol parecía haber desaparecido, y Mia se resbaló del columpio por el susto y se puso a mi lado.

—Tú. Me. Rompiste. La. Maldita. Mandíbula —prosiguió Arthur un poco más bajo, como si todavía no pudiera entenderlo.

—¿En serio? ¿Fuiste tú? —preguntó Mia—. Secrecy escribió que había sido un accidente.

—Sí. Un accidente llamado Liv Silber —dijo Arthur con amargura.

No tendría ningún sentido señalarle las circunstancias que habían llevado a eso. Una nube oscura se puso delante del sol. Detrás de ella, sobre el prado de las ovejas, ya se amontonaban más. Una tormenta de verano se aproximaba. Intranquila, miré hacia el *cottage*. Ahora había llegado el momento de salir al pasillo y avisar a Grayson y a Henry.

Pero antes aún quería saber una cosa.

—¿Por...? —empecé, pero Arthur no me dejó terminar de hablar.

—Ahora espero que no me preguntes por el porqué,

¿no, Liv? Es muy sencillo: solo pararé cuando estés peor que yo. ¿Por qué deberías conservar a tus amigos si yo los he perdido? ¿Por qué deberías tener una relación feliz si yo no la puedo tener?

De la nube de tormenta, salió un rayo en el horizonte y, poco después, rugió un fuerte trueno en el aire. Las hojas revoloteaban por el aire. Ya no se veía a las ovejas y también los pájaros parecían haberse ido a otra parte. Había oído suficiente y me di la vuelta para irme.

Sin embargo, no llegué lejos, pues delante de mí se abrió la tierra y, en un segundo, se formó una zanja ancha y profunda.

—¡Un terremoto! —gritó Mia, y me cogió de la mano.

De la zanja, salió vapor caliente. Entretanto, el cielo se había oscurecido por completo.

—No es un terremoto —dije, y miré a Arthur furiosa—. ¿En serio, Arthur? ¿El apocalipsis? ¿No se te ocurre nada mejor?

—Me gusta. —Arthur se rio—. Sobre todo porque me divierte endemoniadamente ver cómo fracasas. Y esto es solo un sueño. Qué te parece lo desamparada que te sentirás cuando pierdas a tu hermana en la realidad. Cuando una noche se levante para lanzarse delante de un coche en marcha. O...

La zanja era cada vez más ancha, un manzano se hundió en el abismo con un fuerte crujido y arrastró consigo la cuerda de tender junto con la pintoresca ropa blanca.

—Oh, espera. Lo quieres apocalíptico. —Arthur chasqueó los dedos y de la zanja salió arrastrándose una serpiente amarilla gigante. Mia soltó un chillido.

—Déjalo —le dije a Arthur y transformé la serpiente en una limonera usando toda mi concentración. Tambaleante, salió volando.

Arthur soltó una breve carcajada e hizo salir de la

zanja dos serpientes más, y esta vez no logré transformarlas en otra cosa. Mia se agarró fuerte a mí angustiada. Mientras tanto, se habían formado más grietas en el suelo, demasiado anchas para saltarlas.

—Pero necesitabas un objeto personal, Arthur...

Si ya no conseguía controlar las imaginaciones de Arthur, al menos podía despistarle. Intenté respirar con calma, lo que no era tan fácil, pues en mi escala de los horrores personal las serpientes iban justo después de las arañas, y reptaban precisamente hacia nosotras, aunque muy despacio.

Los ojos de Arthur se iluminaron.

—¡Eso fue fácil! —Levantó la mano y nos mostró un guante gris a topos.

—Oh —dijo Mia, distraída por un momento—. ¡Mi guante preferido! El que perdí. —Pero a continuación, se pasó la distracción. Señaló inquieta a las serpientes—. Si no me equivoco, las amarillas son pitones tigre. ¿Trepamos a un árbol? ¿O pueden seguirnos ahí?

—De perdido, nada. Se lo saqué del bolsillo del abrigo. —Arthur no sonrió—. Y desde entonces lo llevo casi cada noche para dormir.

—Puaj —dijo Mia—. Eso es como... perverso, ¿no?

Otro árbol frutal se hundió en el abismo de la zanja con un fuerte crujido, quejidos y astillas, y saltaron chispas sobre el trozo de prado en el que nos encontrábamos.

—Ahora puedes despertarte —le dije a Mia mientras pensaba enfervorecida qué podía hacer. ¿Quizá construir un puente por el que poder llegar al *cottage* a salvarnos? O todavía mejor, me transformaba en un ave de presa gigante, entonces podría coger a Mia y...

—Bajo presión eres bastante mala, Liv —dijo Arthur, e hizo aparecer una nueva grieta, esta vez corría justo entre mis piernas—. Casi estoy un poco decepcionado.

Salté a un lado, pero no sirvió de nada, entre el estruendo de los truenos, la grieta se ensanchó centímetro a centímetro, nuestro trozo de tierra se hacía cada vez más pequeño y enseguida caería al abismo sin falta. Y Mia conmigo.

En ese momento, el cielo se aclaró. Las nubes de tormenta se retiraron de repente, igual que habían llegado, y el sol volvió a alumbrar desde el cielo.

Las grietas de la tierra empezaron a cerrarse lentamente, una tras otra.

La cara de Arthur se contrajo, vi cómo se concentraba y, por un momento, todo parecía quedarse quieto, ya nada se movía, incluso las serpientes permanecieron quietas en medio del movimiento.

Pero, entonces, ya no eran serpientes largas, sino blandos gusanos amarillos que avanzaban por el prado, mientras los bordes de la zanja seguían juntándose y la capa de hierba se cerró como si nunca hubiera pasado nada.

—Oh, qué tiernos —chilló Mia mientras yo miraba alrededor respirando hondo.

—¡Henry! —gruñó Arthur.

—Henry —repetí, sencillamente no podía hacer nada más, tenía que decir su nombre en voz alta y solo así me sentí mucho mejor. Habría preferido abrazarle, ahí en el camino de flores donde se encontraba, con las manos en los bolsillos del pantalón, como si no hubiera tenido nada que ver con todo eso. Me sonreía. Por esos gusanos realmente habría podido besarle. Algo que por supuesto no podía ser.

»Era Arthur. Todo el tiempo era Arthur —dije en su lugar, y Arthur imitó mi voz quejumbrosa enseguida.

—Sí, era Arthur, todo el tiempo. Y también será Arthur el que se encargue de que Liv pierda la sonrisa definitivamente.

Henry se acercó un paso. Su expresión desenfadada dejó sitio a la auténtica tensión.

—Lamento cada minuto que te he dedicado, Arthur —dijo despacio—. Pero no te creas que habría confiado en ti un solo segundo. ¿Qué persigues con todo esto?

—No siempre tiene que haber un objetivo. —Arthur le repasó con una mirada llena de odio—. Me basta con sentir satisfacción. Si Liv sufre tanto como yo he sufrido. Si pierde todo lo que ama. —Soltó una risa jadeante—. Aunque lo vuestro funcionó mejor sin mi intervención. Bien por ti, Henry, haberte deshecho de ella. Creo que le ha sentado mal, ¿no es cierto, Liv?

Sí. Por desgracia ahí tenía razón.

Henry me miró por un instante y se volvió de nuevo hacia Arthur.

—Catástrofes naturales... Serpientes... Básicamente, tu repertorio no ha cambiado —dijo—. Y aún puedo superarte soñando.

También en eso tenía razón. Un caballo blanco no habría sido adecuado para él en este caso (y habría pegado tan bien con mi camisón).

Arthur asintió levemente.

—Quizá —dijo—. Pero Henry, créeme, acabaré con esto. De un modo u otro. Nadie logrará apartarme de mi venganza. —Señaló a Mia, que había cogido uno de los gusanos con la mano y lo acariciaba. No quería que siguiera hablando, pero no sabía cómo evitarlo. Ahora volvió a sonreír y fue la sonrisa más malvada que he visto nunca.

»Miraos, mis pequeñas marionetas —dijo—. Tenéis claro que no podéis vigilar cada noche todo el tiempo, ¿no? Puedo hacer de todo con vosotros. ¡De todo! En cualquier momento. —Se volvió a mirar la puerta de Mia—. Y puedo llevarlo a su fin pronto, pero también puedo esperar. —Su mirada me recorrió descuidada—. A veces, esperar puede ser bastante descorazonador, Liv. Sí, creo que disfrutaré con eso. —Se rio otra vez—. Para ser sincero, ahora ya lo estoy disfrutando. Me gustaría que pudierais veros las caras. Cómo poco a poco pero con certeza os vais dando cuenta de que no podéis conseguir nada, pero absolutamente nada, contra mí.

Me mordí los labios. Tenía razón, me sentía del todo desvalida y sin planes. Contra tanta maldad, no se podía ganar.

—Será para mí un placer ver cómo sufres, Liv —dijo Arthur con tono solemne.

—Y para mí será un placer impedirte cada uno de tus planes —replicó Henry.

—Si no te sobreestimas, viejo amigo. —Con un gesto grandilocuente, Arthur cruzó el prado y llegó a la puerta de Mia—. Y ahora disculpadme. Aún tengo que informar a Secrecy de cómo Liv se cagó en un autobús en Hyderabad.

Esperamos hasta que la puerta se hubo cerrado detrás de él, después nos miramos.

—Está como una cabra —dije—. Igual que Anabel.

—No lo está —replicó Henry acercándose. Por un momento, pensé que quería cogerme del brazo, pero por fortuna me di cuenta en el último segundo de que solo quería quitarme una hoja del pelo—. Solo es unególatra vengativo que no ha aprendido nada de sus errores y cuya vanidad no resiste que una chica le deje KO de un golpe.

—De una patada —corregí.

Henry sonrió levemente.

—Como sea.

Siguió quitándome hojas del pelo, aunque ya no había ninguna.

—Tengo miedo —susurré—. Quiere que Mia se haga algo. Y he visto que funciona. No habría faltado mucho para que se hubiera tirado por la ventana.

—Eso no pasará, Liv, te lo prometo. Yo... Nosotros...

—Me cogió la mano y me la apretó—. Se nos ocurrirá algo.

Ni idea de qué habría pasado si en ese momento no se hubiera cerrado el prado a nuestros pies y todo se hubiera vuelto oscuro. Por una fracción de segundo, sentí la mano de Henry en la mía, después caía sola en un abismo infinito.

28

Esa era al menos la décima puerta que abría y la décima habitación que cruzaba. Al igual que en las habitaciones anteriores, descubrí puertas en las cuatro paredes, y no tenía ni idea de hacia dónde corría en realidad.

Jadeando, me quedé quieta. El corazón me latía a mil, las manos me sudaban, los músculos de las piernas me dolían. Y eso a pesar de saber perfectamente que se trataba de un sueño. Aunque no el mío, sino el de Mia.

—¿Mia? —grité, y las paredes me devolvieron la voz como un eco—. ¿Dónde estás?

Ninguna respuesta. En su lugar, oía una risa leve procedente de alguna parte. La risa de Arthur.

Hice un esfuerzo y me puse en marcha de nuevo. La puerta de enfrente era igual de buena o mala que las demás. Conducía a otra habitación vacía con puertas, todas las cuales a su vez conducían a habitaciones con puertas, no habría fin, lo sabía. Tenía la sensación de vagar por este laberinto para la eternidad, ya había perdido muchos minutos valiosos y no deseaba nada más ardientemente que despertar de una vez. Pero no lo lograba sin más, daba igual la desesperación con que lo intentara.

En realidad, ¿por qué me había quedado dormida?

No lo había planeado. Había querido quedarme despierta y cuidar de Mia toda la noche.

Ayer, después de que el sueño se desmoronara y me levantara jadeando del susto, Mia me había mirado enojada con la punta de la nariz a solo unos pocos centímetros de mí.

—Me has despertado —se quejó—. ¿Desde cuándo te agitas como una loca mientras duermes?

Me incorporé. La luz de la farola iluminaba pobremente la habitación, todo parecía como debía parecer.

—¡Pellízcame! —le ordené de todos modos.

—¿Qué?

—¡Debes pellizcarme! —Le acerqué el brazo a Mia.

—Encantada —dijo.

—¡Au! ¡No tan fuerte! —Eso me dejaría un morado. Gracias a Dios. Estaba despierta de verdad. Y esto era la vida real en la auténtica habitación de Mia. Fuera no parecía que brillara un sol tropical y no había monos chillando.

»¡Ay! ¡Ya basta! —Mia me había pellizcado otra vez.

—Ese era por haberme despertado. —Miró al despertador—. Oh, no, dentro de media hora tenemos que levantarnos.

—¿Recuerdas lo que has soñado?

—¿Te refieres a antes de que me despertaras con tus vueltas? —Mia ahuecó su almohada y se puso cómoda—. No, no del todo. Algo raro con serpientes... y tú también estabas, creo...

—Y Arthur, ¿no?

—¿Arthur Hamilton? —repitió Mia, indignada—. ¿El tipo por el que todas las chicas de mi clase suspiran sincrónicamente al verle? ¿Por qué iba a soñar con él? ¿Podemos dormir un par de minutos más ahora?

—¿De verdad que no te acuerdas del sueño? ¿Del terremoto? ¿De Benedict Cumberbatch?

Mia ya había vuelto a cerrar los ojos.

—Siento que hayas soñado con un terremoto. Si vuelve a pasar, procura mantener los codos bajo control, ¿vale? Y deja de dar patadas... —sus palabras se perdieron en un murmullo ininteligible.

—Mia...

—Quiero dormir. Nido de avispas.

Suspiré.

—Perdona. Pero si vuelves a soñar con Arthur, entonces... Entonces debes despertarte enseguida, ¿me oyes?

Mia solo gruñó. Un segundo después, empezó a roncar suavemente.

Henry había dicho que no debíamos volvernos locos. Pero eso era más fácil decirlo que hacerlo. Aunque las amenazas de Arthur, vistas a la luz del día, tenían un efecto una pizca menos intimidatorio, tenía claro que lo decía muy en serio. Y poco o nada podíamos lograr contra él.

Aunque Henry tenía otra opinión, a mis ojos Arthur era necesariamente carne de psiquiátrico. Solo que... ¿cómo debíamos procurar que lo encerraran allí? Si contábamos que le había robado un guante a Mia y ahora estaba en situación de hacerla actuar como una marioneta en sus sueños, probablemente acabaríamos nosotros en el manicomio y no al revés. El único que nos creería sería Lord Muerte alias Dr. René Otto Ulmer, y él mismo era un psicópata.

Y una cosa que no me había planteado hasta ahora: incluso si Mia era atacada, no se podía acusar a Arthur de eso, al fin y al cabo en ese momento él estaría tumbado en su cama y durmiendo a medio kilómetro de distancia. A nadie se le ocurriría que él había tenido algo que ver con el asunto.

Por otra parte, si Mia sufría un ataque, de todos modos sería secundario.

Grayson se puso hecho una furia cuando Henry y yo le contamos en el colegio por la mañana lo que había pasado en el sueño de Mia, y su primera reacción fue querer darle una paliza allí mismo. Pasó un buen rato hasta que se dio cuenta de lo poco que serviría; Arthur podría seguir durmiendo y soñando de todos modos. Y aún tendría más sed de venganza.

Aparte de que, desde la noche anterior, parecía que a Arthur se lo había tragado la tierra. No apareció ni por clase, y nadie lo vio en ninguna parte, y en el móvil saltaba enseguida el buzón de voz. Eso solo me dio más miedo.

—A Mia no le pasará nada —había repetido Henry unas cien veces aproximadamente para tranquilizarme, pero no lo había conseguido.

Todo lo que Arthur había dicho la noche anterior sonaba en mi cabeza una y otra vez, como una canción pegadiza de la que no te puedes deshacer. «Puedo hacer de todo con vosotros. ¡De todo! En cualquier momento.» «Cuando una noche se levante para lanzarse delante de un coche en marcha.» «Una idea inquietante que por la noche simplemente se levante y pueda ahorcarse en el cobertizo de vuestro jardín, ¿no?»

Y, sencillamente, no llegué a ninguna solución. Mia y yo no podíamos dormir siempre atadas como los lastimosos elefantes trabajadores de la India. ¿Y cómo podía estar segura de que Mia no se desataba la cuerda cuando yo dormía?

Lo mejor sería que yo me quedara siempre despierta para cuidar de Mia. Pero en la práctica eso era igual de imposible, como internar a Arthur. A la larga, nadie podía vivir sin dormir.

De todos modos, por lo visto yo no lo conseguía ni una noche, a pesar de los tres expresos dobles que me había tomado poco antes de las diez y a pesar del hecho de que no me había tumbado, sino que había apoyado la espalda en el cabecero de Mia. Le había tomado prestado una novela de suspense a Ernest, pero no había sido una buena idea. El libro me confirmó lo infinitamente malo que era el mundo. Cuando la tercera víctima del asesino en serie fue enterrada viva y yo me sentí igual de desprevenida y desvalida que la comisaria, Mia se quejó por la luz. De mala gana, pero también un poco aliviada, cerré el libro y apagué la lámpara de la mesilla. De todos modos, podía imaginarme cómo transcurriría el resto. Al final, resultaría que la comisaria joven y guapa sería enterrada viva en persona en una de esas cajas, pero naturalmente sería rescatada a tiempo. Para tener miedo a la oscuridad para el resto de su vida.

Alternativamente, estuve mirando a la Mia durmiente y a los números del despertador. En algún momento entre las 2.20 y las 2.21, debía de haberme quedado dormida. Pues si no, no estaría ahora desvalida vagando por este laberinto de habitaciones y a punto de desesperarme. Todas las habitaciones me resultaban iguales, al menos eso me parecía. Una vez creí reconocer por la disposición de las puertas que ya había entrado una vez en esa habitación, pero como se trataba del laberinto de un sueño, lo más probable era inútil intentar orientarse con una lógica.

¿Por qué no me despertaba, por favor, solo levantarme? Si por lo menos viniera *Spot* y saltara a la cama. ¿Y por qué no sonaba el despertador de Mia? Lo había puesto a cada hora solo por si acaso me quedaba dormida.

Ya no sabía qué había soñado al principio, en comparación había sido un sueño tranquilo con elefantes y monos, pero cuando descubrí mi puerta verde y, de golpe, me quedó claro que la cafeína había fallado, salí al pasillo atacada.

Grayson, que estaba armado con una escopeta de perdigones delante de la puerta de Mia, se estremeció asustado cuando mi puerta se cerró de golpe.

—¿No querías quedarte despierta?

—Sí —grité desesperada—. Pero no ha funcionado y ahora no consigo despertarme. Será mejor que me des una bofetada. Tan fuerte como puedas.

—Dudo de que sirva de algo. Además, no le pego a las chicas. —Grayson me miró con el ceño fruncido—. Tranquilízate, Liv. Aquí está todo en orden. Me he ido a la cama mucho antes que Mia y, créeme, Arthur no se ha dejado ver. Además, Henry estará aquí en cualquier momento. Hemos acordado quedar delante de la puerta de Mia. Ha dicho que hay una posibilidad de detener a Arthur, y para siempre.

Respiré hondo.

—Si pudiera, ahora te prepararía una tila imaginaria —dijo Grayson.

—¿Por qué no suena ese maldito despertador? —Intenté recordar a qué hora lo había puesto la última vez. ¿Había sido a las tres? ¿O a las tres y media?—. Debería habérselo contado todo a Mia para que ella misma pudiera defenderse.

—De ninguna manera. Así no la habrías ayudado, sino que posiblemente la pondrías más en peligro. ¿Acaso ya no te acuerdas de cómo fue en tu caso? ¿Cuánto tiempo pasó hasta que te sentiste cómoda con la idea de que existe este sitio? ¿Y cuánto tiempo más hasta que estuviste en situación de guiar tus sueños según tus ideas? —Grayson suspiró—. Bueno, a día de hoy, todavía no lo consigo del todo. —Me enseñó la escopeta de perdigones—. En realidad, tenía que ser un fusil chulo. En vez de eso, es esta cosa con la que mi abuelo y yo íbamos a cazar patos cuando yo tenía nueve años.

Tuve que sonreír, aunque solo fuera brevemente.

—¿Y Henry tiene un plan de verdad?

—Sí, y sonaba muy decidido. ¿Dónde estará?

—Sí, ¿dónde estará? —Con un lamento, miré al fondo del pasillo.

Arthur había tenido razón: la espera era lo peor. La espera y la incertidumbre.

Te dejaba completamente desmoralizado.

—Si yo fuera Arthur, esta noche no atacaría —dije más para mí misma que para Grayson—. Y tampoco mañana o la semana que viene. ¿Para qué correr? Puede esperar hasta que todos nosotros nos hayamos vuelto locos de miedo.

—No conoces a Arthur lo suficiente. La paciencia no es precisamente una de sus virtudes. Y seguro que no se arriesgará a esperar a que Henry encuentre un modo de eliminarlo.

—Eso es cierto —dijo la voz de Arthur, y su figura se materializó de la nada directamente delante de nosotros. Ni siquiera tuve tiempo de jadear de miedo—. Además, ¿quién dice que, de ahora en adelante, no atacaré cada noche?

—Solo por encima de mi cadáver —dijo Grayson, y apuntó con la escopeta de perdigones.

Arthur se rio.

—Esos fueron buenos tiempos, cuando íbamos con tu abuelo a cazar patos, ¿no, Grayson? Recuerdo la gorra de cuadros que todos teníamos que llevar. Por cierto, también recuerdo que entonces tú tenías muchas dificultades para disparar, porque los patos te daban una pena enorme. Y yo no soy un pato.

—Precisamente —dijo Grayson, y disparó. Pero los perdigones no llegaron lejos, salieron del cañón a cámara superlenta, se mantuvieron en el aire delante de Arthur y, entonces, cayeron al suelo. Grayson y yo intercambiamos una mirada horrorizada.

Mentalmente, repasé nuestras opciones, inquieta. Podía imaginarme a Mr. Wu. O podía intentar atacar yo misma a Arthur. Pero ¿qué conllevaría volver a romperle la mandíbula en sueños? Podía ganar tiempo hasta que...

—Pero ¿dónde está Henry cuando se le necesita? —preguntó Arthur notablemente de buen humor. Como la noche anterior, iba vestido completamente de negro y casi parecía que se iba a iluminar desde dentro. Si había algo parecido a una iluminación oscura.

Podía... capitular.

—Arthur, por favor —dije poniendo toda la sinceridad posible en la voz—. Siento haberte... lesionado. Siento que, por mi culpa, sufrieras dolor y... pena. Siento terriblemente todo.

—No, no lo sientes —dijo Arthur, y alargó la mano. De repente, hizo un frío helador en el pasillo. En milésimas de segundo, las paredes, el suelo y las puertas estuvieron cubiertas de escarcha, también en mi camiseta se formaron cristales de hielo, y el pelo de Grayson estaba blanco por la escarcha—. Pero de todos modos, resulta divertido oírte decirlo. Me gusta cuando vas implorando perdón. ¿Quizá deberías ponerte de rodillas?

¿Cómo lo hacía Arthur? Ni siquiera movía las manos. Era increíblemente bueno.

Ahora el suelo parecía una pista de patinaje. Me empezaron a castañetear los dientes. Mi respiración formaba nubecitas blancas en el aire.

Tenía que... calor... fuego... ¡Dios mío, qué frío!

—Eres un... —empezó Grayson, pero no consiguió pronunciar la frase hasta el final. El hielo subió a toda velocidad por sus pies, le cubrió con una gruesa capa que le dejó solidificado en forma de estatua, completamente inmóvil, el puro horror congelado en las facciones de su cara.

Arthur sonrió satisfecho.

—Y ahora tú —dijo volviendo hacia mí su rostro angelical. ¿De verdad había creído que los demonios no existían? Es posible que Arthur no tuviera origen babilónico, pero sin duda era demoníaco.

¿Cómo había podido permitir la idea de la capitulación? Tendría que haber luchado, esa era la única respuesta a la maldad de Arthur. Pero ahora era demasiado tarde para eso, mis pies ya estaban rodeados de hielo hasta los tobillos. Y el frío se me había metido hasta los huesos, tan adentro que ya no podía pensar en fuego.

Lo único que aún podía hacer era mirar a Arthur.

—Arthur, por favor —susurré con los labios helados, morados y entumecidos—. No le hagas nada a mi hermana. No le hagas daño. —Arthur solo rio.

—Tan solo ten un par de ideas cálidas mientras esté fuera —dijo. Acto seguido abrió la puerta de Mia y desapareció en su sueño sin dedicarme una mirada más.

A mi lado, la estatua de Grayson estalló con un ruido desagradable y tintineante en miles de diminutas astillas de hielo que se esparcieron por el suelo y brillaban bajo la luz lechosa. De Grayson, ya no se veía nada.

¡Oh, Dios mío! ¡Tenía que hacer algo! Ahora cada segundo contaba. Intenté recomponerme y concentrarme, me convencí de que las imaginaciones de Arthur ya no podían tener poder sobre mí ahora que él estaba lejos, pero transcurrió al menos medio minuto hasta que por fin conseguí derretir el hielo y recuperar la temperatura corporal. Unos segundos preciosos en los que Mia estuvo en peligro y no se me ocurrió ni la más mínima idea sobre qué debía hacer a continuación. Por fin noté cómo podía mover el dedo pequeño, después la mano y finalmente todo el cuerpo. De Henry seguía sin verse ni rastro cuando me colé en el sueño de Mia detrás de Arthur.

Y ahí estaba ahora. Había corrido de habitación en habitación a través de innumerables puertas y el tiempo se me había escapado entre los dedos.

¿Por qué no podía despertarme sin más?

29

Desanimada, abrí la siguiente puerta. Había dejado de correr, no importaba lo rápido que me lanzara por el sueño de Mia, aquí nunca habría un final, daba igual también qué dirección tomara.

Pero esta vez no entré en una habitación vacía más, sino en la habitación de Mia.

Por un maravilloso y agotador segundo, pensé que por fin me había despertado, pero entonces me quedó claro que difícilmente vería a una segunda Liv en la cama de Mia, medio incorporada y medio tumbada.

Mia estaba sentada junto a la Liv del sueño y hablaba con alguien que se encontraba en la ventana.

Grayson. Tenía las manos en los bolsillos del pantalón y sonreía a Mia con calidez.

Ya antes de que volviese la cabeza hacia mí, supe que no era Grayson. Por supuesto que no.

—Llegas justo a tiempo, Liv —dijo Arthur con la voz de Grayson. Por lo visto, solo me había estado esperando—. Qué pena que solo seas un cuadro en la pared y no puedas hacer absolutamente nada excepto mirar.

—¡Eso no es cierto! —quise decir, pero la frase se me quedó atascada en la garganta. Perpleja, me miré de arriba abajo, mis manos se componían de muchas pinceladas diminutas en tonos de color piel, toda yo estaba pintada y, mientras volvía a levantar la cabeza, mi figura se solidificó exactamente en la misma postura que antes en el hielo, solo que esta vez en pintura al óleo.

—¡Chist, chist, chist! —Arthur-Grayson meneó la cabeza reprobatoriamente—. Los cuadros no pueden hablar. Pero estoy encantado de trabajar con alguien cuya fantasía iguala la mía.

Me plantó un marco dorado ancho y me colgó en la pared junto a la puerta, todo sin abandonar su sitio junto a la ventana. El proceso entero se había producido a la velocidad de la luz, Mia ni siquiera me había mirado, sí, no parecía haberse dado cuenta de que yo había entrado.

—Hum. —Arthur me observó con los ojos color caramelo de Grayson—. Muy bonito. ¿Cómo lo llamaremos? ¿*Muchacha con miedo*? Oh, no, mejor: *Muchacha derrotada*. Óleo sobre lienzo. Magnífico.

«No soy un cuadro. Por mis venas circula sangre. Esto solo es un sueño y puedo ser lo que quiera ser. No soy un cuadro.»

Pero era un cuadro, derrotada e incapaz de moverme, además de condenada a escuchar cómo Arthur volvía a dirigirse a Mia ahora.

—Sabes, un piso más arriba hay un cuarto secreto —le dijo con tono adulador—. Los anteriores dueños dejaron allí algunas cosas realmente enigmáticas que yo no entiendo en absoluto.

Mia se interesó enseguida al máximo.

—¿Puedo verlo? —preguntó, disponiéndose a salir de la cama.

—Ten cuidado —dijo Grayson, señalándole la pierna—. Primero debes desatarte; si no, despertarás a Liv...

—Oh, cierto. —Mia miró a la Liv dormida dubitativa—. Pero a ella también le interesaría enormemente ese cuarto. ¿No deberíamos despertarla?

—Podríamos —dijo Grayson-Arthur, lanzándome una breve mirada de reojo—. Pero parece agotada. Quizá sea mejor que la dejemos dormir y se lo enseñamos luego. Así, también serás la primera que revise las pruebas.

Oh, Dios mío. Había conocido a Mia realmente bien en sus sueños.

—También es verdad. —Mia empezó a soltar los nudos de su tobillo, y no dudé ni un segundo que en la realidad estaba haciendo exactamente lo mismo, solo que allí con su mirada vacía de sonámbula, es decir, casi ciega. Había hecho dos nudos en cruz uno encima del otro, pero Mia solo necesitó un par de segundos para liberarse.

Lo que significaba que ahora tampoco estábamos ya atadas y yo no me despertaría porque una cuerda tirara de mi pierna. Arthur podría atraer a Mia hacia arriba sin problemas.

Pero ¿por qué no sonaba el condenado despertador? Según mi percepción temporal, hacía rato que había pasado más de una hora. Pero ¿quizá también me equivocaba?

Intenté hipnotizar el despertador con mis ojos pintados. Sin embargo, eso fue un gran error, pues Arthur notó mi mirada.

—Espera, Mia —dijo—. Será mejor que apagues el despertador; si no, se acabará despertando toda la casa.

—Oh. Vale. —Mia regresó de puntillas a la cama y cogió el despertador. Arthur me regaló una sonrisa burlona. Realmente había pensado en todo.

»Vamos —dijo Mia impaciente a Arthur-Grayson.

Este se recreó un último momento en la expresión de mi cara, después me guiñó el ojo y siguió a Mia al pasillo por la puerta.

Mientras yo intentaba deshacerme de su hechizo —«solo yo tengo el control sobre mí, solo yo decido lo que soy y yo no soy un maldito cuadro»—, intenté convencerme febrilmente de que no llegarían lejos. Al fin y al cabo, había más gente en la casa y seguro que uno de ellos oía cómo la Mia sonámbula pisaba la tabla «recuerdo de la sopa de alubias de tía Gertrude». O *Spot* se pondría en medio. O Florence iría camino al baño...

Una vez más, intenté con todas mis fuerzas despertarme, mientras una ola de odio a mí misma me arrollaba. ¿Qué tipo de hermana era yo en realidad? Durante demasiado tiempo no me había tomado esto en serio. Grayson me había avisado, pero yo no había querido oír. En vez de eso, había deambulado por los pasillos, descifrado los tontos anagramas de Lord Muerte y practicado ser una corriente de aire. Tendría que haber usado el tiempo con más sensatez, tendría que haber practicado otra vez lo de poder despertar de los sueños en cualquier momento y defenderme si alguien quería transformarme en témpano de hielo o pintura al óleo.

Tendría que haberme preparado contra Arthur.

«*Chica derrotada*. Óleo sobre lienzo», oí que volvía a decir.

Y entonces capté de golpe que me lo había dicho con toda la intención. No solo quería hacerme daño, no, sus palabras también tenían otro fin. Cuanto más me desesperara, menos peligrosa era para él. Y casi lo había conseguido. No desperdicié mi energía en la autocompasión y en seguir colgada en la pared impotente. Solo dependía de mí.

Tenía que concentrarme en la rabia, en esa increíble

rabia dentro de mí, en Arthur y en lo que le haría a mi hermana pequeña. Lo sentía como una bola roja ardiente en mi interior que se hacía cada vez más grande cuanto más me centraba en Arthur y en mi ira, y casi en ese mismo momento el dorado del marco se desconchó y se rompió en dos partes. De ahora en adelante estaba libre.

Salté al pasillo solo para tropezar con Arthur, que en forma de Grayson estaba al pie de la escalera. Parecía como si solo hubiera estado esperándome ahí.

A Mia no se la veía por ninguna parte.

Grité su nombre sin obtener respuesta.

—¿Dónde está, Arthur?

—Chist. —Arthur se puso un dedo delante de los labios de Grayson. Con la otra mano, señaló al techo—. No tan fuerte, ya está arriba con Lottie. Solo me cabe esperar que vuestra niñera duerma cada noche con antifaz y tapones para los oídos.

—¿Qué has...? —Me interrumpí. Inútil hablar con él, inútil hacerle preguntas. Lo sabía bien.

De mi garganta se escapó un profundo gruñido que retumbó. Era un jaguar y me preparé para saltar, dispuesta a despedazar a Arthur con mis garras afiladas y mis poderosos colmillos. Ya mientras saltaba, pude reconocer la sorpresa en sus ojos. Con eso no había contado, pero reaccionó rapidísimamente. Choqué contra una pared invisible que había hecho aparecer delante de las escaleras con un parpadeo, parecida al campo de energía que Henry había construido hacía poco entre Lord Muerte y yo.

Cuando de nuevo corrí contra ella, una especie de descarga eléctrica me arrojó un par de metros atrás.

Arthur se rio y, por un momento, ya no era Grayson, sino él mismo.

—Déjalo, Liv —dijo mientras subía por la escalera—. No puedes conmigo.

Solté un bufido.

No, no y otra vez no. No volvería a permitir la idea de fracasar. No debía dejar que su imaginación decidiera por mí. Solo tenía tanto poder sobre mí porque yo se lo permitía. Mientras creyera que su campo de energía era impenetrable, lo seguiría siendo. Aparte de que ya había desaparecido por la escalera. ¿Quién decía que su campo de energía de ahí arriba todavía podía mantenerse?

No me detuve en palpar la pared que tenía ante mí, tensé todos los músculos y salté. Esta vez lo noté como si hubiera chocado contra goma y, por un minúsculo momento, pensé que rebotaría, pero entonces fue como si me sumergiera en una masa espesa que me quitaba la respiración. Medio jaguar, medio persona, braceé, los pulmones me ardían, pero no aflojé, tenía que conseguirlo, ¡tenía que salvar a Mia! Con un leve plaf, la pared me liberó y aterricé en el primer escalón. Jadeando, tomé aire antes de sacar fuerzas de flaqueza y, tan rápido como pude, seguir corriendo hacia arriba.

La puerta del dormitorio de Lottie estaba abierta, y ella estaba tumbada en la cama. Llevaba su antifaz de flores y balanceaba el brazo a un lado hacia el suelo, donde *Buttercup* se había hecho un ovillo sobre una manta. Así de parecido sería en este momento también en la realidad, pero esperaba que allí *Buttercup* se despertara y alertara a todos.

En el sueño de Mia, Lottie y la perra roncaban plácidamente a porfía, mientras Mia pasaba de puntillas a su lado y Arthur —ahora de nuevo con el aspecto de Grayson— casi pisó la cola de *Buttercup*.

Cuando quise seguirles, choqué otra vez contra una pared invisible.

—Lo siento, los gatos deben quedarse fuera —dijo Arthur, aunque ya no era un jaguar, sino de nuevo yo misma. Era evidente que había esperado a que yo apareciera—. Pero puedes contemplar encantada lo que le pasa a tu hermana. Ya casi lo hemos conseguido.

—Mia —grité, no, en realidad lo chillé, pues Mia caminaba directa a la ventana—. No le escuches. Miente. No debes hacer nada de lo que diga. Debes despertarte. ¡Es una trampa!

Arthur se puso la mano detrás de la oreja.

—Perdona, Liv, por desgracia no se te puede oír. Y aún no domino la lectura de labios. Pero supongo que gritas algo así como: ¡no lo hagas, Mia! —Se rio de nuevo y, contra lo que dictaba el sentido común, me lancé contra la pared invisible que parecía tragarse también mi voz solo para volver a fracasar. Quizá me despertaría si el dolor era lo suficientemente fuerte.

»Mira, ahí está. La habitación secreta. —Arthur apareció al lado de Mia. Su voz se había vuelto suave—. Solo tienes que trepar por la ventana, entonces estarás dentro. —Y, efectivamente, si se miraba por la ventana, no se veía el cielo nocturno sobre el tejado de la casa vecina, sino una habitación iluminada con luz débil, de paredes de vigas sin enlucir y viejas cómodas que parecían poseer montones de compartimentos secretos.

—Increíble —dijo Mia, le resultaba difícil ocultar el entusiasmo en su voz— que nunca me hubiera dado cuenta de esto antes.

Arthur-Grayson se encogió de hombros y me lanzó una mirada pícara por encima del hombro.

—Las persianas estaban siempre bajadas.

—Hum, sí —dijo Mia, que en el sueño no se tomaba tan en serio la lógica. Aunque sabía que no servía de nada, grité otra vez su nombre.

Arthur meneó la cabeza.

—Liv, hay numerosas personas que han sobrevivido a un salto desde el segundo piso —dijo con suavidad—. Bueno, quizá no numerosas, pero seguro que un par...

Entretanto, Mia había abierto la ventana.

Lo que, sin duda, también estaba haciendo en la realidad. Pero quizá se atascaba. Quizá Lottie había puesto ahí una maceta que Mia ahora tiraba en un descuido. Quizá también la auténtica *Buttercup* se había despertado hacía rato y bailaba ladrando alrededor de su pierna. El ruido despertaría a Mia, o al menos a Lottie, y entonces...

Mia se sentó en el alféizar de la ventana y pasó las piernas por encima de la repisa. Parecía como si simplemente estuviera trepando hacia la nueva habitación, pero yo sabía que ahora sus piernas en realidad colgaban sobre el precipicio, muchos metros por encima del camino asfaltado que rodeaba la casa.

«¡Piensa, Liv! Ataca a Arthur con sus propias armas.»

Algo chocó contra el campo de energía.

—Maldición —dijo alguien a mi lado. Era Henry—. ¿Qué pasa aquí?

No tenía tiempo para explicaciones. Para eso ahora era demasiado tarde.

Arthur se volvió una vez más, satisfecho de disfrutar plenamente del momento. Cuando descubrió a Henry, apretó la mandíbula por un instante.

Precisamente utilicé ese momento de distracción.

—¿A qué esperas? —gruñó Arthur en dirección a mi hermana pequeña. Ahora parecía tener prisa—. Venga.

Pero de repente, Mia titubeó. La habitación con las paredes de vigas detrás de la ventana había desaparecido. En su lugar, ahora se podía distinguir el cielo. Rápidamente, imaginé también una enorme luna llena amarilla y montones de estrellas para que Mia viera lo máximo posible.

La mirada de Arthur se dirigió hacia mí, llena de odio, furiosa, pero yo estaba a años luz de distancia incluso para sentir el aliento de un triunfo.

—¡Mia! ¡No! —volví a gritar, y esta vez de algún modo pareció llegarle. Al menos miró alrededor como si hubiera escuchado algo que no podía clasificar.

Mientras tanto, por lo visto Henry se había ocupado del campo de energía. Dio un paso al interior de la habitación.

—Apártate de ahí —le dijo en voz baja a Mia.

Le miró con los ojos muy abiertos.

—¿Apartarme? —preguntó.

Salté hacia delante, pero casi al mismo tiempo Arthur hizo un gesto furioso con la mano. Esta vez choqué contra el muro invisible a la altura de la cama de Lottie, mientras Henry suspiraba detrás de mí.

Arthur volvía a llevar ventaja.

—No te dejes engañar —le dijo a Mia con voz lisonjera, y ella se dio la vuelta y de nuevo volvió la cabeza hacia Arthur. Mi cielo y mi luna habían desaparecido, otra vez estaba la habitación con las paredes de vigas directamente delante de Mia, aún más tentadora que antes—. Este es tu secreto en exclusiva, y puedes...

«... Descubrir», le habría gustado decir para terminar la frase. Pero ya no pudo. Pues de repente sucedió, directamente ante nuestros ojos: Arthur desapareció.

Así sin más, sin preaviso, sin estallido. De un momento al siguiente, ya no estaba.

—¿Qué demonios...? —susurró Henry y se acercó a mí.

Perpleja, levanté la cabeza y examiné la habitación con mi mirada. Ni rastro de Arthur. ¿Era una nueva jugarreta? ¿O efectivamente había desaparecido?

—Debe de haberse despertado —dijo Henry y me puso de pie. Ni me había dado cuenta de que seguía en cuclillas en el suelo, donde había caído delante de la pared. Tampoco había notado las lágrimas que me corrían por las mejillas.

El campo de energía de Arthur había desaparecido con él, al igual que la habitación falsa detrás de la ventana.

Mia seguía sentada en la repisa de la ventana. Lista para saltar. Y entonces me di cuenta de que aún no había terminado.

—Tienes que despertarte y recogerla allí —insistió Henry—. Ahora mismo.

—¡No puedo! —Apenas reconocí mi voz de lo histérica que sonó—. Eso llevo intentando todo el tiempo. —Se me escapó un fuerte sollozo—. Tengo que despertarme, tengo que...

—Entonces hazlo —dijo Henry—. ¡Liv, despierta! —Me cogió en brazos, me acercó a él y me besó intensamente en la boca.

30

Cuando me desperté en la cama de Mia, todavía medio incorporada, rebosando lágrimas y jadeando, no malgasté el tiempo comprobando si estaba realmente despierta, sino que me puse de pie de un salto y salí corriendo. Solo para tropezar a los cinco pasos y caerme, porque me había olvidado de la cuerda que tenía atada alrededor del tobillo. Al menos ahora estaba segura de que ya no estaba soñando, pues la rodilla me dolía bastante.

Sin tener en cuenta a los demás de la casa, salí disparada de la habitación, recorrí el pasillo, pasé por encima de la tabla del suelo que crujía, subí la escalera y entré en la habitación de Lottie. Con las manos nerviosas, tanteé buscando el interruptor de la luz y encendí la lámpara de escritorio. Mia estaba en la esquina al lado de la ventana abierta y miraba al vacío con los ojos abiertos. *Buttercup* estaba sentada a su lado, pero cuando me vio, vino corriendo moviendo la cola.

La ventana estaba abierta del todo, el aire helado entraba en la habitación. Lottie estaba tumbada igual que en el sueño de Mia, con su antifaz y roncaba débilmente. De puro alivio de que Mia ya no colgara de la repisa, me cedieron las rodillas.

—¡Mia! —quise gritar, pero solo me salió un ronquido afónico.

De todos modos, no me oyó. Seguía con la mirada fija en el vacío. Esperaba que allí estuviera hablando con Henry. Sencillamente no admitía la idea de que Arthur hubiera vuelto de dondequiera que estuviera. Al menos, las piernas aún me trasladaron hasta la ventana. La cerré de golpe. *Buttercup* se estremeció y levantó las orejas, pero Mia siguió mirando al vacío.

Lottie roncaba suavemente.

Con decisión, cogí el vaso de su mesilla de noche y con energía le lancé el contenido a la cara a Mia. Y entonces, por fin dejó de mirar al vacío y soltó un fuerte grito.

El grito despertó a Lottie (y probablemente también se soltaron un par de tejas encima de nosotras), se arrancó el antifaz de los ojos y parpadeó cegada por la luz con un susto de muerte.

Buttercup ladró. (¿Ahora ladraba? ¡¿Ahora?! ¿Qué había hecho hasta ahora? ¿Acompañar a Mia hasta la ventana moviendo la cola y jadear inquieta? Menos mal que al parecer por sus venas corría sangre de perro de rescate.)

Y yo me abalancé sobre la Mia empapada con cara de perplejidad, la abracé tan fuerte como pude y le sollocé cosas incomprensibles en el pelo.

Ni idea de cuánto rato estuve ahí de pie llorando y agarrando a Mia. Pero en algún momento Mia me apartó.

—Me estás aplastando, Livvy —dijo con los dientes castañeteando—. Y aquí hay algo que apesta.

Lottie olfateó.

—Es mi infusión de valeriana —dijo mirando a su mesilla de noche—. Está... ¡Oh!

—De alguna forma tenía que despertar a Mia. —Me soné los mocos con fuerza.

Lottie me rodeó con el brazo y nos miró a Mia y a mí con expresión grave.

—Vale —dijo—. Haya pasado lo que haya pasado, ahora solo necesitáis una cosa en primer lugar: el cacao caliente de Lottie.

—Oh, vaya, si hablas de ti misma en tercera persona, realmente tiene que ser grave —dijo Mia en voz baja—. Pero solo he ido un poco... ¿sonámbula? ¿No? —Me dio un codazo en el brazo—. ¡Tendrías que haber atado los nudos más fuerte!

—¡Até los nudos fuerte! Te has...

—Chist —dijo Lottie—. Ahora no os peleéis. Ahora os tomaréis el chocolate, después ya veremos. —Se volvió hacia el armario y le pasó a Mia un camisón de flores—. Póntelo, con la ropa mojada pillarás una buena. Y también necesitáis esto. —Dos pares de gruesos calcetines tejidos a mano y una manta de lana volaron hacia nosotras.

Cinco minutos después, Mia y yo estábamos bien abrigadas sentadas en la cocina en el banco tapizado debajo de la ventana. El reloj de la cocina me reveló que aún faltaba una eternidad hasta la mañana, y estaba demasiado agotada para calcular cuánto había durado toda la pesadilla. En cualquier caso, mucho menos de lo que me había parecido. Lottie encendió la cafetera para espumar la leche para el cacao caliente. Aunque el grito de Mia de antes había sido realmente fuerte y estremecedor, ningún otro miembro de la familia se había dejado ver. A mí ya me iba bien, pues no habría sabido cómo enfrentarme a ellos. Aún me seguía sintiendo confusa (y también lo parecía, lo que me había confirmado un vistazo al espejo del pasillo al pasar). Y no sabía si alguna vez estaría en situación de explicarle a alguien lo acontecido de forma que tuviera sentido.

Con Mia, no lo conseguí. Cuando oyó que había vuelto a estar a punto de saltar por la ventana, se quedó insólitamente callada para lo que era habitual en ella.

—¿Cómo se puede ser tan tonta? —murmuró visiblemente enfadada consigo misma—. ¡Y esta vez incluso desde el segundo piso!

Lottie le puso rápidamente el cacao delante, sacó la mantequilla de la nevera sin dar importancia a la hora y, finalmente, sacó harina y azúcar. Su mirada era de mucha preocupación, y las manos le temblaban ligeramente.

—Haré medialunas de vainilla —gruñó—. Entonces todo irá bien, mi pequeña elfa. Entonces todo volverá a ir bien.

—¡Del segundo piso! —Mia seguía meneando la cabeza.

—No podías evitarlo —le aseguré, pero me alegré de que no hiciera más preguntas.

Aseguró no saber mucho más del sueño, solo que había sido muy extraño, y de momento me bastaba con eso. Bastaba con que una de nosotras casi se hubiera vuelto loca de miedo.

Lottie empezó a pesar la masa para las medialunas, y se puso a cantar villancicos alemanes para sí misma, para tranquilizarse, al menos eso me imaginé. Parecía funcionar. Cuando cortó la vainilla en rama y se puso con *O Tannenbaum*, las manos ya no le temblaban. Y también surtió efecto con nosotras. Mia se acercó un poco más a mí en el banco y se acurrucó en mi hombro.

—Cómodo, ¿verdad?

Tuve que controlarme mucho para no volver a abrazarla. Y eso a pesar de que el pelo todavía le olía a valeriana. Solo ahora y después de haberme bebido casi todo mi cuenco de cacao estuve en disposición de entender totalmente lo que había pasado antes. Y me quedó claro que Mia, pese a todo, probablemente ahora estaría tumbada con los huesos rotos en el camino del jardín si Arthur no se hubiera despertado en el momento decisivo. ¿Quién decía que mañana por la noche no lo volvería a intentar? ¿Esta vez con un plan aún más pérfido?

Suspiré hondo en voz baja. No sobreviviría a otra noche como esta en ningún caso.

—En realidad, la masa debe reposar una hora. —Lottie miró indecisa del cuenco a nosotras. Tenía los rizos castaños desordenados por toda la cabeza. Parecía la mujer de un hobbit de la Comarca, y en ese momento la quise tanto que casi dolía—. Pero en vista de la situación, hoy haremos una excepción y nos saltaremos ese paso.

Sí, yo también estaba a favor de eso. La situación requería medidas realmente excepcionales.

En ese momento, llamaron a la puerta de la cocina que conducía a la terraza, y me estremecí tanto que Mia casi se cayó del banco.

—No tengas miedo. Solo es He... ¿Henry? —Lottie enarcó las dos cejas sorprendida y miró incrédula a Henry, que se encontraba al otro lado del cristal en la terraza del desayuno y saludaba.

—Por la noche a las... ¿Qué hora es en realidad? —Resopló—. ¡Hombres! No hay quien les entienda, ¿verdad? ¿Le dejo entrar, Liv? Es evidente que algo le pesa en el corazón, y tengo la fuerte sospecha de que tiene que ver contigo.

No pronuncié palabra. ¿Cómo hacerlo? Cualquier respuesta habría hecho dudar a Mia y a Lottie de mi cordura.

—¡Tierra a Liv! —Mia apartó la manta y fue a la puerta de la terraza para abrirla—. ¿Acaso no ves que está ahí fuera congelándose? Ni siquiera lleva puesta una chaqueta. Entra, Henry. Hay cacao caliente y, dentro de diez minutos, las medialunas de vainilla para consolar.

—Aptas para todo el año —añadió Lottie.

Mia asintió.

—Pareces tener que decirle algo urgente. Será mejor que te sientes con tu exnovia en el banco. —Se volvió hacia mí y sonrió elocuentemente. Después, pasó junto a Henry para ir al lado de Lottie a comer pellizcos de masa del cuenco.

Lottie le pegó en los dedos.

—Manos fuera. Puedes ayudarme a darle forma a las medialunas.

Con un suspiro hondo, Henry se sentó a mi lado en el banco.

—Gracias a Dios —susurró—. Es la de siempre. He venido tan rápido como he podido después de que su sueño se desmoronara.

Sí, era evidente. Ni siquiera había tenido tiempo para ponerse una chaqueta. Solo llevaba vaqueros y camiseta. Le pasé la manta en silencio.

Mia se nos quedó mirando con la cabeza inclinada.

—Ahora lo recuerdo —dijo—. En mi sueño os habéis besado.

—¿De verdad? —Henry me miró serio.

Tragué saliva.

—Solo era un sueño —dije—. Eso no cuenta, Mia.

—Qué pena. —Mia volvió a la masa que Lottie, entretanto, había hecho rodar sobre la superficie de trabajo para darle forma de salchicha larga.

—Oh, ¿entonces eso no cuenta? —preguntó Henry en voz baja—. Tuve la impresión de que...

—Ahora no quiero hablar sobre ese beso —susurré—. ¡Sabe Dios que tenemos suficientes problemas más! No lo soporto, Henry. Lo volverá a intentar... Por cierto, ¿dónde estabas tanto tiempo?

—Yo... Me entretuvieron. —Henry meneó la cabeza con tristeza—. Lo siento. Pero te prometo...

—¡No! —Me olvidé de susurrar—. No debes prometerme nada que no puedas cumplir. La próxima noche quizá te vuelvan a entretener, o la noche siguiente, y entonces... —Estuve a punto de volver a sollozar. Lottie y Mia me miraron con los ojos bien abiertos. Probablemente estaban pensando qué droga me había tomado antes de acostarme.

»Entonces Arthur cumplirá su amenaza —dije a pesar de todo con un dramático sollozo final que no obstante fue interrumpido por un golpe en la puerta de la cocina.

—No, ¡no lo hará! —Era Grayson, que estaba en el umbral de la puerta respirando con dificultad.

Me entraron remordimientos de conciencia, porque me había olvidado por completo de él desde que había estallado en mil pedazos en el sueño. Pero sentaba bien verle. Ahora estábamos todos juntos.

Se acercó y nos lanzó algo a la mesa.

—¿Es lo que creo? —preguntó Henry lentamente.

—Sí —dijo Grayson, rabioso—. Lo es.

Ante nosotros estaba el guante gris de Mia.

—¿Acaso vienes de fuera, Grayson? —Lottie se puso con los brazos en jarras—. ¿Es esto una especie de concurso? ¿Quién aguanta más tiempo fuera en medio de la noche sin chaqueta? ¿Sabéis de verdad lo insensato que es? Aparte de que... ¡mañana tenéis colegio! —Meneando la cabeza, regresó a sus medialunas.

—¿Y qué querías hacer con mi guante? —preguntó Mia, perpleja—. No te va bien. Aparte de que el par ya no está completo. Perdí el otro.

—Este es el otro —dijo Grayson, y lo dejó caer en una silla.

—¿Qué? ¿De verdad? ¿Dónde lo has encontrado?

Grayson ya abría la boca para responder, pero le interrumpí con brusquedad.

—Mia, ¿podrías prepararles un cacao a Grayson y Henry?

—Claro. Yo también quiero uno. ¿Y tú, Lottie?

—No —replicó Lottie, y se volvió hacia nosotros—. Pero sé buena, Mia, cariño, y pon el horno a ciento noventa grados.

Esperé a que Lottie y Mia volvieran a estar ocupadas y la cafetera silbara lo bastante fuerte, entonces me incliné hacia delante y pregunté con rapidez:

—¿Estabas en casa de Arthur, Grayson?

Grayson asintió.

—Estaba harto, ¿sabéis? Estaba harto de verdad.

—¡Le has quitado el guante! —Por primera vez esta noche, vi a Henry sonreír—. Eres increíble, Grayson. —Levantó la mano y Grayson la chocó.

—Pero ¿cómo lo has hecho? —pregunté sin aliento—. ¿Qué ha pasado?

Grayson se inclinó.

—Bueno, he ido y le he dado un puñetazo en la nariz. Fin de la historia.

—¿Así de fácil?

—Así de fácil.

Empecé a reírme y, después de todo el jolgorio, tuve una sensación extraña, casi un poco dolorosa. Y probablemente histérica. Ya no podía dejarlo.

Era tan... ¡genial! Mientras Henry y yo habíamos luchado contra los malditos campos de energía, Grayson había hecho lo único correcto. En el sueño quizá no servía de nada pegar a Arthur, pero en la realidad el tema era muy diferente.

—Estaba tan cabreado. —Grayson frunció el ceño

furioso. Como Henry, también él parecía muy desaliñado, desgreñado y congelado a la vez. El accesorio para espumar la leche seguía silbando lo bastante fuerte como para que pudiéramos hablar sin ser molestados—. Cuando me he despertado, porque el canalla me había convertido en una maldita estatua de hielo, simplemente tenía que hacer algo. Así que he cogido la bici, he ido a casa de Arthur y saltado la valla. He cogido la llave de la puerta trasera del escondite junto a la casa de la piscina y me ha dado igual que me pudieran pillar. Habría afirmado sin más estar borracho. Arthur estaba tumbado en su cama durmiendo. ¡Canalla! —Grayson volvió a coger el guante de la mesa y lo agitó—. Esto lo llevaba puesto. Y dormido sonreía, ¡os lo juro! Nunca había estado más furioso con alguien en la vida.

Sí, podía entenderlo. Qué bien podía entenderlo.

—¿Y entonces? —preguntó Henry con curiosidad.

—¿Y entonces? —replicó Grayson—. Lo dicho. Le he agarrado y le he dado un puñetazo en la nariz. —Con la palma de la mano izquierda, se frotó los nudillos de la mano derecha—. Bueno, para ser sincero, no solo uno. Puede ser que se la haya roto. —Sonrió—. Después, le he cogido el guante y he regresado por el mismo camino por el que había ido. —Lanzó una mirada escrutadora a la puerta de la cocina—. Por eso no os sorprendáis si la policía aparece ahora por aquí para detenerme por robo. Y por lesiones —añadió.

Henry parecía querer darle un beso a Grayson. Pero prefería asumir esa tarea yo. Me levanté, abracé a Grayson y le planté un beso en el pelo. Y otro. Y otro.

—Eres mi héroe, ¿sabes?

—El mío también —aseguró Henry.

Dejé a Grayson, que parecía un poco abochornado, y volví a sentarme.

—Pero ¿qué significa eso ahora?

—Eso significa que Arthur dejará a Mia en paz de momento. —Henry cruzó los brazos detrás de la cabeza—. Ya no tiene un objeto personal de ella. Lo que no significa que no vaya a encontrar una forma de hacerse con otro.

—O de alguien más... —dijo Grayson—. Pero creo que por ahora es nuestro turno. Aunque tengamos que tener un cuidado enorme con Arthur. Y con nuestras cosas. —Levantó la cabeza y miró el horno en el que Lottie había metido la primera bandeja—. Oh, Dios mío. Eso huele increíblemente bien. ¿Qué es?

—Las medialunas de vainilla para consolar aptas para todo el año de Lottie. —Mia puso las tazas humeantes en la mesa—. Para que quede claro: yo soy la única aquí que se merece pastas, y a Liv le toca un par, porque se ha preocupado tanto por mí que ha llorado. Resulta que he vuelto a andar sonámbula y por poco me tiro por la ventana. Y solo me he despertado, porque Liv me ha tirado una apestosa infusión de valeriana por la cabeza. —Se sentó y sonrió contenta al grupo—. Así que, si no podéis superarlo, entonces solo podéis mirar cómo nos comemos las galletas.

Henry también sonrió.

—Eso no podemos superarlo de ningún modo —le dijo—. ¿Verdad, Grayson?

Grayson negó con la cabeza. Parecía muy satisfecho.

—No, eso es imposible de superar. Pero si no recibo una medialuna, desgraciadamente también tendré que llorar.

—Hay bastantes para todos —dijo Lottie, y metió una bandeja más en el horno.

31

—Inconcebible —dijo Mia, contemplando la losa de piedra negra pulida en el jardín delantero de la villa de Elms Walk.

—Del todo —coincidí. Eso también lo había comprado la Bocre con nuestros ahorros: una lápida para *Mr. Snuggles*.

Aunque la Bocre no la llamaba lápida, sino placa conmemorativa. Afirmaba que no quería nada más que recordar siempre a los transeúntes la superficialidad de la belleza vegetal y la fuerza destructora de ciertas personas y la obligación de resistirse con energía a cualquier fuerza destructora.

—En memoria de *Mr. Snuggles*, *Buxus sempervirens Myrtifolia*, masacrado en una única noche tras veinticinco años brotando incansable —leyó Mia en voz alta—. Podemos estar contentas de que no haya grabado también nuestros nombres.

—¡No, *Buttercup*! ¡Perra mala! —Saqué a *Buttercup* del seto apresuradamente, aunque estaba a punto de hacer lo único correcto que se podía hacer con esa placa conmemorativa. O más bien contra ella—. Tenemos que encontrar otro camino para ir al parque cuando salgamos a pasear con ella. Nunca podré ver esta placa sin lamentar la pérdida de nuestro *smartphone*.

—Había confiado tanto en que Grayson recibiera un iPhone nuevo. Así podríamos habernos quedado el suyo viejo —dijo Mia.

El cumpleaños de los gemelos era hoy, y el suspiro de Mia me recordó que aún no sabía lo que me iba a poner esta noche para la fiesta. Florence había tenido la idea «divertida» de repartir un código de vestuario con la invitación. Todos los invitados que estuvieran emparentados con Grayson y Florence debían ir completamente de azul, los compañeros de clase de rojo, la gente a la que Florence conocía por su trabajo de voluntariado (un comedor social para gente sin hogar) de verde, el blanco estaba indicado para todos los acompañantes, y el negro para los que no pertenecían a ninguna categoría.

A Persephone esto le había sacado completamente de sus casillas. No solo porque no podía ponerse su nueva falda azul de Missoni, sino también porque pensaba que a ella el rojo no le quedaba bien. Solo cuando se le ocurrió suplicar a Gabriel que él la llevara de acompañante (quien por cierto no había tenido nada en contra), volvió a estar bien.

En mi caso, el problema era otro: no sabía qué color era el correcto para mí. Excepto verde y blanco, en realidad podía encajar en todos. Pero Mia creía que probablemente Florence se enfurecería si llevábamos algo azul. Y ante la falta de algo rojo (Persephone tenía razón: el rojo solo le quedaba bien a pocas personas y yo no era una de ellas), al final me puse mi vestido camisero negro «siempre queda bien» y le di un toque con unas medias a rayas negras y de colores. La última vez lo había llevado en Sudáfrica en el entierro de una vecina y entonces me llegaba por la rodilla. Ahora era un minivestido y un poco más ajustado y probablemente demasiado sexy para un entierro, pero para esta noche era correcto.

Lo mejor del vestido era un pequeño bolsillo cosido en el lateral que tenía el tamaño perfecto para una tabaquera rococó.

En realidad, la fiesta debía empezar alrededor de las ocho, pero cuando a las siete y media bajé por la escalera, ya había un montón de invitados allí. Sobre todo los voluntarios del comedor social vestidos de verde habían aparecido superpuntuales, muchos de ellos incluso por la tarde, para vaciar el salón y el comedor. Gran parte de los muebles estaba recogida ahora en el garaje y en el cobertizo del jardín para que hubiera espacio suficiente para el pequeño escenario para el grupo de versiones que Ernest había contratado como regalo sorpresa para Florence y Grayson. El grupo se llamaba The Chords, y Persephone aseguraba que eran conocidos como teloneros de Avec, pero la verdad es que ninguno de los dos nombres me decía algo. Daba igual, lo importante era que tocaran bien. El grupo ya había llegado y había hecho ese ritual secreto y complicado de afinar los instrumentos en el que los músicos siempre aparentaban que les iba la vida en ello.

Grayson y Florence estaban ocupados de lleno saludando a los invitados que entretanto llegaban continuamente, Florence resplandecía feliz y tenía un aspecto maravilloso con su nuevo vestido verde, con el que quería demostrar su solidaridad con los compañeros del comedor social. Grayson me guiñó un ojo y me alivió que pareciera tan relajado. Y que ahora, en nombre de la buena voluntad, llevara una camisa de rayas azul en vez de una blanca. Por la tarde, Florence se había puesto hecha una furia por la camisa blanca.

—¡Blanco! ¿Quieres acabar con mis pobres nervios?

Si llevas eso, todos pensarán que solo eres el acompañante de algún invitado —le había reprendido y, a continuación, había añadido dramáticamente—: ¿No puedes hacer por una vez lo que quiero?

Bueno, por lo visto podía. Aunque el azul quizá no fuera tampoco el color perfecto; por otra parte, naturalmente estaba emparentado con Florence. Me colé en la cocina, donde se había preparado el gran bufé que se serviría esta tarde. Mia amontonaba en un plato enorme para llevárselo arriba en secreto. Aliviada, me enteré de que se trataba de canapés normales y no de pastitas de algas gelatinizadas que deben captar los colores de la noche. Florence, y la Bocre, que se había encargado del *catering*, eran capaces de todo.

Disimuladamente, busqué a Henry con la mirada. Un chico atractivo con una camiseta azul (¿un primo de los Spencer?) me puso en la mano una copa de champán al pasar a mi lado, que enseguida entregué a Persephone, que a su vez dio a su hermana mayor Pandora.

—Muy sensato evitar el alcohol —dijo Emily, que había aparecido a mi lado desapercibida—. Pero seguro que aun así también consigues meter la pata. —Llevaba un sencillo vestido rojo de cuello cerrado pero ajustado, y tuve que constatar que era una de esas pocas personas a las que ese color les sentaba estupendamente.

—Guau —dije—. Estás genial, Emily.

—¿Ahora debo sentirme halagada?

A continuación, me contempló con una mirada despectiva y ya me había arrepentido de mi cumplido espontáneo. Por otra parte, también podía dar pena; durante las últimas semanas había resultado bastante evidente que lo intentaría todo para recuperar a Grayson. Aunque sin éxito, y eso que Florence en unión personal con la Bocre hizo todo lo posible para respaldarla.

En fin, quizá funcionara esta noche. Con ese vestido...

Ojalá Grayson se mantuviera firme.

Entretanto, el grupo había empezado a tocar. En el salón se oía *Here comes the weekend* y la cantante sonaba casi como Pink. Persephone nos había conseguido dos copas de ponche y me alargó una antes de que nos arrastraran al salón, donde los primeros ya bailaban. Apoyamos la espalda contra la librería (de la que mamá había alejado por seguridad sus primeras ediciones de Oscar Wilde y Emily Dickinson), y Persephone se estiró su vestido blanco y suspiró feliz.

—Apuesto a que Jasper ahora mismo está muy triste de tener que estar en Francia —grité por la música con una sonrisa.

—¿Qué Jasper? —gritó Persephone, pero entonces ella misma tuvo que reírse—. Hoy incluso Jasper me da igual. Hoy, por una vez, la vida es maravillosa.

En todo caso, había sido bastante peor otras veces. Y había tanto por lo que tenía que estar agradecida.

Por ejemplo, por que Grayson no hubiera sido detenido por robo y lesiones, solo porque Arthur no se lo había contado a nadie. Pero de todos modos estaba agradecida por que, si no, con seguridad Grayson habría tenido que celebrar sus dieciocho años en chirona. O como alternativa, en el manicomio.

En el blog *Dimes y diretes* venía una historia desgarradora de cómo Arthur, al intentar salvar un perrito maltratado, había tenido un altercado con cuatro tipos malos de la extrema derecha. A pesar de la superioridad numérica, el valiente Arthur al final había podido rescatar al perrito, por eso había encajado bien la nariz rota, los dos ojos morados y una ceja partida (realmente Grayson debía de haber estado muy furioso).

Incomprensiblemente, todos en Frognal parecían creer esa historia cursi sin reservas. El valiente Arthur, rescatador de perritos, era el nuevo héroe del colegio. Y las chicas de la clase de Mia aún suspiraban más fuerte cuando se lo encontraban por los pasillos.

Por lo menos, tardarían en curarse todas las huellas de aquella noche, y cada vez que veía la cara de Arthur, me provocaba cierta satisfacción que sus morados se curaran despacio. Aunque sospechaba que clamaba una venganza cruel por cada uno de ellos.

Solo había hablado una vez conmigo cuando nos tropezamos por casualidad delante del laboratorio de Química. En un primer momento, no había reconocido con quien me había chocado y ya había empezado a disculparme cuando me agarró del brazo y me lo apretó con fuerza.

—No te imagines nada, Liv Silber. Aún no he acabado contigo —había proferido mirándome tan lleno de odio que su club de fans de chicas seguro que no se lo habrían podido creer. Pero ahí no había nadie para ver la auténtica cara de Arthur.

Sus palabras no me sorprendieron. Me sorprendió mucho más lo fría que me dejaron.

—Yo tampoco contigo —repliqué, y lo decía en serio. Nunca en la vida le perdonaría lo que había intentado hacer a mi hermana—. Y ahora déjame a menos que quieras que Secrecy tenga que volver a inventarse un accidente.

En sueños, seguro que Arthur ahora habría sonreído de medio lado y habría intentado fosilizarme, pero esto era la vida real, y en la vida real era yo la que sabía kungfu. Así que me soltó justo cuando un grupo de alumnos doblaba la esquina.

—Nos vemos —me susurró.

—Oh, ¿Arthur? —le grité a su espalda—. Lo que llevo todo el tiempo queriendo preguntarte: ¿qué fue al final de los pobres perritos maltratados?

Pero había más cosas por las que tenía que estar agradecida: por que Mia no había vuelto a andar sonámbula ni una sola vez. Y por que, sin preguntar mucho, había prometido estar ojo avizor con sus cosas, sobre todo en el colegio. También estaba agradecida por que podía hablar otra vez con Henry sin echarme a llorar o sin gritarle, en realidad volvíamos a llevarnos muy bien. Quizá porque evitábamos conscientemente todos los temas delicados cuando nos veíamos.

Oh, y en cierto modo también estaba agradecida por que Charles y Lottie estuvieran entrando a la pista de baile y se miraran a los ojos bastante enamorados. Hacían buena pareja. Bueno, Lottie era guapa, Charles era... Charles lo justo. Y lo principal era que eran felices. No obstante, no estaba muy segura de que pudiera aguantar más enamoramientos en esta casa, pues Ernest y mamá aportaban tanta felicidad íntima y chorreante de cursilería, que Mia jugaba con la idea de mudarse anticipadamente. Hoy, ambos habían afirmado que se encargarían de cuidar de *Buttercup* y *Spot* en el cuarto de Lottie en el segundo piso. Probablemente, estaban sentados ahí en el sofá besuqueándose mientras *Buttercup* y *Spot* se tapaban los ojos con las patitas.

Por cierto, la Bocre aún no se había pronunciado sobre el compromiso de su hijo mayor y casi seguro que nunca lo haría. En cada ocasión que se le presentaba, destacaba el descenso social que supondría para Ernest un nuevo matrimonio, al fin y al cabo su primera mujer había sido la número 201 de la sucesión al trono británico. Pero naturalmente ese no era el motivo por el que hoy había decidido quedarse en casa. «Es una fiesta para gente joven, allí una no quiere molestar», había declinado modestamente cuando Florence la invitó, pero yo estaba segura de que no estaba aquí solo porque no soportaba el color azul. Si los familiares hubieran tenido que aparecer vestidos de beige, seguro que habría sido la primera.

—¡Ahí llega Henry! —Persephone me clavó los codos en las costillas—. Increíble, el tío tiene buen aspecto incluso con una camisa de leñador.

—No es una camisa de leñador, solo es una camisa a cuadros —le corrigió Henry—. Pero me parece bastante horrible. Era la única pieza roja de mi armario, excepto un jersey noruego con un ciervo bordado. Pero jamás podría superar tu vestido, Persephone.

—¡Lo sé! Es chulo, ¿verdad? ¡Y mira cómo se abomba la falda! —Dio una vuelta completa y nos lanzó un beso con la mano—. ¡Voy a buscar a Gabriel!

Henry ocupó su lugar a mi lado en la librería y me miró.

—Asombroso lo mucho que se parece a una tarta de merengue. A una tarta de merengue malograda —dijo en una pausa de la música.

—Qué calidad la de tus cumplidos. —Suspiré.

—¿Eso significa que si ahora te digo que esta noche estás maravillosa no me creerías? —Me sonrió y, de buen humor como estaba, le devolví la sonrisa. En los últimos días parecía notablemente más relajado y había dormido más que en todas las semanas anteriores.

Entretanto, la gente se amontonaba en el salón, alguien había abierto la puerta a la terraza y un agradable frescor nocturno entró de fuera. El grupo pasó a *Narcotic* de Liquido, y cogí a Henry del brazo y lo llevé por el pasillo, donde nos sentamos en la escalera y observamos la fiesta desde allí.

—Pareces en cierto modo... feliz —dije después de un rato. Y precioso. (Por supuesto, eso no lo dije, solo lo pensé.)

—Lo soy. —Su mirada se detuvo un instante en mi boca—. Bueno, quizá no necesariamente feliz. Pero en todo caso tengo una preocupación menos.

Con cuidado, toqué la tabaquera que tenía en el bolsillo.

—¿De verdad?

Asintió.

—En casa, ahora... —Se interrumpió—. Bueno, te había contado que estaba enfadado con mi padre. Por decirlo suavemente. Por el patrimonio fideicomisario.

Sí, lo había mencionado.

—Pero eso ahora se ha desvanecido en el aire.

—¿El patrimonio fideicomisario? —pregunté haciéndome la inocente, aunque naturalmente sabía más.

—No, el enfado. Mi padre ha abandonado esos proyectos de inversión dudosos. Desde ya mismo.

—Eso suena muy sensato —dije, y esquivé un codo verde que pasó a nuestro lado de camino al lavabo. Seguían llegando invitados sueltos y me preguntaba a cuánta gente había invitado Florence. Y cuánta gente podía trabajar honoríficamente en un único comedor social.

—Para ser sincero, nunca habría contado con que mi padre se lo replanteara. —Henry se reclinó—. Por ese motivo ya nos habíamos peleado a conciencia.

—Quizá solo necesitaba que alguien apelara a su conciencia —dije, y le entregué a Henry la tabaquera—. Toma. Creo que os pertenece a vosotros.

Ahora ya conocía a Henry bastante, pero nunca antes le había visto tan desconcertado. Y que yo supiera, jamás le había visto tartamudear.

—¿Es... es... es... eso...?

—La tabaquera que Milo le tomó prestada a tu padre —dije, y me alegré secretamente de la expresión de su cara—. Me la habría quedado, pero no tomo rapé. —La boca de Henry seguía entreabierta. Por turnos miraba la tabaquera y me miraba a mí.

—Tú fuiste... ¿Cómo tienes...?

Me permití una sonrisa secreta.

—Bueno, no es que no haya aprendido nada de ti. Y como dije, tu padre necesitaba que le aclararan un par de cosas fundamentales. Fue muy sencillo.

¡Ja, de sencillo nada! Había tardado días solo en encontrar la puerta de su padre. Por desgracia, no estaba directamente en la zona de la puerta de B como había supuesto (¿por qué no?), sino en un pasillo lateral. Solo la había encontrado, porque tenía sus iniciales talladas en la madera: R. H. Por Ronald Harper.

Solo entonces habían empezado los auténticos retos: Harper no era un hombre que se dejara convencer fácilmente en sus proyectos empresariales, y no había planeado retirar el patrimonio fideicomisario de sus hijos de un fondo de inversión de alto riesgo de bancos privados dudosos de la Europa del Este. Había tenido que tirar de todos los registros, cuatro noches seguidas. Solo cuando le había visitado como «el fantasma de las Navidades futuras» había cedido. Habría preferido probar con una versión del Henry Harper padre fallecido, pero vacilé por mi desconocimiento total del aspecto y el carácter del abuelo de Henry. En su lugar, tuve que contentarme a la fuerza con el personaje del *Cuento de Navidad* de Dickens, que tan bien conocía, porque ya lo había representado en una obra de Navidad hacía tres años en Berkeley. Incluso con un pequeño fallo (me había tropezado con la larga y horripilante capa con capucha), me pareció que había representado mi papel excelentemente. Y nada es psicológicamente más convincente que alguien que te muestra tu propia tumba para ponerte ante los ojos lo absurdo de la vida. Gracias, Charles Dickens.

Que mi esfuerzo en efecto hubiera valido la pena, me llenó de orgullo. Pero debía añadir una cosa, los sueños no estaban para cambiar la realidad.

Henry se guardó la tabaquera en el bolsillo de sus pantalones vaqueros y me miró con esa sonrisa Henry tan especial que solo me dedicaba a mí y que además hacía que me temblaran las rodillas.

—Te prometo que algún día te explicaré toda la historia —dijo, se levantó y me ofreció su mano—. Pero de momento me bastaría con que bailaras conmigo.

Puse mi mano en la suya y sonreí. El grupo tocaba *Dream On* de Aerosmith. No podía ser casualidad.

Dimes y Diretes

✳ BLOG ✳

El blog *Dimes y Diretes* de la Academia Frognal con los últimos cotilleos, los mejores rumores y los escándalos más candentes de nuestro colegio.

Sobre mí:
Mi nombre es Secrecy; estoy entre vosotros y conozco todos vuestros secretos.

ACTUALIZAR   ACTIVIDAD

18 de febrero

¡Once minutos! El estado de Jasper Grant en Facebook fue «Soltero» durante once minutos; Persephone ya había cortado con Gabriel. Sí que es rápida.

Por desgracia, un poco demasiado rápida, como se ha comprobado. Pues doce minutos después en el perfil de Jasper volvía a poner: «En una relación.»

Adieu, Lily; *bienvenue*, Louise. Una elección excelente por lo que se ve en las fotos en bikini del perfil de Louise. Y si la villa, la piscina y la palmera que se pueden distinguir detrás del bikini pertenecen a los padres de Louise, entonces hay que felicitar a Jasper. Aprovecha su trimestre en el extranjero para hacerse amigos para siempre con casa de veraneo en la Côte d'Azur, eso es mucho más importante que una buena nota en el examen final de Francés.

Ahora Persephone debería dedicarse a darse cabezazos contra la pared hasta Semana Santa. Y Gabriel, por favor, no vuelvas a caer, te has merecido algo mejor de verdad.

Pero ahora nuestras noticias de última hora: Por lo que acabo de saber, Anabel Scott ya habría salido de la clínica psiquiátrica el viernes. Por lo visto, las disfunciones psicóticas polimorfas agudas pueden curarse, y lo de la esquizofrenia fue un diagnóstico erróneo. Sea como sea, ¡Anabel ha vuelto! Le han dado el alta y aún se recuperará un poco en casa antes de retomar sus estudios. Ahora solo podemos especular si Arthur y ella también retomarán su relación, al fin y al cabo eran la pareja más bella que Frognal ha tenido jamás, oh, qué digo, la pareja más bella que haya visto el mundo jamás, y se lo merecerían. Pero después de tanto tiempo, seguro que no es tan fácil.

Esperemos a ver.

¡Hasta pronto!
Secrecy

P. S. En caso de que esperarais que os informara sobre escándalos en la fiesta de cumpleaños de Florence y Grayson Spencer, ¡lo siento! La fiesta se quedó sin un solo escándalo. Comida deliciosa, grupo bueno, ambiente fantástico; esa fiesta fue como Florence, simplemente perfecta.

Dimesydiretesblog.wordpress.com

Esa misma noche...

Anabel llevaba un vestido negro corto y estaba más guapa que nunca cuando nos la encontramos deambulando por el pasillo. Con la luz difusa, solo faltaba el acompañamiento musical adecuado para que su aparición como ángel caído hubiera sido perfecta.

—¿Cómo fue la fiesta? —Ladeó la cabeza y nos sonrió—. Qué estupidez que se me saltaran en la lista de invitaciones.

Yo idiota. Yo maldita idiota. Hasta ahora, la noche había sido simplemente perfecta, y solo había querido alargarla un poco. Así que, tras una leve vacilación, había cruzado mi puerta verde, oficialmente con la excusa de comprobar que todo iba bien en el sueño de Mia, como Henry, Grayson y yo nos habíamos acostumbrado a hacer en las últimas semanas. Pero ¿a quién quería engañar yo?

A Henry, que ya me estaba esperando, en todo caso no.

—¿Qué te parece una excursión al sueño de Amy? —Había sonreído al verme—. Así puedes contarme con calma cómo te las arreglaste con mi padre.

Eso seguro que no lo haría. Pero en el tranquilo mundo de los sueños lleno de color de Amy, todo me parecía posible. También que nosotros dos...

—¡Vale! —dije rápidamente.

Pero justo en ese momento, por supuesto, tuvo que aparecer ante nosotros la seguidora de demonios número uno de Londres, recién salida del psiquiátrico, declarada sana por un médico que o bien estaba igual de loco que ella o bien había sido manipulado enormemente en los sueños.

—¡Anabel! —Crucé los brazos delante del pecho—. ¿Cómo has conseguido que el doctor Ulmer te deje marchar?

—¿El doctor Ulmer? —Anabel enarcó una ceja—. Pero si él no ha tenido nada que ver con mi alta, no, el buen doctorcito duerme —explicó alegremente—. Para... bueno... siempre, me temo.

—¿Está muerto? —pregunté horrorizada. Recordé la amenaza de Anabel en nuestro último encuentro y que Lord Muerte había estado desaparecido sin dejar rastro desde entonces. Parecía como si Anabel hubiera hecho realidad sus palabras. De repente, sentí un frío helador.

Anabel se rio.

—¡No! Duerme de verdad. Y lo mejor es que piensa que está despierto.

Oh, Dios mío, eso me resultaba en cierto modo familiar. Se me puso la piel de gallina por todo el cuerpo.

—Le he encerrado en su propio sueño —prosiguió Anabel—. Lleva durmiendo las dos últimas semanas y nadie le ha visto despierto.

—Eso es realmente... —murmuró Henry. Busqué su mano.

—... genial —añadió Anabel—. Lo sé. Los médicos no pueden explicarse lo que le ha pasado. Todas las funciones vitales son correctas. Vale, no todas. Tienen que alimentarle de modo artificial, pero no recibe todo. Está tumbado muy tranquilamente en su cama y piensa que su vida sigue del todo normal. Ni siquiera sospecha que sigue soñando.

Se me escapó un gemido. ¿Por qué habíamos tenido que venir? ¿Por qué no había podido dejarlo en una noche bonita en la que había podido tener la ilusión de que todo estaba mejor?

Anabel me dirigió una mirada indulgente.

—Espero que no te estés compadeciendo de él, ¿no? Se lo ha merecido. Al contrario que tu hermana. —Miró la puerta azul nomeolvides de Mia, ante la cual estaba Mr. Wu observando furioso—. Lo que Arthur tenía planeado para ella era realmente desagradable. Y espero que os quede claro que seguirá adelante. ¡Y cómo!

—Sí —dijo Henry con un suspiro—. Arthur es igual de testarudo que tú.

—Con la diferencia de que él lo hace por venganza —dijo Anabel—. Conmigo todavía tiene una cuenta pendiente. Y me temo que ahora que me han dado el alta en la clínica querrá que la pague.

Henry yo intercambiamos una mirada. ¿También estaba pensando lo que se me había pasado por la cabeza? ¿Que estaría bien que Arthur y Anabel se eliminaran el uno al otro?

—Habéis visto la perfección con la que ahora domina los sueños —prosiguió Anabel—. Pero yo soy mejor. Y sería inteligente por vuestra parte colaborar conmigo. Juntos podemos tener en jaque a Arthur.

La mano de Henry alrededor de la mía me apretó más. ¿Anabel quería ofrecernos aquí una alianza en serio?

—Quizás... —empezó Anabel, pero el chirrido de bisagras de una puerta la interrumpió. Miramos a nuestro alrededor. El ruido procedía de la puerta de Grayson, que por lo visto tendría que engrasarse urgentemente. Pero no era Grayson quien salía y cerraba la puerta con cuidado tras de sí.

—¿Emily? —grité incrédula. No, no podía ser. Tenía que ser Arthur pretendiendo ser Emily. Emily nos miró asustada. Parecía sorprendida, como un niño al que han pillado robando golosinas.

—Oh, sois vosotros —murmuró—. Anabel... No sabía que tú también... —Entonces, se recompuso y puso su cara de gobernanta arrogante—. Si vais a quedaros ahí plantados mirando como tontos, al menos quizá podríais desvelarme dónde puedo encontrar la puerta de la abuela de Grayson.

Sí que era ella. Sabía lo de los pasillos. Y había estado en el sueño de Grayson, ¡mal bicho! Es probable que no fuera la primera vez.

—Tú... —empecé, pero Henry me soltó la mano y me interrumpió.

—¿La puerta de Mrs. Spencer? Dos veces a la izquierda, después a la derecha, al menos allí estaba últimamente. Es la puerta ocre con herrajes dorados. Y un arbusto.

—Ah, vale, gracias. —Emily se echó su pelo brillante a la espalda pavoneándose.

Me quedé mirándola perpleja.

—¿Por qué la has dejado marchar? ¿Y cómo...?

Anabel volvió a reírse. Se enroscó un mechón de pelo dorado en los dedos.

—Arthur es listo. Acoge aliados en el barco. Todos nosotros deberíamos hacerlo. Poner a Emily al corriente de este asunto no es una mala elección. Quizá no tenga la fantasía de la mayoría, pero seguro que está motivada. Aunque solo sea por Grayson.

—¿Arthur y Emily? —pregunté.

—Eso parece —dijo Henry—. Habrá que estar atentos, a ver a quién nos encontramos aquí.

Anabel se dio la vuelta para irse.

—Ya lo digo yo. Es la hora de definir los frentes. Planteraos mi oferta. ¿Cómo se dice? El enemigo de mi enemigo es mi amigo. —Se volvió una vez más y me guiñó el ojo—. Y solo acaba de empezar.

Apéndices

EL REGLAMENTO DE LOS SUEÑOS

¿También te gustaría visitar a tus amigos en los sueños? No hay problema. Las reglas son muy sencillas.

1. Necesitas un objeto personal de aquel a quien quieras visitar. Cuando te vayas a dormir, debes llevarlo en alguna parte del cuerpo. (Por eso es mejor llevar un objeto pequeño. Es decir, no la bicicleta o algo así, de lo contrario no habrá hueco en la cama. Y será incómodo.)

2. En el sueño, debes buscar tu puerta de los sueños personal, solo tú sabes qué aspecto tiene. Es un poco complicado, pues solo cuando logras tocar esa puerta en el sueño sabes que, en realidad, estás soñando. Ese estado se denomina «sueño lúcido» o también «sueño claro».

3. Ahora depende de ti: ¿te atreves a cruzar la puerta? Entonces, llegas al pasillo en el que desembocan todas las puertas de los sueños de todas las personas del mundo. Dispone de pasillos infinitos y bifurcaciones, ten

cuidado de no perderte. (¡Y fíjate bien en el aspecto de tu puerta!)

4. Ahora tienes que encontrar la puerta de aquel a quien quieras visitar. Aunque las puertas de los sueños cambian de ubicación a menudo, las puertas de las personas que nos resultan cercanas se encuentran en su mayoría cerca de nuestra propia puerta. Y la mayoría de las veces reflejan el auténtico carácter de su dueño, ahora se demuestra lo bien que de verdad conoces a tus amigos.

5. Cuando has encontrado la puerta correcta, a veces aún debes superar un obstáculo. El subconsciente de muchas personas tiene la necesidad de proteger la puerta frente a intrusos. Pero si conoces bien a la persona, es probable que superase el umbral con facilidad. Otra cosa es cuando el soñador protege conscientemente su puerta, algo que por cierto también te recomendaría cuando ya estés allí. Por desgracia, nunca se sabe quién más deambula por este pasillo, y seguro que no quieres tener visitantes no invitados en tus sueños, ¿verdad?

6. En los sueños de los demás, puedes adoptar la forma deseada al igual que en los tuyos propios. Si eres especialmente bueno, también puedes hacerte del todo invisible. Pero también puedes entrar como tú mismo y hacer todas las cosas que tú no te atreverías a hacer durante el día. Por lo general, los demás no sabrán de este sueño al despertar; solo recordamos una minúscula parte de nuestros sueños. Atención: si la otra persona se despierta mientras tú estás en su sueño, será incómodo. Resulta que el sueño se desmorona y tú caes en una especie de agujero negro sin aire hasta que tú mismo te despiertas.

7. Como es natural no es especialmente agradable espiar a alguien en secreto en los sueños, es mejor quedar en el pasillo y decidir entonces a qué sueño vais. Lo mejor es que en sueños podéis viajar por todas partes, a cualquier lugar del planeta, sí, incluso podéis imaginaros sitios que aún no existen. Y podéis hacer simplemente de todo.

8. ¡Que te diviertas! Pero no exageres: dormir durante el sueño lúcido por desgracia no sirve para reposar y, si se hace durante toda la noche, puede pasar que te quedes dormido en el colegio y babees sobre el libro de matemáticas, y eso no lo quiere nadie.

9. Ah, sí, y si os encontráis a Anabel o a Arthur por el camino, salid corriendo lo más rápido que podáis.

MEDIALUNAS DE VAINILLA PARA CONSOLAR, APTAS PARA TODO EL AÑO, DE LOTTIE

Ingredientes:
200 g mantequilla
100 g azúcar
1 rama de vainilla
100 g almendras molidas
250 g harina
Para después del horno: azúcar glas y una bolsa de azúcar de vainilla

Estas cantidades dan para 40 medialunas para consolar.

Mezcla la mantequilla con el azúcar hasta que se forme una masa fina. Corta la rama de vainilla a lo largo, saca las semillas de vainilla y añádelas a la mantequilla. Tamiza la harina sobre la masa, añade las almendras y amásalo. (Sale mejor con las manos.) Haz una bola con la masa y envuélvela en papel de aluminio, déjala reposar una hora en la nevera. (Solo en caso de emergencia se puede seguir trabajando enseguida.) Después, haz rodar la masa hasta que quede como una salchicha larga y corta trozos de unos dos centímetros de ancho. Dales forma de medialuna a los trozos pequeños y ponlos en una placa de horno sobre papel vegetal.

Mientras tanto, precalienta el horno a 190 °C, después hornea las medialunas a una altura media durante diez minutos hasta que tengan un tono marrón claro. Mezcla el azúcar glas con el azúcar de vainilla y espolvorea las medialunas calientes con esa mezcla. Déjalas enfriar en la placa de horno, las galletas son muy frágiles.

A continuación, dáselas de comer rápidamente a todos los que necesiten consuelo junto con palabras amables como «Todo volverá a ir bien» y «¡Seguimos teniéndonos a nosotros!».

(También pueden meterse en una lata, entonces quedan crujientes y consoladoras durante semanas.)

¡Que te diviertas!

LISTA DE PERSONAJES

Liv Silber: Sigue teniendo sueños intensos.

Mia Silber: Hermana pequeña de Liv. No sospecha lo que sucede en sus sueños.

Ann Matthews: Madre de Liv.

Lottie Wastlhuber: Niñera de Liv y Mia.

Ernest Spencer: Quiere casarse con Ann.

Grayson Spencer: Hijo de Ernest y hermano gemelo de Florence.

Florence Spencer: Hija de Ernest y hermana gemela de Grayson.

Charles Spencer: Hermano de Ernest, dentista.

La Bocre: También conocida como Mrs. Spencer sénior o madrastra mala de Blancanieves treinta años después.

Henry Harper: Prefiere soñar con Liv, al menos la mayoría de las veces.

Milo Harper: Su hermano pequeño.

Ron Harper: Padre de Henry.

B: Una mujer desnuda en una piscina de hidromasaje.

Biljana: Modelo de ropa interior y amante del padre de Henry.

Arthur Hamilton: Examigo de Anabel Scott, de Henry y de Grayson.

Persephone Porter-Peregrin: Ha decidido ser la mejor amiga de Liv.

Anabel Scott: Exnovia de Arthur; desde el final del volumen 1, en el manicomio.

Emily Clark: Novia de Grayson y alma gemela de la Bocre.

Lord Muerte: Un hombre con sombrero de ala ancha que habla con anagramas.

Princess Buttercup: La perra de la familia.

Spot: Gato de los Spencer.

Mr. Snuggles: Ahora astillas, antes un pavo real hecho con un arbusto.

Y, por supuesto, *Secrecy*...

Tienen una breve aparición especial: Sam (hermano pequeño de Emily) y su novia Fulanita (cuyo verdadero nombre por desgracia no conocemos), un camarero (que con nada se altera), Mrs. Lawrence, la profesora de Francés (que con mucho se altera), Eric y Gabriel (compañeros de la comida), Jasper Grant (esta vez en el extranjero), Mr. Wu (un auténtico héroe, aunque solo por poco tiempo), Amy Harper (hermana pequeña de Henry y muy dulce) y diversos animales (no muy dulces, sino repugnantes, venenosos, de ocho patas o espinosos. Y esperemos que para siempre encerrados en el reino de los sueños. Pero ¿quién sabe?).

Hola, soñadoras y soñadores de ahí fuera.

Espero que hayáis cerrado el libro satisfechos, aunque por supuesto pone de los nervios que Anabel siempre diga lo mismo al final. Pero tiene razón: realmente solo acaba de empezar. En el volumen 1 ya os escribí una carta e intenté revelar un poco del volumen 2. A lo tonto, algunas de las cosas que había revelado no han aparecido: ni maldición, ni veterinario, ¡vaya! Así suele pasar: tengo planeado escribir algo concreto, pero después... al final escribo otra cosa. (Aunque sigo sin abandonar al veterinario.) Por eso esta vez solo os revelaré esto: en el tercer libro de los sueños en cualquier caso habrá una gran boda. Y a los soñadores ya conocidos se sumarán algunos más, así que algo pasará en los pasillos. Y... no, prefiero no contar más. Pero una cosa está clara: al final del volumen 3 sabréis definitivamente quién se esconde tras Secrecy. Tengo mucha curiosidad por saber quién de vosotros acertó desde el principio.

¡Hasta pronto!

KERSTIN GIER